CW00376682

Andrea hat es ja so gewollt: Sie und Christoph sind getrennt. Doch irgendwie hat Andrea sich das anders vorgestellt. Nicht nur ihr verwitweter Schwiegervater Rudi sondern auch ihr Ex haben beide gleich schon wieder eine Neue. So ist das eben bei den Männern – sie sind nicht gerne alleine. Aber Andrea auch nicht wirklich. Also los, denkt sich Andrea, vielleicht muss doch ein neuer Mann her. Ein paar Angebote hat sie ja schon, aber so richtig verlockend sind die irgendwie alle nicht. Und so einfach ist das nach so vielen Jahren Ehe und mit Familie auch nicht – wie ging das eigentlich noch mal mit dem Daten?

Susanne Fröhlich ist erfolgreiche Moderatorin, Journalistin und Autorin. Sie lebt in der Nähe von Frankfurt am Main. Sowohl ihre Sachbücher als auch ihre Romane – »Familienpackung«, »Treuepunkte«, »Lieblingsstücke«, »Lackschaden« und zuletzt »Aufgebügelt« – wurden alle zu Bestsellern und riesigen Erfolgen.

Weitere Informationen, auch zu E-Book-Ausgaben, finden Sie bei www.fischerverlage.de

Susanne Fröhlich

Aufgebügelt

Roman

FISCHER Taschenbuch

Erschienen bei FISCHER Taschenbuch
Frankfurt am Main, Februar 2015

Satz: Pinkuin Satz und Datentechnik, Berlin
Druck und Bindung: CPI books GmbH, Leck
Printed in Germany
ISBN 978-3-596-17495-9

I hate writing, I love having written.
Dorothy Parker

Für all meine Freundinnen –
Ihr macht mein Leben richtig schön!

1

»Moin, Andrea! Hör ma, des is mer jetzt irschendwie peinlich, aber isch muss dich ema was frage«, begrüßt mich Rudi in meiner Küche.

Seit Christoph ausgezogen ist, gehört das tägliche gemeinsame Frühstück zu unseren festen Ritualen. Kaum sind die Kinder aus dem Haus, setzen wir uns noch mal hin und versuchen, so einigermaßen entspannt in den Alltag zu starten.

»Du weißt doch, du kannst mich fragen, was immer du willst!«, antworte ich und schmiere mir eine hauchdünne Schicht Nutella aufs Brot.

Ich liebe Nutella und vor allem Nutella mit Butter drunter. Das ist der Nachteil an unserem morgendlichen Meeting. Früher habe ich ganz aufs Frühstück verzichtet und so wenigstens die Kalorien am Morgen eingespart.

»Also des is, wie schon gesacht, also irschendwie unangenehm, aber isch weiß net, wen isch sonst frache könnt!«, startet mein Schwiegervater einen erneuten Anlauf. Das ist typisch für Rudi, er macht gerne ein riesiges Bohei um jedes Thema.

»Frag halt!«, sage ich und schmiere mir schon die nächste Scheibe Toast.

Wer um alles in der Welt hat bloß das Toastbrot erfunden? Man isst und isst und isst und hat trotzdem das Gefühl, gar nichts gegessen zu haben.

»Rudi, ab morgen essen wir Vollkornbrot oder Müsli mit Obst«, entscheide ich, denn wenn das so weitergeht, hat mein Körper bald auch die Konsistenz eines Toastbrots, weiß und wabbelig, und sollte ich ihn tatsächlich doch noch mal zum Einsatz bringen – ein sehr heikles Thema, nebenbei bemerkt –, wäre mir das extrem unangenehm.

»Eier mit Speck wärn mir liebä, aber von mir aus auch Müsli. Körner solle ja gut sein. Isch muss misch ja fit halte! Grad jetzt. Aber zurück zu dem annern Thema. Also, Andrea, es geht dadrum … Ach, isch sachs jetzt einfach emal grad heraus: Hast du schon ema was mit Handschelle gemacht?«

Habe ich das jetzt richtig verstanden? Handschellen? Mein Schwiegervater, der Vater meines Ex, fragt mich nach Handschellen?

»Rudi, hast du gerade Handschellen gesagt?«, frage ich zur Sicherheit noch mal nach und habe so auch einen kleinen Moment, um meine Fassung wiederzuerlangen.

Mein Schwiegervater hat einen knallroten Kopf, kann mir nicht in die Augen schauen, aber er nickt eindeutig.

»Ja hab isch! Handschelle!«, platzt es aus ihm heraus.

Ich ahne, was er meint, will es aber doch noch mal genau wissen: »Das hat aber jetzt nichts mit Polizei, Verhaftung oder Ähnlichem zu tun, oder?«, stammle ich, um ein wenig Zeit zu gewinnen. Natürlich ist mir völlig klar, dass Rudi keineswegs irgendwas in dieser Richtung meint. Wir kennen uns ja schon ein bisschen länger, und wenn ich eine kriminelle Ader hätte und schon mal verhaftet worden wäre, wüsste er das längst.

»Nee. Handschellen und … Na ja, also beim Sex halt!«, erklärt er mir.

Mittlerweile ist Rudis Kopf so knallrot, dass ich schon

Angst um seinen Blutdruck bekomme. Nicht dass der mir hier beim Frühstück einen Schlaganfall kriegt! In meinem Kopf beginnen sich unangenehme Bilder zu tummeln: Mein Schwiegervater an die Heizung gekettet und bis auf die Handschellen splitterfasernackt. Oder an die Bettpfosten. Eventuell auch Hände auf dem Rücken. Ich versuche, sofort diese scheußlichen Gedanken zu verdrängen.

Rudi interpretiert mein Schweigen anders: »Isch hab's dir doch gesacht, es is peinlisch, aber wen soll isch dann sonst frage?«

Ja, es ist peinlich, aber es ist noch mehr als das. Mein Schwiegervater in den Siebzigern fragt mich nach Handschellen, und ich im besten Endvierziger-Alter habe seit Jahren weder mit noch ohne Handschellen irgendwas getrieben, was im weitesten Sinne mit Sex zu tun hat. Um ganz ehrlich zu sein, in den letzten vier Jahren meiner Beziehung lief auch nicht viel. Ich bin also fast fünf Jahre raus aus dem aktiven Geschehen – jedenfalls in dieser Hinsicht.

»Bist du jetzt sauer, Andrea?«, unterbricht Rudi meine Gedanken und macht sein Hau-mich-nicht-ich-habe-es-doch-nicht-so-gemeint-Gesicht.

Natürlich bin ich nicht sauer. Wieso auch? Eher maßlos erstaunt. Wie kommt Rudi bloß auf eine solche Idee? Gehört das etwa mittlerweile zum Sex-Basisprogramm? Kann sich in ein paar Jahren so viel verändert haben? Gab's so was früher nicht doch eher nur in ganz bestimmten Kreisen? Abteilung Sadomaso? Fetisch und Co?

»Was willst du denn mit Handschellen? Man kommt

doch auch ohne im Bett ganz gut zurecht!«, frage ich vorsichtig.

»Ach, isch bin gar net heiß auf Handschellen und so 'nen Kram, aber die Irene hat so was angedeutet, die hat da so ein Buch gelese und deshalb will se des ach ma ausprobiern!«

Mir dämmert es. Was wird Irene wohl gelesen haben? *Shades of Grey* wahrscheinlich. Den Mega-Bestseller, den mir meine Nachbarin Anita zum letzten Geburtstag geschenkt hat. Und weil alle wie verrückt geschwärmt haben, immer mit leicht entrücktem Gesicht und einem frivolen Grinsen, habe ich das Buch natürlich auch artig gelesen. Ich war, ehrlich gesagt, ein bisschen enttäuscht. Braves, junges Ding, Studentin – klar! – aber natürlich auch bildschön, selbstverständlich noch ohne jegliche sexuelle Erfahrung, ganz unberührt, lernt durch Zufall unglaublich reichen Milliardär kennen, der aufgrund seiner traumatischen Vergangenheit nichts mit Blümchensex (Das ist dann wohl die Bezeichnung für das, was naive Menschen wie ich so treiben) anfangen kann und sie als devote Gespielin will – nach seinen Regeln …

Es gibt ordentlich Sex, ab und an mal was auf den Po, die ein oder andere Handschelle, Tücher, Reitgerten, Vibratoren und vieles mehr. Na ja, aber umgeworfen hat es mich nicht. Und mit meinen Phantasien hat es auch eher wenig zu tun. Der Gedanke, dass mir jemand den Hintern versohlt, so dass ich am nächsten Tag kaum mehr sitzen kann, ist mit meiner Idee von Erotik irgendwie nicht kompatibel. Ich bin und bleibe spießig, obwohl bei genauem Hinsehen *Shades of Grey* selbst irrsinnig spießig ist. Eigentlich eine Art Märchen, denn die Geschichte wäre weitaus weniger spektakulär, wenn der Milliardär ein Klempner wäre, als Geschenk kein schickes Auto, sondern einen Strauß Blumen von der Tanke mitbringen und in einer Zweizimmerwohnung hausen würde.

»Du meinst bestimmt dieses *Shades of Grey*«, sage ich zu Rudi, und wieder nickt er nur.

»Sie hat es mir mitgegebe, damit isch mich in die Materie einarbeite kann, aber ma ehrlich, Andrea, so was hat die Inge nie gewollt. Bei uns war alles, na ja, halt mehr so normal. Oft, aber normal. Was mer halt so macht, gell. Isch weiß schon ma net, wo mer überhaupt Handschelle und so was kaufe kann.«

Oh, bitte, jetzt keine Details aus dem Sexleben meiner verstorbenen Schwiegermutter und Rudi. Da geht es mir wie meinen Kindern, man will sich Eltern einfach nicht beim Kamasutra vorstellen. Ich möchte weder über Stellungen noch über Frequenz diskutieren. Eltern sind irgendwie geschlechtslos und sollten das bitte auch bleiben.

»Keine Details, Rudi!«, sage ich deshalb schnell, bin aber doch ein bisschen neugierig und frage gleich nach: »Wer soll denn die Handschellen tragen, du oder deine Irene?«

Irene ist Rudis neue Freundin. Hätte mir jemand noch vor einem Jahr gesagt, dass Rudi mal eine Freundin haben würde, hätte ich nur gelacht. Rudi hat so wahnsinnig um seine Frau getrauert, eine neue Bindung schien völlig unvorstellbar. Aber da sieht man es mal wieder. Männer sind nun mal nicht gern allein. Doch dass ausgerechnet Rudi sich so schnell wieder verlieben würde, hätte ich nie gedacht. Davon mal abgesehen ist Rudi wirklich vieles, aber sicherlich nicht besonders attraktiv. Und auch keine irrsinnig gute Partie. Er hat eine ganz ordentliche Rente, aber keineswegs spektakulär, ist nicht gerade groß und hat kaum mehr Haare auf dem Kopf. Er ist definitiv ein liebenswürdiger und großherziger Mann, aber keiner, der auf den ersten Blick viel hermacht. Rudi hat seine Irene im Kochkurs kennengelernt und sich quasi schockverliebt. Auch sie ist, wie Rudi, verwitwet. Laut Rudi ist Irene fast wie seine Inge. Als die beiden anbändelten, war ich zugegebenermaßen ziemlich skeptisch.

Aber Rudi hat mich mit seiner Verliebtheit überzeugt. »Isch hab die Irene aanfach sehr lieb, die is e wunderbare Frau un hat en riesisches Herz! Un ma ehrlisch, so groß is die Auswahl für mich ach net mehr!«

Da ist natürlich argumentativ was dran. Als ich die beiden das erste Mal gemeinsam erlebt habe, war mir klar, was Rudi so an Irene gefällt. Sie ähnelt seiner Inge, ist klein, rundlich und lieb. Ich gönne ihm sein neu gewonnenes Liebesleben durchaus, aber irgendwie hat mich seine Verliebtheit auch enttäuscht. Ich dachte, er sei der Typ für die eine, wirklich große Liebe, die auch den Tod überdauert und keinen Raum für eine neue lässt. Ich weiß, das klingt ein wenig pathetisch, aber es hätte halt etwas Tröstliches gehabt. Dass da jemand ist, sogar ein Mann, der so unbeschreiblich stark lieben kann – das hätte mir gefallen. Rudi sieht das wesentlich pragmatischer.

»Mer kann jemand Neues lieben, ohne die alte Liebe zu verraten. Die Irene is net die Inge, des weiß isch, des seh isch, des spür isch, un es is trotzdem gut. Es tut mer gut. Isch verkümmer sonst.«

Um mir besser unter die Arme greifen zu können, hat Rudi kurz vor Christophs Auszug angefangen, regelmäßig einen Kochkurs der Volkshochschule zu besuchen. »Wenn de net da bist, Andrea, da kann isch den Kindern doch ebe mal was Scheenes zu esse mache!«

Eine Geste, die mich damals unglaublich angerührt hat. Rudi und ich sind ein ausgesprochen gutes Team. Wir haben uns einfach gern. Trotzdem war ich verwundert, als er beim Auszug seines Sohnes darauf beharrt hat, bei mir zu bleiben. Christoph auch. Er konnte es kaum fassen. Aber Rudi war entschlossen: »Die Andrea kann mich jetzt werklisch brauche, un wenischstens weiß isch, wohin isch gehör!« Das war für Rudis Verhältnisse eine ziemlich drastische Aussage. Christoph hat sich gefügt. Was blieb ihm auch anderes übrig. Ich glaube aber auch nicht, dass er ernsthaft mit seinem Vater allein in einer Männer-WG wohnen wollte, trotzdem war er ein bisschen beleidigt.

Seit ziemlich genau einem Jahr lebt Christoph nun in der früheren Wohnung von Rudi und Inge. Die ersten Wochen hat er tatsächlich in seinem alten Kinderzimmer verbracht. Mittlerweile hat er sich aber neu eingerichtet. Das weiß ich alles nur aus zweiter Hand, von meinen Kindern. Ich selbst habe wenig Lust, die Wohnung zu betreten. Warum auch? Schließlich bin ich nicht mehr zuständig. Weder fürs Putzen noch für die Deko. Für gar nichts mehr. Das alles ging sehr viel schneller, als ich mir hätte vorstellen können. An sich war der Auszug auch nur als Übergang gedacht, als Bedenkzeit sozusagen – wir wollten mal sehen, wie es sich entwickelt.

Trennung zur Klärung. Aber auch befristet gedachte Arrangements können sich zeitlich verselbständigen. Christoph hat am Anfang noch ab und an davon gesprochen, was wir ändern könnten, wie unser Leben wieder in die Bahn kommen könnte. Sein Ausdruck: »In die Bahn.«

Warum gerade in die Bahn, habe ich nur gedacht, genau die hat mich doch immer gestört: die Bahn! Bahn klingt eingefahren, und genau das war es auch, was mich verrückt gemacht hat – diese Gleichförmigkeit, dieses Berechenbare und dadurch auch so unsagbar Langweilige. Nach gut drei Monaten war auch das Zurück-in-die-Bahn-Thema erledigt. Die neue Bahn, das Alleinleben ohne spürbare Verpflichtungen und vor allem auch ohne mich, schienen Christoph zu gefallen. »Lass uns abwarten!«, hat er entschieden.

Nur worauf warten? Auf eine Eingebung, einen plötzlichen Hormoneinschuss oder auf die große Rückbesinnung? Seitdem ist mein Herz irgendwie leer. Nicht, wie man immer sagt, schwer, aber leer. Das fühlt sich fast schlimmer an. In mir rührt sich so gar nichts.

Dabei war ich zu Anfang noch recht optimistisch. Sprüche wie: »Wenn sich eine Tür schließt, öffnet sich eine neue«, erschienen mir geradezu wegweisend. Vor allem, weil ich kurz vor unserer Trennung Herrn Reimer kennengelernt habe. Bastian, den Fußballtrainer meines Sohnes. Den großen, gutaussehenden Bastian, der mir so tatkräftig zur Seite gestanden hat, als es meinem Sohn schlechtging. Der mir ziemlich unverhohlen seine Zuneigung zeigte. Der an meiner Seite war, als es Christoph, mein Mann, hätte sein müssen. Bastian, mein Hoffnungsschimmer am Horizont.

»Ja, Andrea, hat's dir jetzt die Sprache verschlache, soll ich misch an jemand anneren wende? Es tut mer leid, wenn isch irschendwie indiskret war«, reißt Rudi mich aus meinen Erinnerungen.

»Nein, ist schon okay, also, es macht mir nichts aus. Ich war nur kurz ganz woanders mit meinen Gedanken, aber was das Thema angeht ... Also, auf dem Gebiet hab ich leider keine Ahnung, oder zum Glück keine Ahnung«, antworte ich, während ich mir mechanisch einen weiteren Toast mit Nutella schmiere. Ab morgen wird dieses Haus eine toastbrotfreie Zone sein, heute kommt es dann auf eine Scheibe mehr oder weniger auch nicht mehr an. Es ist wirklich erstaunlich, mit wie wenigen Bissen man so eine Toastbrotscheibe verschlingen kann. Man könnte sie sich auch direkt mit der Nutella-Butter-Seite auf den Bauch oder wahlweise auf die Hüften drücken. Bei der Konsistenz würde sie wahrscheinlich mit dem Bauchspeck verschmelzen oder verwachsen. Dabei hatte ich in den ersten vier Monaten nach Christophs Auszug herrlich abgenommen. Einfach so, ohne Diät. Als würde ich eine Hülle abwerfen, Ballast. Aber der verdammte Speck ist sehr anhänglich. Wo er sich mal wohl gefühlt hat, will er wieder hin – und bei mir scheint es besonders schön zu sein. Momentan bin ich wieder kräftig am Aufspecken.

»Es tut mir leid, Rudi, da kann ich dir echt nicht helfen, mit diesem Handschellenkram. Probier es einfach aus, und dann, wenn du magst, erzählst du mir davon, damit ich mal was lerne! Und mal ehrlich, du musst doch auch nichts machen, was du nicht willst«, gebe ich mir Mühe, meinen Schwiegervater zu beruhigen. Er nickt, und nach und nach nimmt sein Kopf wieder eine normale Farbe an.

Ich habe heute frei – na ja, soweit man einen normalen Tag mit zwei Kindern und einem Haushalt als frei bezeichnen kann.

»Soll isch heut für uns kochen?«, fragt mich Rudi.

Seit er seinen Kochkurs besucht hat, betätigt er sich gerne in der Küche, und zu meinem Erstaunen kann der Mann, der früher kaum ein Frühstücksei kochen konnte, die dollsten Gerichte zubereiten. Man sieht: Lernfähig sind selbst Männer – und das sogar noch in hohem Alter.

»Vielleischt könntest de mer im Geschezug mein gutes Hemd uffbüscheln, des is so angeknittert, aber noch zu gut zum Wasche!«

Aufbügeln! Was für ein antiquierter Ausdruck. Ich gehöre auch mal aufgebügelt, schießt es mir durch den Kopf, aber ich verspreche Rudi, mich um sein Hemd zu kümmern.

Wir sind heute Nachmittag eingeladen. Die ganze Familie. Also das, was an Kernfamilie davon übrig ist. Die Kinder und ich. Auch Rudi darf mit. Von Bastian. Genauer gesagt, von Bastians Eltern.

Und das kam so: Ich habe Bastian ab und an gesehen. Ganz harmlos. Schon allein deshalb, weil mein Sohn bei ihm in der Mannschaft kickt. Da Mark allerdings seit geraumer Zeit nicht mehr ganz so regelmäßig zum Training geht, sondern lieber ’ne Runde chillt, was nichts anderes bedeutet als rumzuliegen, haben Bastian und ich uns eher selten getroffen und dann auch nie mehr als nur ein paar nette Worte gewechselt. Aber er hat nicht lockergelassen, mir immer mal wieder eine SMS geschickt und um eine Verabredung gebeten. Vor vier Wochen habe ich ihn dann schließlich erhört. Habe endlich auf seine Dateanfrage geantwortet und zugesagt. Mir hat seine Beharrlichkeit gefallen. Und seine verständnisvolle Art. Das hat mir geschmeichelt und gutgetan.

Nach der Trennung war ich irgendwie so gar nicht in der Stimmung, direkt wieder ins Flirtgeschäft einzusteigen, und er konnte das verstehen. *Du musst nichts überstürzen oder erklären, ich bin ein geduldiger Mann!*, war eine seiner SMS-Antworten.

Im letzten Jahr ist einfach zu viel auf mich eingeprasselt. Zum einen die täglichen Anrufe meiner Mutter mit der immer gleichen Leier: »Andrea, du bist ja komplett verrückt geworden. Man wirft eine Ehe nicht einfach so weg, das wirst du bitter bereuen! Da draußen läuft viel Elend rum, aber der Christoph hat einen ordentlichen Beruf, der verdient gut, der kann euch ernähren – und jetzt machst du aus einer Laune heraus so einen Quatsch! Was tust du den Kindern an? Willst du dich jetzt etwa selbstverwirklichen?« Zum andern die wohlgemeinten Ratschläge von all meinen Freundinnen, die zunächst ganz anders klangen, bei genauem Hinhören aber genau dasselbe meinten wie meine Mutter: »Toll, dass du so mutig bist, aber ich hätte mich das nie getraut! Aber man muss auch bedenken: Lieber den Spatz in der Hand als die Taube auf dem Dach, denn es ist wahrscheinlicher, von einem Tiger gefressen zu werden, als wieder einen Mann zu finden. Der Christoph ist doch eigentlich kein schlechter Mann

– er hat dich doch nicht geschlagen! Und Sex wird überbewertet. Na ja, es gilt doch der alte Spruch: In guten wie in schlechten Tagen. Jede lange Beziehung hat mal eine Durststrecke. In unserem Alter allein sein … Wer weiß, ob da jemals noch was kommt? Die guten Männer sind ja alle weg. Ich bewundere dich, aber ich kann nicht gut allein sein. Früher oder später kommt man doch immer an den Punkt … Die große Leidenschaft kann man halt nicht mehr erwarten. Mir würde diese Sicherheit fehlen …«

Alles in allem war das, was ich da zu hören bekommen habe, nicht wirklich ermutigend. Auf einen Nenner gebracht, lautete die Botschaft: Man darf die Truppe nicht unerlaubt verlassen. Selbst schuld, wenn man es doch tut – dann muss man halt mit den unerfreulichen Konsequenzen leben. Dabei hätte ich ein wenig Zuspruch gut brauchen können. Es ist ja nicht so, dass ich selbst hundertprozentig glücklich mit meiner Entscheidung war – oder bin. Ich bin zutiefst verunsichert, und es gibt Tage, an denen ich am liebsten sofort bei Christoph anrufen und ihn bitten möchte, zurückzukommen. Schon damit wieder alles seine Ordnung hat und ich mich nicht ständig fragen muss, ob meine Entscheidung nicht doch vorschnell, naiv und unbedacht war. Was habe ich schließlich auch erwartet? Wir waren nun mal kein frisch verliebtes Paar mehr. Die Zeit hinterlässt halt ihre Spuren. Die Leidenschaft macht die Flatter, und an ihre Stelle rücken andere Dinge. Aber Sicherheit? Wäre da ein Bausparvertrag nicht die bessere Lösung? Ich will Liebe, keine Sicherheit. Als Beigabe gerne, aber doch nicht als Hauptsache.

Und dummerweise weiß ich auch nicht, ob er überhaupt zurückkommen würde. Ich frage ihn gar nicht erst, schließlich ahne ich insgeheim sogar, dass er es nicht tun würde. Warum auch? Für ihn scheint es prima zu laufen. Das macht die Sache für mich nicht besser, eher im Gegenteil. Dass er, nachdem er erst so entsetzt schien, sich so schnell mit der »Situation« arrangiert hat, ist frustrierend. Ich hätte mir mehr Kampfgeist gewünscht, überhaupt den Willen, mich zurückzuerobern – aber nach nur knapp einem Monat war Christoph scheinbar zufriedener als zuvor.

Und jetzt ist da auch noch Sarah Marie. Sarah Marie ist die Neue meines Mannes. Christoph hat seit gut eineinhalb Monaten eine Freundin. Ich habe sie selbst erst einmal gesehen – von weitem –, aber die Kinder finden sie hübsch. Sehr hübsch sogar.

»Das hat mit uns nichts zu tun!«, hat mir Christoph nur knapp erklärt, als ich ihn auf Sarah Marie angesprochen habe. Eine wirklich ausgesprochen saublöde Behauptung. Mit wem denn sonst? Hat er kurzzeitig vergessen, dass er mit mir verheiratet ist? Als ich ihn daran erinnert habe, hat er nur mit den Schultern gezuckt. »Du wolltest die Trennung, Andrea. Jetzt musst du auch mit den Konsequenzen leben!«

Ich war fassungslos, schließlich wollte ich die vorübergehende Trennung nur, damit wir uns über unsere Situation klar werden. Uns neu positionieren, überlegen, was wir ändern könnten oder sollten.

»So was kommt von so was!«, hat meine Mutter meinen Wutausbruch am Telefon kommentiert. »Das war doch klar, dass ein Mann wie Christoph ganz schnell was Neues findet. So einen Mann lassen die meisten eben nicht laufen.«

»Danke, Mama!«, habe ich gesagt, mich vor noch größerer Wut gefragt, ob man auch Mütter zur Adoption freigeben kann, und aufgelegt. Man könnte meinen, sie sei Christophs Mutter. Mein Vater hat sich zu all den Entwicklungen noch gar nicht geäußert. Wahrscheinlich sieht er alles genauso wie meine Mutter, aber sollte er tatsächlich anders denken, würde er sich hüten, das im Beisein meiner Mutter auszusprechen. Risikoabwägung ist etwas, was er im Laufe seiner Ehe gelernt hat.

Selbst meine Tochter hat ein gewisses Verständnis für ihren Vater: »Er ist halt ein Mann, und du hast ihn nicht mehr gewollt!«, hat sie lapidar gesagt und dabei wie eine abgeklärte Mittfünfzigerin geklungen.

Sowieso habe ich den Eindruck, dass meine Tochter das Ganze nicht besonders interessiert. Sie ist so sehr mit ihrem eigenen Leben beschäftigt, dass für alles um sie herum kaum noch Zeit und Aufmerksamkeit bleibt. Claudia ist seit gut neun Monaten in einer festen Beziehung und steht meinem Eindruck nach kurz vor der Verlobung. Eigentlich steht sie kurz vor dem Abitur, aber das ist für sie momentan ganz offenbar komplett unwichtig.

»Ich geh eh nicht ins Ausland, und ich weiß auch nicht, ob ich später überhaupt arbeiten will!«, hat sie mir gegenüber mal so nebenbei bemerkt. Ich habe keine Ahnung, wovon sie dann später leben will – leider aber eine Idee.

Meine Tochter, bis vor kurzem noch Ehrenmitglied bei den Messies, ist spießiger, konservativer und kleinbürgerlicher geworden, als ich es je war. Und das will wirklich was heißen, denn ich bin auch nicht gerade eine Revoluzzerin! Seit sie mit Gustav Johannes liiert ist, dreht sich alles nur noch darum, Gustav Johannes und seinen Eltern, die sie inzwischen Ellen und Hans nennen darf, zu gefallen. Sie nimmt an Scrabble-Spieleabenden im Hause der von Hessges (mit der ganzen Von-und-zu-Sippe) teil, sie fährt mit ins Feriendomizil nach Südfrankreich, sie hat sich zu ihrem letzten Geburtstag Perlenohrstecker gewünscht, und wahrscheinlich betet sie jede Nacht darum, irgendwann als Fräulein Schwiegertochter am Heiligen Abend mit den von Hessges unterm Baum sitzen zu dürfen. Sie macht mir sogar Vorwürfe, dass ich sie nicht gezwungen habe, Querflöte oder Geige zu lernen. Fehlt nur noch ein Kashmere-Twinset!

Mark, mein Sohn, findet es »voll Scheiße« mit der Trennung, aber das ist auch schon alles, was er dazu zu sagen hat. Sarah Marie, übrigens gerade mal 31 Jahre alt, Christophs kleine Miezi, wie ich sie insgeheim nenne, mag er. Sie arbeitet bei Kaufhof-Sport und kann ihm günstig Turnschuhe besorgen. Mein Sohn denkt gerne praktisch – wenn er denn mal denkt. Und das scheint, ehrlich gesagt, nicht besonders oft der Fall zu sein. Meist kommt er mir ziemlich abwesend vor, so als wäre er zwar körperlich da, aber mit seinem Kopf sonst wo. Er ist mittlerweile über 1 Meter 85 groß und hat offenbar all seine Energie mit dem Wachsen aufgebraucht. Seine Hauptbeschäftigung deshalb: chillen.

Alles in allem fühle ich mich mit meinen Problemen doch ein wenig allein gelassen – das war jetzt sehr erwachsen ausgedrückt. Ich fühle mich nämlich zeitweise so richtig scheiße und könnte Sarah Marie ungespitzt in den Boden rammen, Christoph eine, oder gleich mehrere, knallen und meine Tochter durchschütteln, damit sie aus ihrem Hausmütterchentraum(a) an der Seite eines Von-und-zu wieder aufwacht. Dann würde ich meinen Sohn in seinen lethargischen Hintern treten und mich selbst am besten auch noch.

Aber zurück zu Herrn Reimer – Bastian. Tatsächlich bin ich also über meinen Schatten gesprungen und habe eingewilligt, ihn zum Essen zu treffen. Auch, weil Sabine, meine Freundin, der ich Bastian auf Facebook gezeigt habe, ihn echt lecker fand. Rein objektiv muss ich ihr recht geben. Bastian sieht gut aus. Aber ich war skeptisch. Jemand, der so toll ist und mich so toll findet – kann mit dem alles in Ordnung sein? Wieso will der mich, wo er doch bestimmt jede andere haben kann? Oder kann der keine andere haben? Spricht das jetzt alles für oder doch eher gegen ihn? Oder empfindet er vielleicht einfach nur Mitleid? Ich weiß, so zu denken, ist natürlich bekloppt und spricht auch nicht unbedingt für mein Selbstbewusstsein, aber trotzdem war mir das nicht geheuer. Da draußen laufen so viel tolle Frauen rum, was will der dann ausgerechnet von mir? Ich bin älter, habe Anhang und verbreite Chaos. Unter einer guten Partie versteht man jedenfalls was anderes.

Ein Date zu haben ist aufregend, aber in meinem Alter eben nicht nur. Gerade weil man nicht mehr die Jüngste und Unbedarfteste ist und die Aufregung sowieso schon von ganz allein kommt, erfordert es eine umfassende Vorbereitung und Planung. Man sollte ja für alle Eventualitäten gerüstet sein.

Aber was sind das für Eventualitäten? Auch das ist eine Frage, die man sich vorab stellen muss. Küssen? Wildes Knutschen? Mit oder ohne Fummeln? Trennt man das überhaupt noch so säuberlich wie früher? Noch mit zu ihm in die Wohnung? Sex? Und was davon würde mir gefallen? Wozu wäre ich eigentlich bereit? Kann ich es überhaupt noch? Was gehört inzwischen zum Standard? Kann man Sex verlernen?

All diese Fragen haben dazu geführt, dass ich fast kurzfristig abgesagt hätte. Allein der Gedanke, mal wieder Sex zu haben, also eventuell Sex zu haben … Einerseits ein wirklich schöner, erregender Gedanke, andererseits auch fast ein wenig beängstigend. Welche Ansprüche wird er stellen? Wird er Dinge tun wollen, die ich noch nie getan habe?

»Mach dich mal nicht so verrückt!«, hat meine lesbische Freundin Heike aus München das ganze Theater kommentiert. »Ein Körper ist ein Körper, er hat Öffnungen, und letztlich sind die Möglichkeiten dann doch beschränkt.«

Mal unter uns, das hat mich nicht wirklich beruhigt. Es gibt Öffnungen, also eine, um genau zu sein, die sollte nach meinem Geschmack privat bleiben, um es mal vorsichtig auszudrücken.

Die nächste Frage: Darf man überhaupt am ersten Abend Sex haben? Allein diese Frage hat mich einen halben Tag lang beschäftigt.

Sabine, meine Freundin, findet, dass man alles tun darf, wozu man Lust hat. »Warum auch nicht! Wir werden ja nicht jünger. Man sollte die Gelegenheit ergreifen, wenn sie sich bietet! Bald sind wir im Seniorenwohnheim, und da wird's mit der Auswahl an lebenden Männern wirklich eng! Mit anderen Worten, Andrea, so viel Zeit bleibt nicht mehr!«

Das Internet (ja man kann sogar solche Dinge googeln und findet Hunderte von Kommentaren!) meint, man solle mindestens drei Dates abwarten. Beim dritten darf man, aber noch besser ist es, bis zum fünften Date zu warten. Sonst gilt man ganz schnell als leicht zu haben, als Schlampe, als liederliche Person. »Wer sich zu schnell hingibt, muss damit rechnen, dass der neue Partner denkt, man würde das immer so machen!«, heißt es da, und »Wem etwas an seinem Ruf liegt, der muss sich erst einmal bedeckt halten!«

Wüsste ich nicht, dass meine Mutter sich nichts aus dem Internet macht, ich wäre mir sicher, die Kommentare stammten allesamt von ihr. »Willst du gelten, mach dich selten!«, habe ich meine gesamte Jugendzeit über gehört. Vielleicht war Bastian deshalb so ausdauernd – weil ich mich so gut wie nie gemeldet habe.

»Klar, die Beute wird umso interessanter, je schwerer sie zu jagen ist!«, behauptet auch Sabine. Ich halte dieses Getue für kindisch, aber anscheinend funktioniert es so.

»Spiele haben eben ihre Regeln, und wer erfolgreich spielen will, hält sich dran!«, ist eine weitere These von Sabine.

Ich habe mit Bastian gar kein Spiel gespielt. Ich war einfach nur zu verwirrt und angeschlagen wegen der dann doch plötzlichen Trennung und musste erst mal meine Wunden lecken, bevor ich mich in neue Abenteuer stürzen konnte.

Am Nachmittag vor dem großen Date war ich panisch. Gute Unterwäsche anziehen? Ja oder nein? Wenn ich gute Unterwäsche anziehe, ist das ja eigentlich schon eine Art Indiz. Das bedeutet doch quasi, dass ich gewillt bin, die Unterwäsche vorzuführen, und irgendwie auch damit rechne, die Unterwäsche zu präsentieren. Aber wenn der sieht, dass ich was Schickes drunter habe, wird er denken, dass ich geplant habe, mit ihm in die Kiste zu gehen. Denken Männer so was, oder denken die über so was gar nicht nach? Gehen die davon aus, dass Frauen, wie Rudi sagt, »unnerum« immer so gestylt sind?

Unterwäsche kann mit Sicherheit zur Verhütung beitragen! Du ziehst dich bestimmt nicht gerne aus, wenn du weißt, dass du untendrunter die Bauchweghose oder einen ausgeleierten, verwaschenen Slip anhast. Allein der Gedanke! Sollte ich also prophylaktisch besser mal was Labberiges anziehen? Eine alte, gemütliche Unterhose, die mir bis zur Taille reicht?

Ich entscheide mich dann doch für etwas Nettes. Allein schon fürs Gefühl. Für mein Gefühl! Aber nichts zu Aufreizendes. Ehrlich gesagt habe ich so was auch gar nicht in meiner Schublade. Schwarz mit leichter Spitze und Push-up.

Sabine ist für Rot. »Rot ist hammersexy! Rot ist ein ganz kleines bisschen vulgär und schreit ›Nimm mich!‹« Rot schreit! Will ich schreiende Unterwäsche? Was, wenn ich auf dem Weg zum Date einen Unfall habe und meine Unterwäsche dann den Notarzt anschreit? »Nimm mich«, anstelle von »Gib mir eine Bluttransfusion!«

»Auf keinen Fall weiß oder so Sportzeug aus Baumwolle. Das wirkt so keusch und brav. Aus dem Alter sind wir raus. Das geht vielleicht noch bei Teenies«, erklärt sie mir noch.

Ich muss ihr noch ein Foto simsen, und sie nickt mein schwarzes Ensemble ab. »Schwarz geht immer! Ist nicht rot, aber besser als fleischfarben. Auch irgendwie sexy. Gut, die Hose ist bisschen groß und ein String wäre schärfer, aber es wirkt erwachsen. Ach ja, und denk an Kondome! Sicher ist sicher.«

Noch ein Punkt auf der To-do-Liste. Was ist mit Verhütung? Seit Christoph ausgezogen ist, habe ich die Pille abgesetzt. Wozu ständig irgendwelche Hormone schlucken, wenn es gar nichts zu verhüten gibt? Aber Kondome in der Handtasche? Dagegen ist schreiende Unterwäsche ja schon fast diskret.

»Sind Kondome nicht Männersache?«, frage ich bei Sabine nach.

»Na ja, theoretisch schon, aber ein Kind wäre nachher vor allem deine Sache!«, stellt sie pragmatisch und logisch fest.

Ein Kind? Darüber habe ich noch überhaupt nicht nachgedacht. O mein Gott! Das wäre eine Art Zurück-auf-Los. Alles wieder von vorne. Schlaflose Nächte, auf Lego treten, »Das ist ein Auto« sagen und das ganze Programm. Ich finde Babys süß, aber wenn ich mir vorstelle, selbst noch mal eins zu haben, wird mir ganz anders. Allein der Gedanke ist schon unangenehm. Der womöglich einzig lustige Aspekt dabei wären die Gesichter meiner Kinder, wenn sie davon erfahren würden!

Eine Schwangerschaft ist allerdings nicht gerade wahrscheinlich, wenn man bedenkt, dass die Fruchtbarkeit mit dem Alter abnimmt.

»Das wäre ja quasi ein Sechser im Lotto, wenn ich noch mal schwanger würde!«

»Der Teufel ist ein Eichhörnchen!«, sagt Sabine nur. Ich habe keine Ahnung, wo dieser Spruch herkommt, er scheint ja auch nicht wirklich Sinn zu machen, aber ich verstehe sofort, was sie damit meint.

Kondome in der Handtasche sind allerdings noch offensichtlicher als rote Unterwäsche. Kondome in der Handtasche zu haben heißt: Ich weiß, was ansteht, und ich bin vorbereitet. Ich kenne mich aus. Kondome in der Handtasche bedeuten: Allzeit bereit! Nimm mich!

Sabine beruhigt mich: »Die sieht doch keiner, bei Dates gibt's ja keine Taschenkontrolle, und wenn du sie tatsächlich brauchst, was ich für dich hoffe, dann ist der schon so auf 180, dass er sich um deinen Ruf mit Sicherheit keine Gedanken mehr macht.« Das klingt einleuchtend.

Also gut, ich kaufe Kondome, beschließe ich.

Das sagt sich so leicht, aber wenn man wie ich einen Hauch verklemmt ist, will man nicht, dass die gesamte Nachbarschaft mitbekommt, was man da einkauft. Deshalb gehe ich auch nicht in die Apotheke um die Ecke, sondern in einen Drogeriemarkt. Vor dem Kondomregal bin ich verwirrt. Nimmt man jetzt XL in der Hoffnung, in jeder Hinsicht etwas Großes geboten zu bekommen (Ich weiß natürlich, dass das angeblich keine Rolle spielt. Aber alle Frauen, die schon mal Sex hatten, müssen zugeben, dass man das zwar behauptet, es aber definitiv gelogen ist), oder verschreckt das die Männer, die eher durchschnittlich gebaut sind? Was, wenn er einen winzig kleinen hat und der sich in einem XL-Kondom quasi verirrt? Ich entscheide mich für Normal. Ohne Farbe und irgendeinen Schnickschnack wie Erdbeergeschmack oder Leuchtkraft. Dann belade ich meinen Einkaufswagen mit Conditioner, Shampoo, Wimperntusche, Tempotaschentüchern und Klopapier. In der Masse an Kram werden die Kondome nicht weiter auffallen. Während ich an der Kasse anstehe (es ist Samstag und dementsprechend voll), schaue ich mich immer wieder um, voller Panik, irgendjemanden zu treffen, den ich kenne. Natürlich muss ich genau jetzt an den alten Fernsehspot zur Aidsaufklärung denken, bei dem Hella von Sinnen an der Kasse sitzt und durch den ganzen Laden brüllt, um zu fragen, was die Kondome kosten. Ich werde behaupten, dass sie für Mark sind. Meinen Sohn. Zum Üben. Damit er vorbereitet ist, wenn es dann soweit ist. Für ein Experiment in der Schule. Oder ich tue so, als würde ich sie meiner Tochter mitbringen. Ganz die aufgeklärte und souveräne Mutti. Ich muss fast selbst lachen. Ich stelle mich so an, als wollte ich ein Maschinengewehr kaufen. Oder Heroin. Während die Kassiererin meine Waren einscannt und übers Band zieht, plaudere ich munter auf sie ein, um sie abzulenken. Sie ist völlig ungerührt. Eigentlich klar, denn warum sollte sich eine wildfremde Frau für das interessieren, was ich so einkaufe? Das nächste Mal bestelle ich die Dinger im Internet. Wenn es denn ein nächstes Mal gibt. Das tue ich mir nicht noch mal an, denke ich nur, als ich leicht schwitzig den Laden verlasse und vor der Tür auf Anita treffe. Anita, meine Nachbarin. Das war knapp! Hätte die gesehen, was ich eingekauft habe, hätte ich es auch gleich im Viertel plakatieren können.

Zu Hause verbringe ich dann den ganzen Nachmittag mit Körperpflege. Duschen, cremen, zupfen. Vor allem zupfen. Ich könnte einen hauptberuflichen Zupfer beschäftigen. Es ist unglaublich, wo mein Körper überall Haare wachsen lässt: am Kinn und in den Mundwinkeln. Am einfachsten wäre mit Sicherheit eine schnelle Gesichtsrasur, aber man möchte sich ja nicht stoppelig anfühlen. Ich erwische zwei lange, borstige, schwarze Haare am Kinn. Theoretisch darf man ab einem gewissen Alter – sagen wir mal jenseits der 40 – das Haus überhaupt nicht mehr ohne Pinzette verlassen. Morgens vor dem Vergrößerungsspiegel ist noch alles gut, und nur eine Stunde später, wenn man gerade im Auto sitzt, kann man im Rückspiegel schon dem Kinnhaar beim Wachsen zusehen.

»Sei froh, dass du nur Kinnhaare hast! Mir wachsen zwei lange schwarze auf der rechten Brust! Ich zupfe, sie wachsen nach, ich zupfe, sie wachsen nach, es ist wie bei ›Und ewig grüßt das Murmeltier‹«, hat mir Tamara, die Nachbarin von gegenüber, verraten.

Ein Körper jenseits der 40 bietet eine Menge Betätigungsfelder. Wer wirklich tipptopp aussehen will, dem bleibt nicht viel freie Zeit. Ist man untenrum fertig, kann man oben fast schon wieder loslegen. Man kann sich seinen eigenen Körper mühelos zum größten Hobby machen. Aber offen gesagt, kann ich mir Spannenderes vorstellen. Ständig an sich rumzuzuppeln, um dann doch zu sehen, wie alles langfristig nicht besser wird, ist ermüdend und frustrierend. Für Herrn Reimer, also Bastian, lege ich mich richtig ins Zeug. Alles, was an Generalüberholung ohne Skalpell und Botox möglich ist, wird von mir oder professionellen Fachkräften erledigt. Fußpflege, Maniküre und sogar frische Strähnchen lasse ich mir am Vortag unseres Dates machen. Ganz ehrlich – mehr geht bei mir nicht. Ich fühle mich bereit. Wofür auch immer!

Bastian wollte mich, ganz Gentleman, abholen. Ich habe aber behauptet, ich sei sowieso unterwegs und es wäre besser, wir würden uns gleich im Lokal treffen. Je nachdem wie es läuft, habe ich dann nämlich mein Auto dabei, und das ist wiederum die beste Prophylaxe dafür, dass ich mich nicht vor lauter Aufregung komplett betrinke. Wenn ich mich nicht betrinke, bin ich vielleicht auch nicht so hemmungslos, was bedeuten würde, dass sowohl Unterwäsche als auch Tascheninhalt mein Geheimnis bleiben und ich es schaffe, die Drei-Dates-Regel einzuhalten. Warum auch immer diese Regel erschaffen wurde, womöglich ist ja doch was dran. Und vielleicht schaffe ich es.

Die Auseinandersetzung mit der Frage »Sex – ja oder nein?« bleibt dennoch meine mentale Hauptbeschäftigung. Wenn er mir so gut gefällt, wie ich es in Erinnerung habe, und wenn es zwischen uns knistert, würde ich dann mit ihm ins Bett gehen?

»Meine Güte«, hat sich Sabine aufgeregt, »mach es halt! Schon aus Prinzip. Du tust ja gerade so, als würdest du über eine Transplantation nachdenken. Du willst ihn doch nicht heiraten, entscheide spontan. Ist er sexy und du bist scharf auf ihn, dann ran, wenn nicht, lass es sein. Andererseits wäre es gut, du würdest so oder so mal wieder Sex haben, schon um dem Ganzen ein bisschen was von seiner Bedeutung zu nehmen. Es geht um Sex, Andrea. Eine Form von amüsanter Gymnastik. Menschen machen das schon ewig. Du bist nicht die Erste, und es ist nicht das erste Mal für dich, also reiß dich mal zusammen.«

Ich muss schlucken, gebe ihr aber insgeheim natürlich recht. Trotzdem kann ich nicht aufhören, darüber nachzudenken. Was, wenn er zwar sexy ist, es aber nicht knistert? Geht man mit jemandem einfach nur so in die Kiste, nur um es mal wieder zu tun? Aus Spaß, ohne einen Hauch von Verliebtheit? Nur aus Begierde? Wieso eigentlich nicht? Angeblich können Frauen das schlechter als Männer. »Frauen brauchen eine emotionale Komponente, die müssen verliebt sein. Männer können das perfekt trennen, für die ist Sex auch ohne Emotion gut!«, hat mir mal ein alter Freund erklärt.

Ich bin unsicher, ob das wirklich zutrifft. Ehrlich gesagt, glaube ich, dass das eine Theorie ist, die vor allem Männern unglaublich gut gefällt. Eine Vorstellung, die ihrem Ego schmeichelt. Wenn eine Frau mit ihnen Sex hat, dann ist da ganz klar immer mehr im Spiel. Männer wollen nicht einfach nur für körperliche Befriedigung benutzt werden. Durchaus verständlich. Das geht mir tendenziell ähnlich. Ich habe mal in einem Artikel gelesen, dass selbst Puffgänger sich sehr häufig einbilden, die Prostituierten wären ein ganz klein bisschen in sie verliebt und wären gerne mit ihnen zusammen, und das Geld würde da gar keine Rolle spielen. Das zeigt deutlich, dass Männer auch nicht immer sehr realistisch sind. Ich denke, dass es heute auch für Frauen möglich ist, Sex als das zu sehen, was es eben auch sein kann: Sex. Ohne Drumherum. Ohne Liebe. Ohne Romantik. Einfach purer Sex.

Noch bin ich vielleicht nicht so weit, aber ich würde es eventuell doch mal auf einen Versuch ankommen lassen. Kann sein, dass ich voll daneben liege und vielleicht wirklich der Typ Frau bin, der sich schon bei einem ersten wilden Zungenkuss unsterblich verliebt – aber das wird sich zeigen.

In der Theorie bin ich auf jeden Fall bereit. Und die Theorie wird heute in die Praxis umgesetzt werden, rede ich mir selbst gut zu. Wenn ich ihn heiß finde, werde ich ihn mir schnappen. Wahrscheinlich hat Sabine recht. Manchmal muss man einfach etwas tun, allein schon, um den Dingen ihren Schrecken zu nehmen.

Was habe ich schon zu verlieren? Moralisch bin ich auf der einigermaßen sicheren Seite: Ich bin offiziell getrennt, nicht anderweitig liiert, Bastian ist unverheiratet, hat meines Wissens nach keine Freundin, und ich bin keine fünfzehn mehr.

Ich verlasse das Haus sauber rausgeputzt mit nicht ganz sauberen Absichten. Ich werde es heute tun, wenn mir irgendwie der Sinn danach steht! Ich möchte einfach auch nicht, dass mich irgendwann der Schlag trifft und ich mich an meinen letzten Sex nicht mal mehr genau erinnern kann.

Wir treffen uns beim Italiener. Bastian hat mich eingeladen und dementsprechend auch das Restaurant ausgesucht. Es ist ein kleiner Italiener in Frankfurt. Ein hübsches Lokal, nicht zu schick, aber auch keine Nullachtfünfzehn-Pizzeria. Vom Ambiente her perfekt. Kein Angeberschuppen, aber auch kein Restaurant für Sparbrötchen. Ich hasse geizige Männer.

Ich komme genau sieben Minuten zu spät, obwohl ich eine eher pünktliche Person bin. Es soll ja nicht so wirken, als könnte ich es kaum abwarten, und außerdem will ich, dass er vor mir da ist.

Wow, er sieht immer noch extrem ansprechend aus! Und er strahlt mich an.

»Schön, dich endlich wiederzusehen!«, sagt er nur und umarmt mich. Fest und lange. Es fühlt sich gut an. Er riecht gut. Herb, frisch, anziehend. Ich bin froh über meine Unterwäsche!

Wir ordern beide Thunfischcarpaccio als Vorspeise, und als es darum geht, den Hauptgang zu wählen, betont Bastian mehrmals, dass er nichts Schweres will: »Das liegt einem dann zu sehr im Magen, und man ist zu gar nichts mehr fähig!« Dabei schaut er mich lange an.

Während des Essens berührt er unter dem Tisch immer mal wieder mit seinem Fuß mein Bein. Ob mit Absicht oder nicht – da bin ich mir unsicher, aber eines weiß ich genau: Es fühlt sich gut an.

Es scheint alles in eine bestimmte Richtung zu laufen, und obwohl mir das Tempo ein wenig Angst macht, bin ich doch froh. Ich erwäge sogar kurz, meinen Schuh abzustreifen und, wie man es aus etlichen Filmszenen kennt, unter dem Tisch mit meinem nackten Fuß auf Entdeckungsreise zu gehen, traue mich aber dann doch nicht. Bei all meinen bisherigen Überlegungen habe ich eine Komponente überhaupt nicht berücksichtigt: Was, wenn er gar kein Interesse hat? Das wäre allerdings schon merkwürdig, oder? Schließlich schickt man doch einer Frau nicht ständig irgendwelche SMS, wenn man nichts von ihr will. Oder vielleicht doch? Für einen Moment bin ich verunsichert, aber Bastian ist so charmant, dass ich meine Bedenken schnell wieder vergesse.

Wir plaudern und lachen viel, er erkundigt sich höflich nach meinen Problemen, ich versuche nicht zu viel rumzujammern (ist ja nicht wirklich sexy) und frage ihn nach seinem Leben. Er erzählt. Von seinen Eltern, mit denen er sehr innig ist, von seinem Sport, davon wie er fast professioneller Fußballer geworden wäre, und immer wieder will er etwas von mir wissen. Kein Monolog, sondern ein Gespräch. Vorbildlich. Natürlich ist das eigentlich selbstverständlich, aber ich habe jede Menge Freundinnen, die mir von grausigen Dates berichtet haben. Von Männern, die sie fast ins Koma geredet hätten. Gut, beim Thema Fußball geht es auch ein wenig mit ihm durch. Hoffentlich redet der beim Sex nicht auch über Fußball oder hat Fanbettwäsche mit Eintrachtadler, schießt es mir durch den Kopf.

Beim Nachtisch, es gibt Pannacotta mit Himbeermus (köstlich!), ist er tatsächlich immer noch bei seiner verpassten Fußballkarriere. Hätte er sich damals (bei einem Freundschaftsspiel gegen die Offenbacher Kickers in der Regionalliga, das 4:2 endete) nicht den Meniskus angerissen, dann würde er heute – aller Wahrscheinlichkeit nach – als Profikicker arbeiten. Es folgen eine Menge Konjunktive. Wenn er damals das gemacht hätte und nicht das, und wenn dann das passiert wäre … Ich nicke ergriffen und versuche, ein begeistertes Gesicht zu machen. Langsam dämmert es mir, warum ein Mann, der dermaßen gut aussieht, keine Freundin hat. Im Zweifelsfall hat er die Frauen schon beim ersten Date eingeschläfert und sie sind komplett sediert unter den Tisch gerutscht. Vielleicht liegen manche immer noch irgendwo auf einer Aufwachstation rum.

Dabei fing alles so vielversprechend an! Er ist eigentlich immer noch nett und in seiner Begeisterung auch irgendwie süß – wenn nur das, was er zu erzählen hat, einen Hauch interessanter wäre.

Zum Glück merkt er es: »O Gott, ich rede nur von mir. Entschuldige, Andrea! Eine Frau mit Fußball zu langweilen, ist ja wirklich ein absolutes No-Go. Hast du Lust, noch einen Kaffee zu trinken? Vielleicht bei dir? Ich werde auch kein Wort mehr über Fußball verlieren!«

Jetzt bin ich wirklich froh. Da hat er doch noch mal die Kurve gekriegt. Wäre ja auch schade um meine Unterwäsche gewesen.

»Gern, aber lieber bei dir. Bei mir sind ja die Kinder und Rudi. Da ist ein bisschen viel los, vor allem wenn wir es uns gemütlich machen wollen!«, sage ich und versuche, ein wenig kokett zu gucken.

Gemütlich machen klingt so harmlos, ist aber ja eigentlich ein Synonym für »es miteinander treiben«.

Er bezahlt und gibt ein ordentliches Trinkgeld. Sehr gut. Denn kein Trinkgeld zu geben, wäre sein sofortiges Aus gewesen. Das kann ich einfach nicht ab. Da hätte ich ihn ziehen lassen. Nicht dass ich die große Auswahl hätte, leider stehen die Interessenten nicht Schlange, aber in dem Fall wäre mir das dann auch egal. Knauserigkeit ist für mich absolut unsexy – da bin ich speziell. Jeder hat ja so einen Punkt, an dem er besonders empfindlich ist. Bei mir ist es das Trinkgeld.

»Sollen wir mit deinem Auto fahren?«, fragt er, als wir das Lokal verlassen. Ich überlege schnell, wann ich meinen Wagen das letzte Mal durchgesaugt habe, und obwohl ich mich nicht erinnern kann, stimme ich trotzdem zu. Bisher habe ich mich wirklich einwandfrei betragen, insofern wird dieser kleine Makel ja wohl nicht direkt zu meinem Ausschluss führen.

Während der Fahrt wirkt er nervös. Unruhig. Ob er genauso aufgeregt ist wie ich? Wird es auch im Bett mit uns passen? Er wohnt in einem netten, lauschigen Stadtteil und verliert kein Wort über die Krümel auf dem Beifahrersitz. Puh! Ich bin total hibbelig. Gleich ist es so weit! Hoffentlich kann er einigermaßen küssen.

Wie jemand küsst, ist ja auch ein Gradmesser für den Rest. Deshalb ist es im Idealfall sicher besser, schon mal zu küssen, bevor man die Wohnung betritt. Denn dann hätte man die Chance, immer noch einigermaßen elegant die Kurve zu kratzen, bevor es richtig unangenehm wird. In seine Wohnung mitzukommen, ist ja quasi die Einwilligung zum Sex. Natürlich kann man immer und jederzeit auch wieder gehen, es gibt ja keinen Freibrief – rein theoretisch.

»Wir wohnen im Erdgeschoss und haben auch einen hübschen kleinen Garten«, erzählt Bastian, während er die Haustür aufschließt. Wir! Was heißt denn hier wir?

Redet er jetzt vor lauter Begeisterung von sich selbst im Plural, oder steckt hinter dem Wir etwas anderes? Hat er Kinder? Womöglich doch eine Frau? Frau und Kinder? Einen Hund? Bevor ich nachfragen kann, schließt er die Wohnungstür auf und zieht mich in den Flur.

»Komm mit, die werden sich sehr freuen!«, redet er auf mich ein. Hund und Katze? Oder soll ich jetzt direkt am ersten Abend, vor dem ersten Kuss schon die Kinder kennenlernen? Die Kinder, von deren Existenz ich gar nichts wusste? Die er mir bisher verschwiegen hat? Sind vielleicht gerade Ferien, und sie sind bei ihm zu Besuch?

»Du, es ist mir ein bisschen peinlich, aber … Also, deshalb wollte ich ja zu dir, weil … Ach, scheiß drauf, ich sag's jetzt einfach: Ich wohne zu Hause. Meine Eltern sind einfach nicht gern allein, und weil ich ja solo bin, also da dachte ich mir, kann ich ihnen ja den Gefallen tun.«

Er wohnt noch zu Hause! Kein Wunder, dass er mit zu mir kommen wollte.

Er öffnet eine weitere Tür, und wir stehen in einem Wohnzimmer. In einem sehr altmodischen Wohnzimmer. Das Erste, was mir ins Auge sticht, ist eine gigantische Schrankwand und Andrea Kiewel. Andrea Kiewel im Fernsehen. Sie sieht hübsch aus, wie eigentlich immer. Andrea Kiewel im Gespräch mit Markus Lanz.

Auf der Couch ihnen gegenüber sitzen zwei ältere Herrschaften, die sich über unser Kommen gar nicht mehr einkriegen. »Ja, Basti, Bub, das ist ja schön! Das muss die Andrea sein, gell!«, begrüßt mich eine grauhaarige Frau im fliederfarbenen Frottee-Hausanzug.

Das sind wirklich seine Eltern, dämmert es mir. Der wohnt tatsächlich bei seinen Eltern. Das war kein Witz. Das gibt's doch nur im Film! Ist hier irgendwo eine versteckte Kamera? Ist das irgendein RTL-2-Format, bei dem jetzt eine Großaufnahme meines entsetzten Gesichts zu sehen ist? Dieser Mann ist Ende dreißig und wohnt zu

Hause! Beide, Mutter und Vater, springen von der Couch auf, Andrea Kiewel hebt im selben Moment an, Markus Lanz zu erklären, warum es ihr beim ZDF so gut gefällt, und ich befinde mich in einer kompletten Schockstarre. Wäre das alles nicht so unglaublich peinlich, könnte man es geradezu lustig finden und darüber lachen.

»Vati, hol der jungen Frau doch mal was zu trinken!«, freut sich Bastians Mutter und streckt mir ihre Hand entgegen. »Ich bin die Mutti vom Bastian und der hier«, sie zeigt auf den großen hageren, grauhaarigen Mann, bei dem man sofort erkennt, dass er bestimmt auch mal ähnlich gut aussah wie sein Sohn, »das ist der Vati.«

»Ja, dann guten Abend allerseits!«, versuche ich Haltung zu bewahren.

Kaum dass ich mich versehe, sitze ich auf der hellbraunen Alcantaracouch und habe ein Glas Rotwein in der Hand. Eingerahmt von Mutti und Vati.

»Ja, das sind meine Eltern!«, äußert sich nun auch Bastian.

Ich würde ihn am liebsten in den Flur zerren und ihm eine schmieren. Was denkt dieser Mann sich? Hätte er nicht vorher, im Lokal oder spätestens im Auto, wenigstens mal eine Andeutung machen können? Oder hat er die gemacht und ich habe nur nicht richtig hingehört? Will der jetzt hier nett »Hallo« sagen und mich dann in seinem Kinderzimmer ordentlich durchvögeln, während seine Eltern Markus Lanz und Andrea Kiewel gucken? Wie bizarr ist das denn?

»Ja, Mutti, Vati, wir gehen dann mal in mein Zimmer!«

»Ach, des ist jetzt aber schade!«, zeigt sich Herr Reimer senior enttäuscht.

»Stellt euch mal vor, ich habe der Andrea von meiner Fußballkarriere erzählt, und sie will sich auch gern die Bilder dazu anschauen«, sagt Bastian und zwinkert mir zu. »Deshalb gehen wir rüber, ich will sie ihr zeigen.« Wieder zwinkert er.

Welche Bilder? Der hat doch kein Wort von Bildern gesagt, das hätte ich doch mitbekommen. Und ich habe hundertprozentig nicht nach Fotobelegen verlangt. Daran könnte ich mich erinnern. Nur meine Wohlerzogenheit verhindert, dass ich laut aufschreie. Aber wahrscheinlich ist es nur ein eleganter Kniff, um aus dem Wohnzimmer zu entkommen.

»Ich kann die Alben doch schnell rüberholen, wir schauen die doch auch so gern an!« Mit diesen Worten erhebt sich Vati vom Sofa und läuft ins Kinderzimmer. Bastian zuckt nur mit den Schultern. Alben! Plural! Bin ich in einem Horrorfilm gelandet? Die Alben des Grauens? Beladen mit vier Fotoalben lässt sich Vati wieder neben mich auf die Couch plumpsen.

»Rück mal«, fordert ihn Bastian auf, und dann sitze ich eingerahmt von Herrn Reimer senior und Herrn Reimer junior nachts um 23 Uhr 25 auf einer hässlichen Couch und werde mir wahrscheinlich die nächsten hundert Stunden furzlangweilige Bilder anschauen. Kickerbildchen. Wehmütig denke ich an meine Unterwäsche! An meinen Tascheninhalt will ich erst gar nicht denken.

»Wollen Sie denn noch einen Happen essen? Wir freuen uns so, dass der Basti mal jemanden mit nach Hause bringt. So eine nette Überraschung! Das macht er ja sonst nie. Vati, mach mal den Fernseher aus, jetzt wo die junge Dame hier ist!«

Obwohl ich vehement beteuere, keinen Hunger zu haben, tischt Frau Reimer gleich ordentlich auf. Salzbretzeln, Erdnussflips und kleine Frikadellen.

»Mutti, bitte lass das doch mal!«, geniert sich Bastian wenigstens. »Wir wollten es uns eigentlich drüben bei mir ein bisschen nett machen!«

Aber Mutti kann es nicht lassen. »Basti, gönn uns doch die kleine Freude. Sei doch nicht so!«, weist sie ihn liebevoll in die Schranken. Wie komme ich aus dieser Nummer nur jemals wieder raus? Gar nicht, wie ich sehr schnell merke. Reimer Senior und seine Gattin scheinen extrem stolz auf ihren Sohn zu sein. Basti als Baby, Basti bei der Einschulung, Basti als Cowboy und Clown an Fasching, Basti beim Schwimmen, beim Picknick, beim Rollschuhlaufen, Basti mit Windpocken. Und zu jedem einzelnen Foto gibt es noch eine kleine Geschichte. Seit Basti fünf Jahre alt ist, spielt er Fußball, und die Reimers haben jeden Schuss mit dem Fotoapparat festgehalten. Ich sitze eingeklemmt auf einer Alcantaracouch – »Macht nichts, wenn Sie kleckern. Das kann man abwischen. Praktisch, gell?« – und verplempere meine Lebenszeit! Auch wenn Bastian seinen Oberschenkel gegen meinen presst. Aber das ist selbst mir doch etwas zu wenig.

Einmal schaffe ich es, zur Toilette zu flüchten und Sabine eine SMS zu schreiben. *Hol mich hier raus! Ruf mich in zehn Minuten an und erzähl irgendwas mit den Kindern! Sag, dass ich schnell kommen muss!* Natürlich könnte ich das auch allein erledigen, aber die Eltern Reimers sind so enthusiastisch, dass ich es einfach nicht übers Herz bringe, ihnen die Freude zu nehmen. So wird es wohl auch Bastian gehen, denke ich. Sabine simst ein kurzes »Mach ich! Dafür aber später detaillierten Bericht!« zurück.

Beruhigt und im Wissen, dass es gleich vorbei sein wird, setze ich mich wieder aufs Sofa. Normalerweise ist Sabine eine zuverlässige Person, warum sie mich aber ausgerechnet jetzt hängenlässt, weiß ich nicht. Es vergehen zehn Minuten, noch eine weitere halbe Stunde, und es tut sich nichts.

Ich entschuldige mich erneut und fliehe ein weiteres Mal ins Bad. Neun unbeantwortete Anrufe und drei SMS von Sabine! Die letzte SMS von Sabine ist fast panisch: *Wo bist du, ist was passiert? Ist er ein Perverser? Soll ich die Polizei rufen? Kommen?*

Ich doofe Kuh hatte, weil ich beim Wiedereinstieg in mein rasantes Sexleben nicht gestört werden wollte, das Handy auf lautlos gestellt. Ich leiste in Gedanken Abbitte bei Sabine und schicke ihr eine kurze SMS, um klarzustellen, dass ich nicht in die Fänge eines Wahnsinnigen geraten bin. Was so ja eigentlich nicht ganz stimmt. Bastian ist auf seine Art bestimmt wahnsinnig – womöglich einfach nur wahnsinnig lieb. Er mag seine Eltern ganz offensichtlich sehr, und ich habe den Eindruck, es geht ihm wirklich darum, sie niemals zu enttäuschen. Er hat sein eigenes Wohl dem seiner Eltern untergeordnet. Das ist heroisch und lobenswert. Aber leider hat er damit auch mein Wohl allem anderen untergeordnet. Und das geht gar nicht!

Als ich zurück ins Wohnzimmer komme, wirkt Frau Reimer besorgt. »Soll ich Ihnen einen kleinen Blasentee machen? Des ist ja nicht normal, so zweimal kurz hintereinander. Da muss man frühzeitig schauen, dass sich da nichts festsetzt. Ich kenne das von mir. Wenn das die Harnleiter angreift, wird es ernst. Die Nierchen wollen gespült werden«, bemerkt sie freundlich. Ich lehne höflich dankend ab und teile den Reimers mit, dass es für mich jetzt wirklich Zeit wird zu gehen. »Ich muss ja morgen früh raus wegen der Kinder und so«, entschuldige ich mich.

»Die besten Bilder kommen noch!«, zeigt sich Bastian enttäuscht. »Wir können die bei mir im Zimmer anschauen, meine Eltern müssen eh gleich ins Bett!«

Die besten Bilder waren leider nur in meinem Kopf, denke ich.

»Du kannst ihr ja alles beim nächsten Mal zeigen, da richte ich ein paar Häppchen, und wir machen es uns gemütlich«, schlägt Frau Reimer vor.

Wo um alles in der Welt bin ich hier gelandet? Noch zwei gemeinsame Couchabende, und die wollen mich adoptieren! Oder sie sperren mich in den Keller, ketten mich dort fest und zwingen mich, Fotoalben anzuschauen.

»Aber ich lass Sie nicht gehen, bevor Sie mir nicht eins versprechen«, redet Bastians Mutter weiter auf mich ein.

Ich möchte jetzt wirklich nur noch weg. So etwas kann echt nur mir passieren. Ein Date, das im elterlichen Wohnzimmer endet. Man kann sich auch anders demütigen lassen!

»Wir haben in ein paar Wochen unser großes Schrebergartenfest. Da müssen Sie kommen, Andrea, mit den Kindern. Das ist immer soo herrlich. Das müssen Sie mir jetzt und hier versprechen! Und dann, Basti, bringst du die junge Frau heim, gell!« Frau Reimer hält ihrem Sohn die Jacke hin.

Die junge Frau – so genannt zu werden, ist für mich das absolute Highlight des Abends – würde jetzt und hier alles versprechen, nur um auf keinen Fall noch ein einziges Foto anschauen zu müssen. Ich sage deshalb zu, und Frau Reimer gerät fast in Ekstase.

»Der Basti wird Sie noch mal erinnern. Sie werden es bestimmt nicht bereuen! Es ist immer wieder wunderschön. Jeder bringt was mit, und wir schwätzen und grillen. Ach, es wäre nett, wenn Sie einen Kuchen mitbringen! Sie sind ja auch eine Mutti, da können Sie sicher backen!«

Ich nicke und darf dann tatsächlich gehen. Bastian bringt mich zur Tür und will schnell aus den Hausschuhen schlüpfen, um mich eben zum Auto zu begleiten. Ich lehne ab: »Nicht nötig. Bleib mal ruhig hier!«

Auf einen schnellen Kuss am Auto, während seine Eltern hinter der Gardine rauslinsen, kann ich jetzt auch gut verzichten. Ich will nur noch nach Hause!

Sabine, die ich sofort anrufe, als ich um die nächste Ecke biege, ist entgeistert. »Was hast du denn da gemacht? Wie kann so was passieren? Was hast du denn für Signale gesendet?«

Jetzt bin ich auch noch selbst schuld an meinem Elend. Ich bin sicher an vielem schuld, aber dass ich Signale aussende, die nach Alcantaracouch, Mutti, Vati und Fotoalben verlangen, das glaube ich dann doch nicht.

»Warum wusstest du denn nicht, dass der noch zu Hause wohnt?«, fragt auch noch. Kichernd. Woher im Himmel hätte ich das wissen können? Welcher Mann lebt in diesem Alter noch zu Hause? Ich kenne keine statistischen Zahlen, aber ich wäre auch niemals auf eine solche Idee gekommen. Muss man heutzutage erwachsene Menschen fragen, ob sie eventuell noch bei Mutti leben?

»Ja dann viel Spaß bei der Schrebergartenparty!«, lacht Sabine und fügt hinzu: »Gut, dass du Kondome mithattest!«

Ha, ha, ha, wirklich witzig.

Das also war mein umwerfendes Date mit Bastian Reimer. Danach hat er noch zwei SMS geschrieben: *Es tut mir leid, ich hatte ganz andere Pläne, aber meine Eltern haben sich so sehr gefreut.* Trotzdem danke *für den netten Abend!* und jetzt vorgestern *Denkst du an die Laubenparty bei meinen Eltern und den Kuchen? Käse oder Obst wäre gut. 15.00 Uhr geht's los, meine Eltern freuen sich! Ich auch! Ich hole euch 14.25 Uhr ab!*

Deshalb gehe ich heute Nachmittag auf eine Laubenparty. Mit meinen Kindern, die sich fast noch mehr drauf freuen als ich. Mark ist den ganzen Tag schon schräg drauf. Er kichert die ganze Zeit blöde rum, und alles, was ihn interessiert, ist, ob es da genug zu essen gibt. »Sonst hab ich keinen Bock!«

Claudia, wahrscheinlich unter den Top 10 auf der allgemeinen Jugend-Spießerinnen-Liste findet Laubenpartys tatsächlich spießig, irgendwie kleinbürgerlich, und besteht darauf, dass auch ihr Gustav Johannes mitkommt. Die beiden sind kurz davor, aneinander festzuwachsen. »Wo er ist, will ich auch sein, und genauso geht es ihm auch!«

Manch einer findet das mit Sicherheit ausgesprochen

romantisch, ich finde es beängstigend. Das ganze Getue kommt mir vor wie aus einem Hedwig-Courths-Mahler-Roman.

»Wie ist denn der Dresscode?«, will sie noch wissen.

»Es ist ein Fest im Schrebergarten, Claudia, kein Cocktailempfang bei der Queen! Zieh an, was du willst.«

»Die passende Kleidung ist wichtiger, als du denkst!«, knurrt sie mir hinterher. »Statt auf mir rumzuhacken, solltest du dich lieber mal um deinen Sohn kümmern!«

Wie meint Frau von und zu das denn jetzt?

Als ich nachfrage, zuckt sie mit den Achseln und sagt nur: »Ich bin doch keine Petze!«

Rudi, der Einzige, der an sich altersmäßig passend für eine Schrebergartenparty wäre, hat weder Lust noch Zeit mitzukommen. »Die Irene schaut heut Mittag vorbei, und da nutze mer die Schans, wenn ihr alle fort seid, un mache es uns hier ein bissche nett!«

Nach unserem morgendlichen Gespräch möchte ich gar nicht so genau wissen, was ein »bissche nett mache« heißt.

Bastian steht pünktlich vor der Tür. Diesmal habe ich den Aufwand rund ums persönliche Rausputzen kleingehalten. Meine Ambitionen, was Bastian angeht, sind erledigt. Selbst wenn er heute noch von zu Hause ausziehen würde. Dieser eine Abend hat mein vielversprechendes Bild von ihm komplett ruiniert. Den könnte ich nie aus meinem Kopf kriegen. Die Alcantaracouch, die Fotoalben und die kleinen Salzbretzeln. Das alles ist mit heißem Sex nicht kompatibel. Da gibt es leider keine zweite Chance. Ein netter Mann ist eine feine Sache –

und ich gehöre nicht zu den Frauen, die nett langweilig finden, aber um es mal drastisch auszudrücken: Eier in der Hose hätte ich doch auch gern.

Ich habe tatsächlich noch einen Kuchen gebacken. Versprochen ist versprochen, auch wenn es ein Versprechen war, das in einer Art Zwangslage gegeben wurde. Bastians Mutter kann ja nichts für die ganze Misere. Obwohl, wenn ich es mir recht überlege, wahrscheinlich doch. Ich würde meinen Sohn rausschmeißen, damit er anfängt, sein eigenes Leben zu leben. Meine Güte, irgendwann zieht der noch mit seinen Eltern in die Seniorenwohnanlage! Ob das schon mal vorgekommen ist?

Wir fahren eine halbe Stunde lang raus in Richtung Bad Vilbel. Der Schrebergarten liegt am Lohrberg.

»Wir sind früher immer da gewesen, wenn das Wetter einigermaßen war! Wir haben herrliche Rosen, sogar preisgekrönte Rosen, Obst und Gemüse, alles selbstgezogen, Gurken, Zucchini, Tomaten, Bohnen, Salat, auch Eisbergsalat. Sollte es uns mal schlechtgehen, könnten wir uns von unserer Ernte eine ganze Weile ernähren.«

Mein Sohn kichert. Alles, was mit Essen zu tun hat, interessiert ihn. Aber was daran jetzt so lustig sein soll, kann ich nicht erkennen. Meine Tochter gähnt, und Gustav Johannes lächelt gequält. Ich versuche ein wenig Konversation zu machen. Man sollte versuchen, allem doch noch etwas Erfreuliches abzugewinnen.

»Wie viele Leute kommen denn?«, will ich von Bastian wissen.

»All unsere Nachbarn, ihr und zwei alte Kumpels vom

Fußball mit ihren Familien. Meine Tante Gerda und Frieder, der Vorsitzende vom Laubenverein. Und der kommt nicht auf jedes Fest!«, stellt er stolz fest.

So weit ist es also mit mir gekommen! Ich gehe auf Schrebergartenpartys! Ja, ich bin ein echt wildes Ding!

Der Schrebergarten ist picobello. Ein wahrer Vorzeigeschrebergarten. Bastians Mutter umarmt mich wie eine verlorene Tochter.

»Dass Sie an den Kuchen gedacht haben, ist wirklich so lieb. Ich hab dem Basti gleich gesagt, das ist eine Frau, bei der musst du am Ball bleiben!«

»Der Ball ist schon so was von im Abseits«, will ich antworten, sage stattdessen aber brav: »War doch eine Kleinigkeit mit dem Kuchen. Hab ich gern gemacht. Danke für die Einladung.«

Claudia und Gustav Johannes sagen artig »Guten Tag«. Wohlerzogen ist er, der kleine Einstecktuchträgerfreund meiner Tochter, das muss man ihm lassen. Innerhalb von wenigen Minuten werden wir allen Anwesenden präsentiert. »Das ist eine Freundin vom Basti«, werde ich vorgestellt. Ich habe das Gefühl, so einen gewissen Unterton raushören zu können. Sie hat das Wort »eine« irgendwie so merkwürdig betont.

Die Gäste sind im Schnitt um die siebzig. Rüstige, fidele Rentner. Bis auf einen – der steht mit nacktem Oberkörper, einer Shorts und gelben Crocs, diesen Gummischlappen, am Grill. Ein richtiger Proll, schießt es mir durch den Kopf. Eigentlich ganz gutaussehend, aber ein bisschen zu haarig und ein bisschen zu nackig. Obwohl sein Oberkörper durchaus einen Blick wert ist.

Vor ebendiesem Grillmeister steht mein Sohn und hat

einen Teller in der Hand. Auf dem Teller türmt sich das Fleisch. Er hat noch keinem hallo gesagt, aber schon Portionen aufgetürmt, als hätte er eine 14-tägige Fastenkur hinter sich. Seit Wochen schaufelt der Essen in sich rein, dass einem angst und bange wird.

Ich nähere mich dem Grillkerl und meinem Sohn: »Sag mal, Mark, geht's noch? Hast du einen Bandwurm, oder was soll das da auf deinem Teller?«

Mein Sohn lacht. Er lacht und lacht. Das ist nun auch merkwürdig. Seit wann lacht der über meine Witze? Das ist fast schon bedenklicher als diese Essensberge auf seinem Pappteller.

»Bevor du hier allen alles wegfrisst, könntest du wenigstens guten Tag sagen!«, versuche ich zu retten, was zu retten ist. Ich kann das Fleisch ja schlecht wieder vom Teller nehmen und auf den Grill zurücklegen.

»Tag«, sagt mein Sohn und kichert schon wieder, während er sich noch ein Rostbratwürstchen auf den Teller legt. Auch ich begrüße den Grillmeister.

»Paul. Hallo, nett, Sie zu treffen!«, antwortet er. Er hat eine angenehme Stimme der Mister Freier Oberkörper. »Ich hab einen Garten gleich nebenan. Die Reimers kenn ich schon ewig. Wollen Sie auch ein Würstchen, bevor der junge Mann hier alles verputzt hat?«

Mein Sohn lacht zur Abwechslung schon wieder.

»Der junge Mann setzt sich jetzt sofort da vorne an einen Tisch und gibt mir sicher gerne eins von seinen Würstchen ab!«, ermahne ich meinen Sohn. Der wirkt ja so, als hätte er nicht alle Tassen im Schrank! Fressen und kichern. Was ist bloß in meine Kinder gefahren?

Ich weiß, dass während der Pubertät im Gehirn gravierende Dinge passieren, große Umstrukturierungen, aber bei Mark macht es ja den Eindruck, als wäre er auf den Stand eines Vierjährigen zurückgefallen. Eines allenfalls durchschnittlichen Vierjährigen. Mark trollt sich Richtung Tisch, und der Grillmann grinst und meint: »Boah, ist der breit. Mein lieber Scholli.«

Was hat der da gerade gesagt? Breit? Meint der jetzt breit wie fett oder breit wie voll?

»Haben Sie über meinen Sohn gesprochen?«, frage ich ein wenig spitz nach.

»Ach, das ist Ihr Sohn!«, bekomme ich zur Antwort. »Da sollten Sie vielleicht mal genauer hinsehen!«

Erst die Bemerkung meiner Tochter und jetzt das. Ich lasse mir in Erziehungsdingen nicht wirklich gerne etwas vorschreiben. Vor allem nicht von fremden Männern, die halbnackt an einem Grill stehen und deren Kernkompetenz sich im Würstchenwenden erschöpft.

»Vielleicht sollten Sie sich lieber um Ihre Würstchen kümmern!«, reagiere ich leicht patzig. Was für ein Idiot. Ich habe ja auch nicht zur Begrüßung gesagt: »Ziehen Sie sich erst mal was über Ihr Brustfell!«

Ein Typ, der so auf einer Gartenparty erscheint, sollte den Ball lieber flachhalten. Ohne Würstchen wende ich mich ab und setze mich neben meinen Allesfressersohn. Er hat sich noch einen zweiten Pappteller geholt, darauf Kartoffel-, Nudel- und Gurkensalat getürmt und ein Stück von meinem Käsekuchen.

»Bist du eine Art menschlicher Cockerspaniel, ein Wesen ohne Essbremse?«, versuche ich witzig zu sein. Mein Sohn lacht. Heute kann ich wirklich mit jedem noch so kleinen Scherz punkten. Seltsam, seltsam. Es wird höchste Zeit für ein Mutter-Sohn-Gespräch, aber nicht hier und nicht heute.

»Ich bin der Frieder vom Laubenvorstand, der Präsident vom Ganzen, um genau zu sein!« Mit diesen Worten reicht mir ein kleines Männchen, das mir gegenüber auf der Bank sitzt, seine Hand. Ein kleines altes Männchen mit einer sehr verbrannten Glatze. Ich habe sofort den Impuls zu sagen, er solle bitte eine Mütze aufsetzen und überhaupt nur noch mit Sunblocker aus dem Haus gehen. Das auf seinem Kopf sieht nicht gut aus. Das schreit nach einem Dermatologen.

Das Muttisein kann man eben nur schwer ablegen.

»Und? Kein Würstchen beim Fuß-Paule geholt? Das werden Sie bereuen. Der Paule ist der beste Griller überhaupt!«, redet Frieder auf mich ein.

Fuß-Paule? Ist der etwa auch Kicker? Und so ein Kicker-Paule will mir was über meinen Sohn erzählen?

»Was macht denn der Paul? Wieso heißt der denn Fuß-Paule?«, frage ich meinen neuen kleinen Freund mit der Leuchtglatze.

»So genau kann ich das gar nicht sagen, das hat nen komplizierten Namen, Pädo…, Pado…, Podo…, Podologie oder so. Also Schwerpunkt beruflich sind auf jeden Fall Füße. Der Paule redet net viel drüber.«

Podologie? Das habe ich schon mal gehört, was war das noch bloß? »Fußpflege! Meinen Sie vielleicht Fußpflege, medizinische Fußpflege?«, erkundige ich mich bei Frieder.

»Ja, ich denke, des ist es, es war was mit P und Füßen«, nickt er. »Sind Sie die vom Basti, die Neue?«, leitet er zu einem anderen Thema über.

Ich bekomme einen roten Kopf, und mein Sohn lacht zur Abwechslung mal wieder, diesmal fast schon hysterisch. »Also, das ist völlig falsch!«, stammle ich verlegen, »da müssen Sie mich verwechseln!«

»Sie müssen nichts sagen. Die Lotte, also die Frau Reimer, hat schon gesagt, mer sollen es nicht ansprechen, es wär noch en zartes Pflänzchen. Und mit Pflänzchen«, er grinst süffisant, »da kenne mir uns hier ja aus.«

»Ich glaube, da handelt es sich um einen Irrtum!«, lege ich noch mal nach. Aber am Gesicht vom Laubengartenvorstandsglatzkopf kann ich erkennen, dass ihn das nur amüsiert. »Net so schüchtern!«, grinst er.

Ich schnappe mir ein Würstchen vom Teller meines Sohnes, der ein Gesicht macht, als würde er mich gleich anknurren. Wie ein Dobermann, dem man an den Napf geht!

»Der Bub hat aber ganz ordentlich Appetit!«, bemerkt der Laubenvorstand. »Kriegt der daheim nichts zu essen?«

Jetzt langt es mir aber langsam. Vielleicht sollte ich eine Umfrage starten und herausfinden, wer sich noch alles zu meinem Sohn und meinen Erziehungsmethoden äußern möchte.

»In dem Alter ist man hungrig, da wächst man noch, falls Sie sich erinnern!«, antworte ich ein wenig pampig. Wahrscheinlich kann er sich nicht erinnern, denn seine Wachstumsphase war augenscheinlich nicht sehr lang.

Ich bin kaum eine halbe Stunde hier, und es reicht mir schon. Dazu kommt ein weiteres, klitzekleines Problem, das meine Laune auch nicht gerade hebt. Ich warte. Seit Tagen schon. Auf eine SMS. Oder eine Mail. Oder einen

Anruf. Auf irgendein Zeichen. Ich starre fast so häufig auf mein Handy wie eine 14-Jährige – nur dass ich versuche, es heimlich zu machen, weil ich doch genau dieses Verhalten meinen Kindern ständig vorwerfe. Und schuld an meiner neuen Manie sind in erster Linie zwei Kolleginnen.

Letzte Woche war ich mit Silke und Gesa, die beide mit mir in der Agentur arbeiten, abends aus.

»Du musst auch mal ausgehen! Du wirst ja noch zum totalen Muttertier!«, haben die beiden entschieden und mich überredet, mit ihnen ins Nachtleben einzutauchen. »Du bist doch jetzt Single. Willst du daheim vertrocknen oder langfristig mit deinem Schwiegervater anbändeln? Andere Männer siehst du ja sonst keine mehr!«

Insgeheim wäre ich bei diesen Auswahlmöglichkeiten dann doch fürs Vertrocknen.

»Wir gehen ins Kinka, ist ein cooler Club, trinken ein paar Hugos, und dann sehen wir weiter!«, lautet ihr Plan.

Das Nachtleben und die Clubs der großen Stadt sind schon lange nicht mehr das, was man meinen natürlichen Lebensraum nennt. Ich glaube, das letzte Mal, als ich in einem Club war, war zu der Zeit, als man noch rauchen durfte! Ich habe trotzdem nach einigem Zögern eingewilligt, schon weil ich keine Lust auf Diskussionen hatte. Man will ja nicht als ältliche Spaßbremse gelten: »Klar, gehe ich mit!«

Was soll's. Anstatt zu Hause rumzuhängen und mich dort zu langweilen, kann ich das ja auch in einem Club tun. Außerdem: Nach meinem Bastian-Date-Fiasko sollte ich vielleicht mal was Neues probieren. Einen anderen Ansatz. Bin gespannt, ob sie mich überhaupt reinlassen in meinem Alter. Dass man über 18 sein muss, um reinzukommen, weiß ich, aber ob es auch nach oben ein Limit gibt? Über 40 – nein danke? Muss ich mir eventuell den öden Jugend-Witzklassiker, »Kommen die schon zum Sterben hierher«, anhören? Silke und Gesa sind fast zehn Jahre jünger als ich. Das macht in unserem Alter einiges aus. Mit Ende dreißig ist man im besten Erwachsenenalter. Noch frisch, vermittelbar und fruchtbar. Dann kippt alles. Mit Ende vierzig ist man der Pensionierung näher als dem Abitur, man ist knitteriger als ein chinesischer Faltenhund und fühlt sich schon mal häufiger reichlich welk. Innen wie außen.

Das Schlimmste wäre, jemanden aus Claudias Klasse zu treffen, allerdings weniger für mich als für Claudia. Ich kann mir ihr Gott-wie-peinlich-Gesicht lebhaft vorstellen. Allein das wäre den Ausflug eigentlich wert!

Ich werde zwei, drei Stündchen bleiben, um zu beweisen, dass ich durchaus Unterhaltungsbereitschaft habe, und dann schön nach Hause fahren, beschließe ich.

Es kommt und endet anders. Ich bleibe sieben Stunden und erinnere mich nur noch dunkel daran, dass ich irgendwann nachts, so gegen halb vier, ein ganz klein wenig geknutscht habe. Mit einem Typen namens Rakete. So jedenfalls nennen ihn Silke und Gesa. Sogar mit einer gewissen Ehrfurcht in der Stimme. Wie ich vor dem Club in einer Hofeinfahrt und meine Zunge im Rachen von Rakete gelandet sind, weiß ich nicht mehr. Das ist peinlich, so viel immerhin ist sicher. Aber Silke und Gesa haben mir ständig neue Drinks in die Hand gedrückt, und natürlich hätte ich nein sagen können ... »Hätte sagen können« – das sagt schon alles. Der Konjunktiv und ich sind dicke Kumpels. In vielen Lebenslagen. Ich hätte das Brot nicht essen müssen, ich hätte mehr Sport machen können – ich hätte, ich sollte, ich könnte ...

Irgendwann, im Laufe des Abends, hatten sie mir, so hat es mir jedenfalls Gesa am übernächsten Tag in der Agentur erzählt, Rakete vorgestellt. Rakete ist Makler, irre erfolgreich mit Immobilien und mit Frauen und sehr begehrt – hat jedenfalls Gesa behauptet.

»Der war irgendwie, warum auch immer, an dir interessiert!«, hat Silke gegrinst. Ich bin mir nicht sicher, ob dieser Satz wirklich nett gemeint ist. Der Warum-auch-immer-Teil stört mich. »Sonst hat der völlig andere Frauen! Vielleicht zieht es ihn neuerdings eher zu den mütterlichen Typen!«, hat sie noch hinzugefügt.

Ich weiß, dass ich Mitte vierzig bin, na ja, eher Ende – aber ein mütterlicher Typ? Ist man nur, weil man Kinder hat, ein mütterlicher Typ? Macht einen das Muttersein automatisch dazu? Ist das womöglich eine Beleidigung? Nach sexy klingt es jedenfalls nicht. Nach aufregend auch nicht. Nach begehrenswert auch nicht, außer für Männer mit einem ausgeprägten Mutterkomplex. Mütterlicher Typ hört sich nach gemütlich, liebevoll, umsorgend, einfach nach Kümmern an! Nach Gulasch und Eintopf und nicht nach Sushi und Sashimi. Ob das eine Qualität ist, die Unter-80-Jährige ohne Rollator überhaupt zu schätzen wissen? Die im nächtlichen Clubleben von Vorteil ist? Bei der Männerakquise an sich?

Liegt es an meiner Aufmachung? Oder rieche ich schon

nach Mutti? Dünstet man das aus? Wie riechen Muttis? Nach Rostbratwurst und Kartoffelbrei, nach frischer Wäsche, nach Putzmittel, nach Babysabber und Möhrchen oder schlicht nach Langeweile? Wie riecht denn Langeweile? Nach Staub und altem Muff? Moderig und abgestanden? Hinterlässt jahrelanges Zieh-dir-eine-Mütze-auf, Mach-die-Hausaufgaben, Geh-noch-mal-aufs-Klo, Putz-dir-die-Zähne, Bedank-dich seine Spuren? Ich hab wirklich keine Ahnung.

Ich war okay angezogen – vielleicht nicht 100 Prozent trendy – aber auch nicht muttimäßig – immerhin hatte ich meine hohen Peeptoes an und dazu eine Designerjeans. Gerochen habe ich gut. Da bin ich mir absolut sicher.

Und mal ehrlich: Ich ahne, warum Rakete sich ausgerechnet mit mir abgegeben hat. Ein uncharmanter Ausdruck übrigens: Sich mit jemandem abgeben. Da schwingt was Überhebliches mit. Eine Art zwischenmenschliches Gefälle. Ich weiß nämlich noch, dass wir kurz über Fußball gesprochen haben – scheint zu meinem neuen Lieblingsthema zu avancieren. Ich habe ein bisschen damit angegeben, dass wir einen Kunden in der Agentur haben, der Karten für das angesagte und eigentlich schon total ausverkaufte Champions-League-Final-Spiel Bayern gegen Dortmund besorgen kann. Das war das eigentlich Erregende an mir! Potentielle Finalkarten scheinen einiges an Mutti-Muff wettzumachen.

Ich glaube sogar, weder Gesa noch Silke haben das, was sie mir da so nebenbei an den Kopf geworfen haben, irgendwie böse gemeint. Ihre zehn Jahre weniger und ihr

Status als Singlefrauen führen halt zu dieser Sichtweise: Wer Kinder hat, ist entweder eine Mutti oder Sylvie van der Vaart.

Dabei beneidet mich zumindest Gesa angeblich. »Ich hätte gerne Kinder. Aber wie soll das jetzt noch klappen? Wo soll ich so schnell einen Mann herkriegen und vor allem einen, der auch Kinder will? Da muss man ja erst mal 'ne Beziehung aufbauen, und dann bin ich schon vierzig und dann wird es echt knapp, und die meisten Männer riechen dieses Ticktack der biologischen Uhr auf Hunderten von Metern und machen sofort die Biege!«

So oder so – irgendwie habe ich jedenfalls diesen Rakete kennengelernt. Rakete, von dem ich, seit ich seine Visitenkarte in meiner Hosentasche gefunden habe, weiß, dass er Tom Kurz heißt. Die Karte ist mir am nächsten Morgen in die Hände gefallen, als ich meine Jeans in die Waschmaschine stopfen wollte und automatisch – ja ich weiß, auch das ein eindeutiges Mutti-Verhalten – noch vorher eine Taschenkontrolle durchgeführt habe.

Auf der Vorderseite der Karte steht: Want more? Genau so – mit Fragezeichen. Auf der Rückseite sein Name, seine Handynummer und seine E-Mail-Adresse. Bezieht sich das »Want more?« auf seine Immobilien oder auf ihn selbst? Und wie ist diese Karte bloß in meine Jeans gekommen? Wahrscheinlich genauso wie seine Zunge in meinen Hals. Ich meine mich sehr dunkel zu entsinnen, dass er mir, nachdem ich seine Hände von meinen Brüsten gezogen habe, die Karte in die Hand gedrückt hat. Dann ist er gegangen. Sehr gelassen und souverän. Und ich habe mit meinem bedüdelten Kopf nur gedacht: Wenn der sich jetzt umdreht, ist das ein Zeichen, dass daraus irgendwie noch mehr wird. Ich liebe Zeichen. Ich bin eine Meisterin im Zeichendeuten.

Er hat sich umgedreht. Jedenfalls in meiner nebulösen Erinnerung.

Want more? Will ich mehr? Da ich mich gar nicht mehr so genau erinnere, wie das mit dem Küssen eigentlich war, bin ich mir auch nicht wirklich sicher. Aber ich bin, ehrlich gesagt, geschmeichelt. Immerhin wird der Mann Rakete genannt, und er hat sich von all den Frauen im Club mich rausgepickt. Auch im Büro habe ich so was wie Anerkennung und Bewunderung gespürt – wenn auch gepaart mit großem Erstaunen. Aber eben auch Anerkennung. Rakete scheint ein absolutes Objekt der Begierde zu sein. Sofort habe ich auch ein bisschen angegeben und das mit den Champions-League-Karten unerwähnt gelassen.

»Er will mich unbedingt wiedersehen!«, habe ich dreist behauptet. Das hat er jetzt so niemals gesagt, daran würde ich mich sicherlich erinnern, aber immerhin hat er mir seine Karte gegeben. Insgeheim wahrscheinlich, um dafür andere Karten zu ergattern. Aber eine Visitenkarte überreicht zu bekommen heißt ja übersetzt: »Melde dich.« Vielleicht gehört es aber auch nur zu seinem Standardprogramm: Knutschen, Hände ausfahren und sehen, was geht – dann, bei Spielstopp, Karte für die Fortsetzung.

Ich war kurz davor, ihn gleich, noch vor der Waschmaschine kniend, anzurufen. Aber so ein Anruf hat seine Tücken. Was soll ich schon sagen? So was wie: »Erinnerst du dich? Also, ich bin die, die du gestern Nacht um halb vier in diesem Hinterhof abgeknutscht hast.« Eine SMS ist da unverfänglicher, habe ich mir überlegt. Beiläufiger und vor allem planbarer. Den Rest des Tages habe ich im Kopf SMS-Texte entworfen.

Es soll locker, unverbindlich, aber auch saucool und auf keinen Fall aufdringlich klingen. Hi, alles klar? – mein erster Einfall ist ein bisschen zu doof und nichtssagend. Außerdem habe ich Angst, dass er keinen Schimmer hat, wer ihm da schreibt. Ein dezenter Hinweis auf die Küsserei und den Abend erscheinen mir deswegen schon angebracht. Wenn der so ein Mega-Fang ist, bekommt er bestimmt häufiger mal eine SMS, und da ist eine kleine Absenderinformation vielleicht ganz nützlich. Man will ja nicht in der Masse untergehen. Während ich die perfekte SMS plane, ziehe ich so viel Informationen wie möglich über Rakete ein.

»Na ja, den Spitznamen hat er von einer Tussi, mit der er mal was hatte. Muss sich wohl irgendwie auf seine Fähigkeiten im Bett beziehen! Man munkelt da so einiges!«, hat mir Gesa verraten.

»Er ist einer der Top-Makler aus dem Rhein-Main-Gebiet, hat einen fetten Porsche, der aber auch geleast sein könnte, und ich meine, du hast ihn ja gesehen, er sieht Hammer aus«, fügt Silke noch hinzu.

Er sah gut aus, das stimmt. Für eine genauere Beschreibung würde meine Erinnerung allerdings nicht mehr ausreichen. Größer als ich, Lederjacke, Jeans und Dreitagebart – wofür mein Kinn der beste Beweis ist. Ich sehe aus, als wäre ich mit dem Kinn einmal quer über den Asphalt geschubbert. Alles rot und wund. Hatte ich früher, in meinen Anfangsknutschjahren, auch manchmal.

Mein Kinn scheint das Küssen nicht mehr gewohnt zu sein. Als mich meine Tochter gefragt hat, was da passiert sei, habe ich behauptet, ich hätte eine neue Enthaarungscreme draufgeschmiert und wäre anscheinend allergisch. Sie hat es sofort geglaubt, wahrscheinlich weil sie sich nicht mal in ihren kühnsten Träumen vorstellen kann, dass ihre Mutter rumknutscht. Mütter haben etwas Asexuelles. Und allein die Vorstellung, dass man als Frau am Kinn Haare bekommen kann, hat sie schon genug irritiert und auch leicht geekelt. Ich habe nur gedacht: Wart ab, du hast meine Gene …

Ich habe meine teuerste Gesichtscreme zentimeterdick aufs Kinn geklatscht und wegen der SMS drei Freundinnen um Rat gefragt. Sabine, die direkteste und offensivste von allen, plädierte für folgende Variante: »I want more. Küssen war gut – der Rest wird sich zeigen, aber wann?« Aber das ist mir, bei aller Offenheit, doch zu platt. Da könnte ich ja auch schreiben: Fick mich, aber bitte zeitnah.

Heike, meine Lesbenfreundin, schlägt vor: »Lieber Tom, würde gerne meine Erinnerung auffrischen! Wenn es dir genauso geht, melde dich!« Ich finde, das hört sich ein bisschen so an, als wäre ich hackedicht gewesen. Erinnerung auffrischen? Ich war hackedicht, keine Frage, aber man muss es ja nicht selbst noch mal erwähnen.

Tamara, meine Nachbarin, der ich allerdings nicht ganz die Wahrheit gesagt habe, sondern so getan habe, als ginge es um einen kleinen Werbespot für die Agentur, hat kurz nachgedacht und mir dann ihr Ergebnis präsentiert: »Gerade deine Karte gefunden, Appetit bekommen, wir sollten uns wiedersehen – oder …?!« Das hat mich in der

Kürze und Prägnanz überzeugt. Vor allem mangels Alternativen. Es ist einen Hauch schlüpfrig und trotzdem ein wenig dezenter als die Sabine-Variante. Außerdem steckt in dem »wir sollten uns wiedersehen« eher eine Feststellung. Bei Heike klang es zu sehr nach »Bitte melde dich!« Als Bittstellerin will ich ja nicht auftreten – das wäre ja so, als hätte ich es nötig. Habe ich auch, aber das muss er ja nicht wissen.

In einem waren sich allerdings alle drei einig: Auf keinen Fall sofort schreiben. Mindestens zwei, besser drei Tage verstreichen lassen. Sonst sieht es so aus, als wäre es dringend und man hätte nur diese eine Option. Genau so habe ich es dann auch gemacht. Zwei Tage gewartet und dann am dritten Tag den Tamara-Text abgeschickt. Seitdem warte ich wieder – und das nun schon vier Tage lang!

Würde mir jemand einen solchen Text simsen, würde ich umgehend antworten. Rakete – also Tom scheint anders zu ticken. Oder vielleicht fragt er, genau wie ich, seine Freunde, und die beraten seit Tagen über die richtige Antwort. Eher unwahrscheinlich. Er ist ein Mann. Ich glaube, Männer machen so was nicht. Oder er hält sich auch an irgendeine ominöse SMS-Verschickfrist.

Egal wie, es ist nervig. Ich fühle mich klein. Habe ich mich vielleicht doch zu weit aus dem Fenster gelehnt? Ich war gestern schon kurz davor, abends in den Club zu fahren und Herrn Rakete persönlich zu fragen, ob er sein Verhalten höflich findet.

»Ums Höflichsein geht's dabei nicht, der lässt dich zappeln!«, behauptet Sabine. »Das musst du aushalten. Einfach Ruhe bewahren! So ist das Spiel! Auf keinen Fall nachhaken!«

Und sie scheint recht zu haben. Jetzt sitze ich hier und zapple. Was natürlich lächerlich ist. Ich weiß doch gar nicht mehr, für wen genau ich da zapple. Es geht eigentlich auch nicht um den Mann, den ich ja nicht mal kenne, sondern ums Prinzip. Um Selbstachtung und Bestätigung. Ein bisschen Egobalsam. Was für ein beschissenes Spiel!

»War doch net bös gemeint!«, sagt da der Laubenfrieder. »Der Bub kann selbstverständlich so viel essen, wie er will.«

Ich lasse unauffällig mein Handy verschwinden, vom ewigen Draufstarren wird sowieso keine SMS kommen, und versuche versöhnlich zu schauen.

»Darf ich mich zu euch setzen?«, fragt da Herr Nackig, der sich immerhin zum Essen ein T-Shirt übergezogen hat. Einen Hauch von Benehmen scheint er also zu haben. Fuß-Paule. Ein Mann, der Fußpfleger ist. Eine seltsame Berufswahl. Wie kommt man bloß auf eine solche Idee? Aber freundlich ist er. Plaudert nett mit dem Vorstand und versucht, Mark und mich immer einzubeziehen. Es geht ums Gärtnern. Nicht direkt mein Lieblingsthema. Ich habe keinen grünen Daumen und kann gerade so Rasen von Unkraut unterscheiden. Deshalb nicke ich nur ab und zu und lobe den Garten der Reimers.

Der Garten scheint auch meiner Tochter und ihrem Liebsten zu gefallen. Die beiden sitzen verträumt an einen Kirschbaum gelehnt, und Gustav Johannes hat meiner Tochter seinen Pullover, der eben noch hanseatisch um seine Schultern geschlungen war, untergelegt. Das hat was Ritterliches, was mich irgendwie anrührt. An sich sollte ich mit der Wahl meiner Tochter zufrieden sein – er ist lieb zu ihr, und sie mag ihn. Was will eine Mutter mehr? Vielleicht ticken junge Leute einfach anders? Vielleicht müssen sie erst ihre spießige Seite ausleben, bevor sie wild und draufgängerisch werden können?

»Gehören die zwei Verliebten auch zu Ihnen?«, erkundigt sich Fuß-Paule.

»Das sind meine Tochter Claudia und ihr Freund«, bejahe ich die Frage.

»Hätte gar nicht gedacht, dass Sie schon so große Kinder haben!«, antwortet er, und obwohl es sicherlich nur so dahingesagt ist, freue ich mich darüber. Wahrscheinlich ist er wegen seines Berufs daran gewöhnt, Smalltalk zu machen, und da die meisten seiner Kunden mit Sicherheit Frauen sind, weiß er, was gut ankommt. Trotzdem nett von ihm. Als er aufsteht, um sich Nachtisch zu holen, fragt er, ob er mir etwas mitbringen kann. Gut, auch darauf sollte ich mir nichts einbilden – ich bin, bis auf meine Tochter, die einzige Frau hier, die unter 65 ist. Bevor ich antworten kann, tut es mein Sohn.

»Kuchen wäre super!« Seinen Giga-Grillteller hat er tatsächlich aufgegessen.

»Nicht dass dir schlecht wird«, bemerkt Fuß-Paule trocken.

»Ist doch schön, wenn er ordentlich isst!«, kommentiert Frau Reimer das Ganze. Sie setzt sich zu uns und ruft auch direkt ihren Sohn. »Basti, kümmer dich mal um deine Spezialgäste!«

Was soll denn das heißen? Spezialgäste! Hat sie Angst vor der Konkurrenz durch Fuß-Paule? Am liebsten würde ich ihr sagen, dass sie ihre Bemühungen einstellen kann, weil ihr Basti, unabhängig von der vermeintlichen Konkurrenz (einem eben noch halbnackten Fußpfleger mit Schrebergarten!) sowieso aus dem Rennen ist.

Während Paul Nachtisch holt und Bastian sich nähert, schiele ich möglichst unauffällig auf mein Handy. Immer noch nichts. Allerdings ist der Empfang hier im Schrebergarten auch eher mäßig.

»Ich muss mal ein paar Schritte gehen, bevor ich gleich noch Nachtisch esse!«, sage ich und stehe auf.

»Gute Idee!«, schließt sich mein Sohn an und Frau Reimer guckt enttäuscht. »Ich geh mal zum Klo!«, informiert mich Mark knapp.

Ich schlendere durch den Garten und habe den Empfangsbalken des Handys sehr genau im Blick. Es tut sich nicht viel. Zwei mickrige Streifen. Ich klicke auf meine SMS. Nichts. Mein Akku ist geladen – daran kann es nicht liegen. Ich schalte das Handy kurz aus und wieder an. Es funktioniert. Bei meinen Kindern fiepen die Handys alle paar Minuten. Bei mir herrscht Stille. Was für ein Arsch! Was fällt dem eigentlich ein? Aber das Spiel – falls es denn eins ist – funktioniert. Je länger ich warten muss, umso häufiger gucke ich aufs Handy. Mit der Wartezeit steigt die Wichtigkeit. Du machst dich lächerlich, Andrea, rede ich mit mir selbst. Da stehst du doch drüber. Du stellst jetzt den Ton aus und setzt dich noch ein halbes Stündchen zu den Gartenfreaks, und dann lässt du dich heimfahren, beschließe ich. Ein ausgesprochen vernünftiger Gedanke – aber ich kann nicht. Wenn ich das Handy jetzt stummschalte, dann wird er sich garantiert melden. Ich stecke es in die Tasche und schwöre mir selbst, in der nächsten halben Stunde nicht draufzuschauen. Immerhin ein kleiner Schritt. Ich gucke noch ganz schnell ein allerletztes Mal. Komisch – keine Veränderung in den vergangenen drei Sekunden. Dieser Idiot!

Bastian strahlt mich an, als ich zurück zum Tisch komme, und Fuß-Paule schiebt mir ein Stück Kuchen rüber.

»Den müssen Sie probieren, selten einen so leckeren Käsekuchen gegessen!«, schwärmt er von meinem Kuchen. Das lässt mein Mutti-Backherz schneller schlagen.

»Mann, Paul, was für 'ne billige Schleim-Nummer. Gerade hab ich dir doch gesagt, dass der Kuchen von der Andrea ist!«, schmälert Bastian das Lob.

»Na und«, bleibt der Bloßgestellte ganz cool, »das ist trotzdem der allerleckerste Käsekuchen, und das werde ich ja wohl mal sagen dürfen!«

»Ja, der ist wirklich sehr gut! Außergewöhnlich gut!«, schließt sich jetzt auch Bastian an.

Geht es hier um den Kuchen, oder was soll jetzt diese Lobhudelei? Bastian wirkt richtig grantig. Konkurrenz belebt das Geschäft – ein alter Spruch, an dem aber definitiv was dran ist.

»Was macht eigentlich die Karla?«, fragt Bastian Paul und grinst dabei in die Runde.

»Nichts. Und ich dachte, das weißt du! Habe ich dir doch neulich alles erzählt«, kontert der und wirkt dabei auch ein wenig gereizt. Was soll das wohl bedeuten? Paul hat eine Freundin namens Karla. Oder hatte. Mit anderen Worten: Er ist besetzt. Oder er war besetzt.

Es fühlt sich gut an, wenn zwei Kerle um einen balzen. Jetzt noch eine heiße SMS, und mein Tag wäre perfekt. Wer hätte das bei meinem heutigen Ausflug für möglich gehalten? Dass man im Schrebergarten Verehrer finden kann, ist erstaunlich. Na ja, in meinem Alter vielleicht nicht mehr ganz so erstaunlich. Ich gebe zu, dass meine Balzhähne vielleicht nicht allererste Wahl sind, aber überhaupt mal eine Spur von Interesse zu wecken, das hat was.

Fuß-Paule ist fertig mit dem Käsekuchen, und als ich ihn anschaue, leckt er sich noch mal über die Lippen.

»Wirklich ein wunderbarer Kuchen!«, seufzt er, und wenn man nicht wüsste, dass er vom Kuchen spricht, könnte man so einiges in diesen kleinen unschuldigen Satz reininterpretieren.

»War wirklich schön, Sie kennengelernt zu haben! Vielleicht sehen wir uns mal wieder?« Er steht auf und schaut mich bedauernd an. »Ich muss leider los. Es warten kleine Füße auf mich!« Hat er asiatische Kundinnen oder bietet er Pediküre für Kinder an?

»Bekomme ich Ihre Telefonnummer?«, wird er ein bisschen forscher.

Bastian zuckt zusammen, als hätte er bei einem Duell einen schmerzhaften Schlag abbekommen. Ich zögere. Er ist ein netter Mann, aber ein netter Mann in gelben Crocs, der sich tagsüber sehr viel mit überschüssiger Hornhaut beschäftigt. Habe ich Dünkel? Eigentlich nicht. Aber Fußpflege ist mir irgendwie suspekt. Das wäre ein Beruf, den ich mir niemals aussuchen würde. Ich mag zupackende Männer – man muss keinesfalls Akademiker sein, um mir zu gefallen. Aber Fußpflege? Jemand, der jeden Tag an fremden Füßen rummacht? Da wäre mir ein Friseur lieber. Oder ein Maurer. Eigentlich fast alles andere. Warum entscheidet sich ein Mann für einen solchen Beruf? Gehört da eine leichte Veranlagung zum

Fußfetischismus dazu? Oder hat das Familientradition? Irgendwie tief in mir drinnen stößt mich der Gedanke ab – ich finde die Vorstellung sogar ein bisschen eklig. Einerseits. Andererseits – ist Maklersein nicht noch viel ekliger? Rein moralisch betrachtet?

»Wie sieht's aus? Darf ich Sie mal anrufen?«, fragt Fuß-Paule noch mal nach. Hartnäckig ist er, das muss man ihm lassen.

Bevor ich antworten kann, höre ich einen Schrei. Es ist meine Tochter Claudia. »Mama, komm mal schnell! Der Mark ... dem ist schlecht!«

Das ist gelinde gesagt, fast noch untertrieben. Mein Sohn hat, direkt neben der Hütte der Reimers, in die Zierrosen gekotzt. Wegen des schrillen Aufschreis meiner Tochter stehe jetzt nicht nur ich vor den vollgekotzten Büschen und meinem jammernden Sohn, sondern auch noch das Ehepaar Reimer, Bastian, Fuß-Paule, und es nähert sich auch noch der Laubenvorstand mit der dunkelpinkfarbenen Glatze. Wahrscheinlich bekommt Mark sofort lebenslanges Laubenkolonie-Hausverbot!

Herr Reimer ist sichtlich schockiert. »Mitten auf die Princess Alexandra von Kent! Der hat ja fast jede Blüte getroffen. O mein Gott!«

Princess Alexandra von Kent scheint der Name der Rose zu sein, von der er spricht. Eins muss man meinem Sohn lassen, er hat tatsächlich viele der Prinzessinnenblüten erwischt. Das satte Rosa der sehr großen Blüten ist kotzgesprenkelt.

»Kein Wunder, bei dem, was der Junge in sich reinschaufelt!«, bemerkt Frieder der Laubenvorstand nur lakonisch.

»Und warum isst er wohl so viel?«, kreischt meine Tochter.

»Halt deine blöde Klappe!«, ist da der erste vollständige Satz meines Sohnes an diesem Nachmittag zu hören. Selbst sein Gekicher scheint ihm vergangen zu sein.

»Leck mich doch, du erbärmlicher Kifferarsch!«, kontert Claudia blitzschnell. Ihr Gustav Johannes verzieht angesichts dieser harschen Worte ein wenig das Gesicht, und der Rest der Anwesenden sieht aus wie schockgefrostet. Ich selbst eingeschlossen.

Kifferarsch? Ist das ein neues Schimpfwort unter Jugendlichen, oder meint die etwa, ihr Bruder sei ein Kiffer?

Fuß-Paule ist der Einzige, der noch recht gelassen wirkt. Er hat inzwischen ein Glas Wasser geholt und es Mark gegeben.

»Du musst was trinken, Junge!«, sagt er und reicht meinem Sohn den Plastikbecher. Herr Reimer senior starrt angewidert auf seine entweihte Princess von Kent und Frau Reimer rollt den Gartenschlauch aus.

»Bist du komplett verrückt? Lotte, sag mal!«, herrscht Herr Reimer nun seine Gattin an. »Du willst doch die Blüten von der Princess jetzt nicht etwa abbrausen? Da sind die hin!«

Ich bin total fassungslos. Ist mein Sohn ein Kiffer? Wenn er ein Kiffer wäre, hätte ich das dann nicht längst bemerkt? Woran merkt man, ob das eigene Kind kifft? Ich muss schleunigst von hier verschwinden! Muss mein Sohn jetzt in den Entzug? Kiffen nicht alle Jugendlichen?

»Kinder, ich glaube es ist Zeit zu fahren!«, versuche ich, mit möglichst fester Stimme zu sagen, und mein phlegmatischer Kotzsohn erhebt sich mühsam. Als er aufsteht, fällt ihm ein ordentlicher Brocken Kotze vom T-Shirt. Selbst in den Haaren hängt was. Lecker, wirklich lecker.

»Das ist alles sooo megapeinlich! Ich hasse euch. Womit habe ich so eine Familie verdient?«, schluchzt nun meine Tochter los, und würde irgendeiner der Anwesenden ihr anbieten, sie zu adoptieren, wäre sie weg.

Ehrlich gesagt, ist das jetzt so ein Moment, wo ich am liebsten auch mit allem gar nichts zu tun hätte und stattdessen wie der Rest der Leute einfach nur betreten gucken, die Augenbrauen hochziehen und ein wenig entsetzt dabeistehen möchte.

»Es tut mir alles sehr leid«, entschuldige ich mich bei den Reimers, »ich kenne mich mit dem Putzen eigentlich aus, aber wie man jetzt so Rosen sauber kriegt, also da habe ich leider keine Ahnung. Aber wenn ich was machen kann, sagen Sie es!«

Herr Reimer Senior schaut mich an. Mit einem Blick, als hätte ich seine Princess höchstpersönlich rausgerissen und zertreten. Er sieht aus, als würde er jeden Moment zu weinen anfangen.

»Der nächste Regen wird es richten!«, springt Fuß-Paule in die Bresche. »Das sieht jetzt nicht schön aus, macht der Rose aber nix. Keine Sorge, ist ja sogar 'ne Art natürlicher Dünger.«

Das war nett von ihm und hat die Dimensionen auch wieder ein bisschen zurechtgerückt. Schließlich hat mein Sohn kein Tier gequält, sondern nur in einen Rosenbusch gekotzt. Das ist sicherlich nicht schön, aber auch nicht so dramatisch.

»Wie wollt ihr denn heimkommen? Ihr habt doch gar kein Auto dabei«, findet nun auch Bastian seine Sprache wieder.

Richtig, er hatte uns ja abgeholt. Und jetzt? Ob der nach dem Auftritt noch Lust hat, uns nach Hause zu fahren, halte ich für mehr als zweifelhaft.

»Ich lasse meine Eltern jetzt nur ungern allein, nach allem, was passiert ist«, fügt er noch hinzu.

Mir ist diese Sache wirklich peinlich, aber so langsam nimmt das hier Formen an, die ich, ehrlich gesagt, ein bisschen lächerlich finde: Ich lasse meine Eltern jetzt nur ungern allein, nach allem, was passiert ist! Das, was hier passiert ist, ist kein Todesfall, kein schrecklicher Unfall, sondern die leichte Verschmutzung eines Rosenstrauchs. Bei all seiner sonst so uneingeschränkten Nettigkeit – das ist nicht nett von Bastian und zeigt deutlich seine Prioritäten.

»Ich kann Sie und die Kinder fahren«, bietet mir da Fuß-Paule an. »Das ist lieb«, antworte ich, »aber eine appetitliche Fuhre sind wir heute leider nicht. Ich kann auch ein Taxi rufen!«

»Kein Problem. Ich bin durch meinen Beruf einiges gewöhnt«, sagt Paul, »und außerdem, ich wollte ja eh jetzt los.«

Der Abschied von den Reimers und dem Rest der Anwesenden ist um einiges weniger herzlich als die Begrüßung. Bastian macht keinerlei Anstalten, in einen Wettstreit mit Paul wegen des Heimfahrens zu treten. Ich glaube, der ist raus aus dem Rennen. Dabei habe ja nicht ich kotzend in den Büschen gehangen, sondern nur mein Sohn.

Auf dem Weg zum Auto versucht mir Fuß-Paule diese große Bestürzung der Reimers zu erklären.

»Mit der Princess Alexandra von Kent wollten die Reimers beim diesjährigen Zierrosenwettbewerb mitmachen, und sie haben sich gute Chancen ausgerechnet. Jetzt wo der Laubenvorstand Frieder die Bescherung gesehen hat, denken die bestimmt, dass er bei der Bewertung – er ist der Juryvorsitzende – immer diese kleinen Kotzbröckchen vor Augen hat!« Er lacht. »Erster Preis: die Kotzprinzessin!« Er lacht noch mehr. Auch mein Sohn lacht.

»Lach ruhig«, fahre ich ihn an, »bald hast du nämlich garantiert nichts mehr zu lachen. Du spinnst ja wohl total. Du hättest dich wenigstens entschuldigen können! Und was ist das mit dem Kiffen? Was hat das zu bedeuten? Machst du das? Bist du schon abhängig? Ist mein Sohn also drogensüchtig?«

Ich steigere mich richtig rein, und meine Stimme überschlägt sich fast.

Meine Tochter, die mit ihrem Gustav Einstecktuch in gebührendem Abstand hinter uns herläuft, wirkt wie ein angeschossenes Reh und brabbelt vor sich hin. Immerhin laut genug, damit wir es verstehen können.

»Das war auf alle Fälle das letzte Mal, dass ich mit euch irgendwohin gehe oder fahre. Überhaupt in der Öffentlichkeit auftauche. Es gibt keine peinlichere Familie als meine!«

Mir würden auf Anhieb jede Menge sehr viel peinlichere Familien einfallen. Die Wollnys zum Beispiel, die Ozbournes oder die Geissens. Apropos Familie: Sollte Christoph nicht erfahren, was sich sein Sohn da geleistet hat?

Ich schnappe mir mein Handy, um ihn anzurufen, und sehe die SMS. Die langersehnte, heißbegehrte SMS. Rakete hat geschrieben. Kaum packt man das Handy weg und hört auf, draufzustarren wie ein paralysiertes Nagetier, kommt eine SMS.

Schöne, reife Frau, wie spontan bist du? Sehr kryptisch. Bis auf das reife Frau – das ist deutlich. Ein bisschen zu deutlich für meinen Geschmack. Schön ist natürlich schön, aber reif hätte sich Herr Rakete doch verkneifen können. Es ist, als würde man direkt in seine Schranken verwiesen. Schön, aber ...

Ein Aber sollte man sich generell, wenn irgendwie möglich, verkneifen. Sie ist nett, aber ... Er sieht gut aus, aber ... Scheiß Aber. Was mich noch stört, ist, dass er das Du in der SMS klein geschrieben hat. Ich weiß, dass das kein Fehler ist, aber – und bestimmt bin ich da altmodisch – ich empfinde ein kleingeschriebenes Du als sehr flapsig und wenig respektvoll. Das Du als persönliche Anrede würde ich immer großschreiben. Kleinlich, ich weiß.

Egal wie, ich bin ich jetzt nicht in der Stimmung, um auf diese SMS zu antworten. Außerdem hat sich Rakete ja selbst auch ordentlich Zeit mit seiner Antwort gelassen. Allerdings kann man ja schlecht bei der Frage nach Spontaneität fünf Tage verstreichen lassen, bevor man antwortet. Das wäre ja dann quasi schon die Antwort. Aber eine Stunde hat das allemal Zeit, denke ich und versuche, meinen Ex zu erreichen. Was für ein Tag. Meine Güte. Wie eigentlich fast immer meldet sich nur die Mailbox. Christoph hat sein Handy so gut wie nie an. Das regt mich schon seit Jahren auf. Der Mann hat Kinder, es könnte etwas passiert sein, und er hat das Handy aus! Immer. Mittlerweile haben wir das Auto von Paul erreicht. Ich mustere den Volvo Kombi, der seine besten Tage schon hinter sich hat. Paul scheint meinen Blick zu bemerken.

»Ich lege nicht so viel wert auf Autos, und dann habe ich ja oft Gartenabfälle drin, das schmutzt natürlich, und in der Stadt fahre ich eh meistens Fahrrad«, erklärt er mir ungefragt.

Ich hoffe, seine Fußpflegepraxis (sagt man da Praxis?) ist gepflegter als sein Wagen. Er legt für meinen Sohn eine große Plastikplane auf den Sitz – »Sicher ist sicher«, kommentiert er nur trocken – und Gustav Johannes und ich quetschen uns zu meinem Sohn auf die Rückbank. Claudia hat sich standhaft geweigert, neben oder auch nur in der Nähe ihres Bruders zu sitzen. Das ist unverschämt von ihr, aber ich habe keine Lust, mich jetzt auch noch mit Frau von und zu rumzuärgern.

»Darüber reden wir zu Hause!«, raunze ich sie nur an. Paul öffnet das Schiebedach, und ich bin ihm dankbar. Mein Sohn riecht absolut grauenvoll, was unser Chauffeur aber mit keinem Wort erwähnt.

»Das war wirklich außergewöhnlich freundlich von Ihnen!«, bedanke ich mich, als wir vor unserem Haus ankommen.

»Sehr gerne geschehen«, sagt Paul nur, und der Höflichkeit halber biete ich ihm noch einen Kaffee an.

»Ich muss leider arbeiten, bin schon ein bisschen spät dran. Ein andermal gerne! Noch lieber allerdings einen Wein. Abends vielleicht mal?«

Jetzt kann ich ja schlecht nein sagen, immerhin hat dieser Mann uns einen echten Dienst erwiesen. Ich bin mir gar nicht sicher, ob uns ein Taxi überhaupt mitgenommen hätte.

»Klar, sehr gerne, aber jetzt muss ich erst mal einiges innerfamiliär klären und dringend jemanden zum Duschen schicken!«, verabschiede ich mich.

Er winkt noch mal, und weg ist er. Mit einem anderen Beruf, anderen Schuhen und einer angemessenen Oberbekleidung wäre der Mann eine Option. Einer näheren Betrachtung durchaus wert. Aber so? Ein bisschen viele Mankos. Na ja, wenn wir abends tatsächlich mal einen Wein trinken gehen, wird er sich schon was überziehen und hoffentlich auch nicht in Crocs erscheinen.

»Du gehst duschen und bringst deine dreckigen Klamotten in die Wäsche«, gebe ich meinem Sohn erste Anweisungen. »Und danach reden wir!«

»Wir fahren zu Gustav nach Hause«, teilt mir meine Tochter freundlicherweise mit.

»Er fährt nach Hause und du bleibst hier, ich will auch mit dir reden!«, entscheide ich.

»Ich lasse mir nichts verbieten, das sehe ich gar nicht ein. Ich bin erwachsen! Der Mark hat gekotzt und sich danebenbenommen, nicht ich. Und jetzt werde ich hier abgestraft. Das ist so unfair! Aber so bist du ja immer, das würde der Papa nie machen!«, nölt sie aus dem Stand.

Nein, das würde der Papa nicht machen – wie auch? Er ist ja nicht da. Alltag ist schön Mama-Sache. Sich rumärgern, diskutieren, Verbote aussprechen – das alles darf ich machen. Er kommt dann gutgelaunt mal am Wochenende vorbei und hat keine Lust, sich die kurze Zeit mit seinen Kindern durch Erziehungsmaßnahmen und unerquickliche Diskussionen zu verderben.

»Deinen Vater habe ich schon versucht zu erreichen, aber der hat anscheinend Besseres zu tun, als mit mir zu telefonieren.«

»Die sind in Paris, die Sarah Marie und der Papa. Die feiern ihren Kennenlerntag«, informiert mich Claudia.

Sag mal, geht's eigentlich noch? Der fährt mitten in der Woche nach Paris und sagt mir nicht mal Bescheid? Nach Paris! Da waren Christoph und ich auch mal. In unseren Anfängen. Es war irrsinnig romantisch. Hätte es nicht auch eine andere Großstadt für das junge Glück gegeben? Paris – ausgerechnet! Das versetzt mir einen richtig schmerzhaften Stich. Das war unsere Stadt! Ich fühle mich furchtbar. Traurig, enttäuscht und verdammt allein. Was Christoph wohl gerade macht? Verträumt durch einen Park schlendern, in einem Straßencafé rumknutschen? Arm in Arm auf den Champs-Élysées bummeln? Ist er genauso glücklich mit ihr, wie er es mit mir damals war? Muss er überhaupt mal an mich denken, oder kann er das alles ausblenden? Erinnert er sich überhaupt an unsere Tage in Paris?

»Mama, ich fahr jetzt!«, unterbricht Claudia meine Gedanken. Soll sie halt fahren.

»Wir reden heute Abend. Sei zum Essen da!«, gebe ich mich geschlagen.

Ich habe einfach keine Nerven mehr. Ein kiffender Sohn, eine Tochter, die lieber bei ihrem Vater ist, ein Ex, der sich in Paris lauschige Stunden macht – und ich hocke hier und kann Dreckwäsche in die Waschmaschine laden. Mich überkommt eine unglaubliche Sehnsucht.

Sehnsucht ist schwierig. Vor allem undefinierbare Sehnsucht. Wenn man weiß, wonach man sich sehnt, mag sie noch erträglich sein. Aber sich einfach nur zu sehnen, ist idiotisch und bereitet einem auch noch zusätzliche Probleme. Denn zu der Sehnsucht kommt die Sehnsucht, zu wissen, wonach man sich sehnt, hinzu. Ja, wonach sehne ich mich denn? Wenn ich wirklich ehrlich bin, dann ist es eigentlich ganz einfach: Nach jemandem, der mich in den Arm nimmt und sagt: »Das schaffen wir schon. Ich liebe dich!«

Was geht da bloß in meinem Kopf vor? Das hat ja was von kitschigem Schlagertext. Sehnsucht ist schwierig … Meine Güte, jetzt geht es aber echt los.

Ich schmeiße die Waschmaschine an und setze mich ins Wohnzimmer. Wie ich meinen Sohn kenne, wird er sich sehr viel Zeit beim Duschen lassen. Würde ich an seiner Stelle auch. Ich versuche noch mal, Christoph zu erreichen. Wieder die Mailbox. Ich unterdrücke den Impuls, ihm was richtig Gehässiges draufzusprechen.

»Wenn du das hier hörst, ruf mich bitte umgehend an!«, ist alles, was ich sage. Kein Kommentar zu Paris, keine böse Spitze, weil ich ihn mal wieder nicht erreichen kann, kein Genörgel und keine Panikmache. Sehr erwachsen und souverän. Ich bin stolz auf mich.

Dann nehme ich mir die SMS von Rakete noch mal vor. *Schöne, reife Frau, wie spontan bist du?*

Tja, was denkt der? Wie spontan kann man denn sein, mit zwei halbwüchsigen Kindern, einem Job und einem Haushalt? Habe ich meine Kinder bei Rakete erwähnt? Ich glaube nicht. Ich kann mich sowieso nicht daran erinnern, dass wir viel geredet hätten. Ich bin einigermaßen organisiert, klar – zwangsläufig. Alle Mütter sind irgendwie organisiert. Aber spontan? Sind die beiden Eigenschaften überhaupt kompatibel? Rein theoretisch bin ich selbstverständlich irre spontan. Wer gibt schon gerne zu, nicht spontan zu sein? Spontansein ist angesagt. Das gilt als lässig und unkompliziert. Wer spontan ist, ist aufgeschlossen.

Wozu will der eigentlich wissen, ob ich spontan bin? Möchte er mich gleich heute Abend noch sehen? Ich schaue an mir runter und denke, dass es in diesem Fall noch einiges zu tun gäbe. Ich rufe mal wieder Sabine an, um mich beraten zu lassen. Muss ich jetzt – wegen der Spielregeln – wieder Tage mit der Antwort warten?

»In dem Fall darfst und solltest du direkt schreiben«, ist ihr Fazit. »Und natürlich schreibst du, dass du spontan bist. Spontan klingt jung.«

Ich will genauere Anweisungen: »Was schreib ich denn jetzt? Einfach nur ›Ja!‹«

»Du bist echt aus der Übung!«, kichert Sabine. »Schreib halt: ›Selbstverständlich bin ich spontan – schön und spontan!‹«

Ich finde das jetzt nicht superlustig, aber Sabine erklärt mir, dass lustig nichts ist, womit man bei Männern punkten kann.

»Die behaupten immer, lustige Frauen zu mögen – alles Geschwätz. Witzig sind sie gerne selbst, und du darfst drüber lachen, das langt denen als Indiz für deinen Humor. Also merk dir gut: Sei nie witziger als er!«

Ich sehe, dass Christoph anruft. Mein Handy kann tolle Sachen. Ich telefoniere, und wenn mich sonst noch jemand erreichen will (was mir eher selten passiert), zeigt mir mein Handy das an. Im Normalfall würde ich für Christophs Anruf kein Gespräch beenden – die Zeiten sind vorbei! – aber diesmal mache ich eine Ausnahme.

»Ich rufe dich nachher noch mal an, ich muss jetzt schnell drangehen. Es ist Christoph!«, unterbreche ich deshalb Sabine.

»Hallo, Andrea, was gibt's denn so Wichtiges?«, sagt mein Ex zur Begrüßung.

»Ich hätte es gut gefunden, wenn du mir mitgeteilt hättest, dass du nach Paris fährst!«, blaffe ich ihn erst mal an. Das musste einfach raus.

»Deshalb sollte ich dich anrufen? Du weißt es doch jetzt. Da habe ich doch glatt vergessen, dich vor meiner Abreise um Erlaubnis zu bitten! So, war's das dann?«, giftet er zurück.

Hat mir dieser Mann vorhin tatsächlich gefehlt? Oder hat mir nur ein Mann gefehlt, jemand an meiner Seite?

»Nein, deshalb rufe ich nicht an, sondern um dir zu sagen, dass wir ein Problem haben!«, versuche ich auf eine sachlichere Ebene zurückzukommen.

»Stell dir vor, Andrea, auch das ist mir bekannt! Sonst hätten wir uns ja nicht getrennt! Und wenn ich dich erinnern darf: Vor allem du hattest ein Problem, und das Problem ist gerade in Paris und würde gerne seine Zeit hier auch genießen.«

Jetzt hat mir Mister-Super-Ironic aber ordentlich einen eingeschenkt. Ich hatte ein Problem, deshalb sind wir getrennt, und er kann selbstverständlich nichts dafür. Das Weltbild mancher Männer ist wirklich überschaubar. Als ob die Dinge so einfach wären. Aber was der kann, kann ich auch. Ich bin eine Frau, die sich lange ruhig verhält, aber wenn man mich herausfordert, kann ich verdammt sauer werden.

»Es geht, das wird dich wundern, Herr Egoman, mal ausnahmsweise nicht um dich, sondern um deinen Sohn. Er hat nämlich ein Drogenproblem!«

Christoph lacht. So wie ich ihn kenne, lacht er sicher nicht über den Herrn Egoman. Er sieht sich selbst natürlich völlig anders.

»Was gibt's denn da so doof zu lachen?«, frage ich empört.

»Mark – ein Drogenproblem? Das ist doch albern. Hast du Stanniolpapier in seinem Zimmer gefunden oder eine Einwegspritze? Und außerdem, seit wann ist er nur mein Sohn? Wenn – dann hat unser Sohn ein Problem. Aber wie schon gesagt, Andrea, das ist komplett verrückt. Das hätte ich bemerkt.«

Seine Stimme wird leiser: »Warte, Sarah, das ist gleich erledigt.« Dieser letzte Satz war wohl für seine Miezi bestimmt.

»Gar nichts ist gleich erledigt! Es wäre gut, du würdest umgehend nach Hause kommen und dich endlich mal wieder mit um die Kinder kümmern. Mark kifft.« So jetzt ist es raus.

»Er kifft. Andrea, bleib mal locker. Wer kifft denn nicht in dem Alter? Das ist doch total normal. Nicht toll, aber kein Drama. Jedenfalls kein Grund, mich hier anzurufen. Morgen bin ich wieder da, dann können wir reden. Ich komm vorbei.«

Ich bin fassungslos, und er legt auf, bevor ich noch irgendetwas sagen kann. Christoph findet Kiffen normal. Ausgerechnet Christoph. Mister Konvention. Mister

Gutes-Benehmen. Der Golf spielende Superanwalt. Was nun? Knöpfe ich mir Mark alleine vor, oder warte ich, bis Christoph erscheint?

Ich verschicke erst mal meine SMS. Genau so, wie Sabine es vorgeschlagen hat. Normalerweise bin ich gut im Texten, schließlich ist es mein Beruf, aber heute scheint mein Hirn leer. Die Sabine-Variante wird es schon tun. Also schreibe ich: *Selbstverständlich bin ich spontan – schön und spontan. Wieso fragst Du eigentlich?*

Das »Wieso fragst Du eigentlich?« ist meine Ergänzung. Man wird ja mal neugierig sein dürfen. Ich drücke auf Senden, und weg ist die SMS. Vielleicht hätte ich das mit dem »Wieso eigentlich« doch weglassen sollen. Zu spät.

»Mama«, höre ich da ein sehr kleinlautes Stimmchen. Mein Sohn. Frischgeduscht und in Jogginghose und T-Shirt sieht er fast wieder aus wie mein kleiner süßer Sohn aus lang vergangenen Zeiten.

»Setz dich!«, sage ich und mache ein ernstes Gesicht, obwohl ich ihn in dem Moment am liebsten knuddeln würde. Um angemessen streng zu gucken, rufe ich mir den Rosenstrauch und die Kotzwäsche, die ich vor wenigen Minuten in die Maschine gepackt habe, ins Gedächtnis.

»Mama, du musst mal hochkommen, irgendwie hat der Opa ein Problem, aber er will mich nicht ins Zimmer lassen, und er sagt auch nicht, was los ist. Du sollst kommen! Schnell wenn's geht!«

Rudi! Den hatte ich ja total vergessen. Was für ein Glück für Mark. So ist er kurz mal raus aus der Schusslinie.

»Bleib du hier sitzen! Ich komme gleich wieder. Ich guck nur mal schnell, was Opa da oben angestellt hat. Und dann reden wir zwei. Glaub nicht, dass ich das vergesse!«, ermahne ich ihn. »Rühr dich nicht von der Stelle!«

Ich klopfe an die Zimmertür meines Schwiegervaters. Er öffnet die Tür einen Spaltbreit, und ich sehe sofort sein sehr zerknirschtes Gesicht.

»Andrea, die Irene und isch habe e Problem. En Problem, des uns sehr unangehm is!«

»Braucht ihr jemanden zum Reden?«, frage ich.

»Ne, net zum Rede, mer zum Helfe. Abä es is, wie gesacht, unangenehm!«

»Jetzt lass sie halt rein«, höre ich da die Stimme von Irene. »Es ist peinlich, aber ich will hier ja net den ganzen Sommer verbringen!«

»Is der Bub fort?«, erkundigt sich Rudi, und als ich nicke, öffnet er die Tür.

Das Bild, das sich mir bietet, ist bizarr. Irene liegt im Bett – zugedeckt, nur ihr Kopf und ihre Arme gucken raus. Ihr Kopf ist puterrot. Kein Wunder, denn ihre Handgelenke sind über ihrem Kopf am Bett befestigt. Mit Handschellen! Ich weiß nicht, wem diese Situation peinlicher ist.

»Des is das Peinlichste, was mir im ganzen Leben passiert ist, des Allerpeinlichste überhaupt!«, jammert Irene direkt los.

»Rudi, Irene, was soll ich denn jetzt hier? Wollt ihr mir Anregungen liefern!«, versuche ich es mit einem Scherz.

»Isch halte das net mer lange aus!«, stöhnt Irene nur.

»Ja, dann mach sie halt los, Rudi! Und tu was, damit

dieses Bild sofort wieder aus meinem Kopf verschwindet.«

»Ja meinst du, isch wörd disch hole, wenn isch se allein losmache könnt? Meinst du, isch wollt, dass du des siehst? Du musst mer verspresche, dass de des kaanem sachst! Ach net dem Christoph. Andrea, bitte!«

Natürlich verspreche ich es, kann aber nicht anders, als mir direkt vorzustellen, wie gut Sabine diese Geschichte gefallen wird.

»Wo ist denn euer Problem?«, will ich es jetzt mal genau wissen.

»Mir tun die Handgelenke so weh. Mach doch was, Rudi! Ich häng hier jetzt schon zwei Stunde!«, stöhnt Irene auf.

»Der Schlüssel, Andrea, der Schlüssel von dene Handschelle is uns runnergefalle, der is winzisch, en winzisch Schlüsselscher, und mer komme net dran, weil die Matratze so tief dörschhängt. Aaner muss die Irene anhebe, un dann könnte mer mit em Besen an de Schlüssel ran un den unnerm Bett wieder hervorfege. Aber allein schaff isch des net mit maam schlimme Rücke, un mir is kaaner aagefalle den isch sonst frache könnt. Mir warn kurz devor, die Feuerwehr zu rufe, aber des wollt die Irene net.«

Da kann ich Irene sehr gut verstehen. Allein die Vorstellung: Zwei Uniformierte, die ein Seniorenpärchen aus ihrer Sado-Falle befreien. Ulkig.

»Isch hab's auch mit 'ner Feile versucht, aber da bin isch ständig an der Irene ihre Handgelenke gekomme, un ansonste hat sich nix getan. Des sin Qualitätshandschelle. Die sägt mer net aanfach so dursch. An so was spar isch net.«

»Rudi, heb dir dein Gerede für später auf, mer sterbe langsam die Arme ab!«, unterbricht ihn Irene.

»Okay«, nehme ich die Sache in die Hand, »ich hebe Irene hoch, und du versuchst, mit dem Besen die Schlüssel unter dem Bett hervorzukehren.«

Rudi ist einverstanden. Unser Problem ist nur, dass Irene keine dieser 53-Kilo-Frauen ist. Irene ist drall. An Irene ist was dran. Auf 83 Kilo schätze ich sie mindestens. Außerdem ist sie komplett bedeckt und weigert sich, die Zudecke abzulegen.

»Des mach ich net, dann könnt isch dir nie mehr in die Augen sehen«, betont sie.

An ihrer Stelle würde mir das schon jetzt sehr schwerfallen. Aber da ich auch nicht genau wissen will, was Irene außer der Decke noch am Körper hat, beziehungsweise nicht hat, füge ich mich. Ich greife mit beiden Armen unter sie und gebe mein Bestes. Leider kriege ich sie nicht wirklich gut zu fassen oder vielleicht bin ich einfach auch zu schwach.

»Du musst mithelfen, Irene, sonst schaffen wir das nicht!«

»Wie dann?«, fragt die nur ratlos. »Fliegen kann isch leider nicht, und isch mach mich schon so leicht es geht! Un meine Arme kann ich halt auch net bewegen.«

Wo sie recht hat, hat sie recht. Aber dass ihre Arme da sind, wo sie sind, nämlich fest am Kopfteil des Betts, daran ist sie allerdings selbst schuld. Aber so wird das nix. Da müsste schon ein ausgewachsener Gewichtheber an meiner Stelle sein.

»Das klappt so nicht, Rudi! Hast Du es mal mit einer Zange versucht?«, frage ich meinen Schwiegervater.

»Ja, aber die Handgelenke von der Irene sind zu …, na ja, zu stark, also kräftig, da hab isch Angst, ihr ins Fleisch zu zwacken!«

»Isch bin sogar zu fett für Handschelle!«, jammert jetzt Irene. »Sach's ruhig, wie es ist, Rudi! Isch weiß es ja selbst, isch müsst abnehme.«

»Ich mag, was an dir dran ist, des weißt de doch, Hasenpuschel!«, antwortet er charmant.

Hasenpuschel! Auf einmal kommt mir eine Idee.

»Wartet fünf Minuten, ich glaub, ich hab die Lösung«, vertröste ich meine Shades-of Grey-Laiendarsteller.

»Eil disch, bitte, isch hab fast kaum mehr Blut in den Armen, die fühle sich an wie abgestorbe!«

Ich haste zur Garage. Wir haben irgendwo noch eine Sackkarre. Wenn sich Irene auf die Sackkarre rollen könnte, wenigstens zum Teil, dann könnte ich sie vielleicht anheben. Natürlich käme dann das Gewicht der Sackkarre dazu, aber in der Plus-Minus-Kalkulation dürfte das Ganze doch um einiges leichter sein. Ich schnappe die Sackkarre, und unter den mehr als erstaunten Blicken meines Sohnes schleppe ich sie hoch in Rudis Zimmer.

»Kann ich euch was helfen?«, ruft mein Sohn mir noch hinterher.

»Nein, danke!«, antworte ich und denke: Wenn der das sieht, kann er direkt zum Therapeuten gehen, und sein Sexleben ist ruiniert, bevor es überhaupt angefangen hat.

»Was willste denn dademit?«, beäugt mein Schwiegervater die Sackkarre.

Ich erkläre meine Idee, aber Irene ist skeptisch. »Isch bin doch kein Kaste Bier oder en Sack Zement, auch wenn ich mindestens so viel wiege tu. Ab moin mach ich Diät, aber wahrscheinlich sin bis moin meine Arme abgefalle, un dann hab ich ja schon schön Gewicht verlorn!«

Immerhin, sie hat Humor.

»Du musst dich, so weit wie möglich, auf die Seite rollen und die Beine anziehen. Mach dich so klein es geht. Und leider, Irene, muss die Decke weg. Ich kann die nicht auch noch festhalten, während ich die Sackkarre halte«, gebe ich Irene Anweisungen.

»Ne, des geht net. Auf keinen Fall!«, quickt Irene erschrocken.

»Hasenpuschel, jetzt sei net so genant, da kommt's doch jetzt aach net mer druff an! Die Andrea hat schon jede Menge Nackte gesehe. Des is doch ganz natürlich«, versucht Rudi seine Liebste zu beruhigen.

Ganz natürlich finde ich das gesamte Szenario, ehrlich gesagt, nicht, aber trotzdem nicke ich zustimmend. So langsam mache ich mir wirklich Sorgen um Irenes Arme.

»Wenn das nicht klappt, rufen wir einen Schlosser«, entscheide ich.

Rudi ist begeistert. »Du bist eine kluge Frau, Andrea, da hätte mer auch selbst drauf komme könne.! Irene, der Werner is doch Schlosser, soll ich den grad anrufe?«

»Bist du wahnsinnig!«, kreischt Irene. »Der Werner ..., der Werner is en Freund vom Holger, meinem Bub. Wenn der des erfährt, des wär mein Untergang. Mer will doch net, dess die Kinner ein so sehn!«

Ach, die Kinder nicht, aber ich schon! Schwiegerkinder scheinen von dieser Regel ausgenommen.

»Ja, dann bleibt nur die Sackkarre, Irene. Stell dir vor, du bist in der Turnstunde und sollst dich zusammenrollen. Zieh die Beine, so weit es geht, mit angewinkelten Knien Richtung Nase. Roll dich zusammen. Und nicht erschrecken, ich nehme jetzt die Decke weg.«

Genau das tue ich dann auch. Irene erschreckt sich weniger, als ich mich erschrecke. Nun weiß ich, warum Rudi Irene Hasenpuschel nennt. Auf ihrer Unterhose prangt mitten auf dem Po ein rosa Puschel. Wo um alles in der Welt kann man so etwas kaufen? Oder hat sie den selbst, als kleinen Gag, für ihren Schatzi aufgenäht? Ein rosa Puschel auf einer Netzunterhose.

»So was hab ich sonst nicht an«, verteidigt sich Irene.

Das glaube ich ihr sogar, und immerhin ist es mehr, als sie obenrum trägt. Obwohl ein paar neckische rosa Puschel auf den Brustwarzen das Outfit sicher perfekt komplettiert hätten. Irene jedoch trägt oben ohne. Ihre Brüste sind noch gut in Form. Hut ab, das muss man ihr lassen. Der Anblick macht mir Hoffnung. Immerhin feiert Irene demnächst ihren 70. Geburtstag. Ich werde ihr ein paar Hasenohren zum Aufsetzen schenken, geht es mir durch den Kopf. Jetzt schnell ein Video aufnehmen, ist mein nächster Gedanke, als Irene versucht, sich zusammenzurollen. Ihr rosa Puschel reckt sich gen Zimmerdecke. Ich könnte Tausende von Klicks auf YouTube damit bekommen. Stattdessen schiebe ich meine Sackkarre so vorsichtig wie möglich unter ihren Po.

»Rudi, auf drei«, gebe ich meinem Schwiegervater Anweisungen.

Er kniet, den Besen einsatzbereit, auf dem Boden.

»Sobald ich die Karre oben habe, musst du den Schlüssel erwischen.«

Teile von Irene liegen inzwischen wirklich auf der Aufladefläche der Sackkarre. Allerdings nur Teile. So beweglich ist man in Irenes Alter dann doch nicht mehr. Ich bin mir sicher, auch ich hätte Schwierigkeiten. Ich sollte dringend Yoga machen. Yogis hätten hiermit keinerlei Probleme. Die könnten wahrscheinlich entspannt auf der Ladefläche der Sackkarre ein Mittagsschläfchen halten.

Rudi kichert. »Du siehst zum Anbeißen aus, Hasenpuschel!«, zwitschert er.

»Rudi, das will ich nicht hören!«, werde ich jetzt streng und fange an zu zählen. Bei Drei kippe ich die Karre und damit auch Irene. Ihre Arme verdrehen sich, und sie schreit. »Au, das tut weh!«

Vor Schreck lasse ich die Karre runter. Beim zweiten Versuch schaffen wir es. Triumphierend hält Rudi das Schlüsselchen in der Hand.

»Jetzt brauch ich nur noch die Lesebrille, und dann bist du wieder frei«, freut er sich und strahlt seine Irene an.

»Gib der Andrea den Schlüssel, net dess der wieder unnerm Bett landet!«, herrscht sie ihn an.

Ich schließe die Handschellen auf (was auch für mich ohne Lesebrille nicht ganz leicht ist), und Irene ist befreit. Spontan gibt sie mir einen Kuss. »Das werde ich dir nie vergessen!«, betont sie.

Ich hoffe, ich schon!

»Du hast was bei uns gut, Andrea, des weißt de, gell!«, bedankt sich auch Rudi. »Abä du kannst ja eh alles von mir habe! Und denk dran, was de mir versproche hast. Kein Wort zu niemand.«

Die Handgelenke von Irene sehen schlimm aus. Das gibt miese blaue Striemen.

»Tut mir einen Gefallen«, bitte ich die zwei, »keine gefährlichen Spielchen mehr! Und Irene, mach dir Creme auf die wunden Stellen.«

Ich schnappe mir die Sackkarre und lasse die zwei, Hasenpuschel und Partner, allein. Diese Szenerie werde ich meinen Lebtag nicht vergessen.

Mark sitzt brav auf dem Sofa. Als ich die Treppe runterkomme, schiebt er sein Handy schnell unters Sofakissen. Sofort fällt mir meine SMS ein. Ob Rakete schon geantwortet hat? Aber ich zügele meine Neugierde und widme mich meinem Sohn. Eins nach dem anderen.

»Lass uns reden!«, starte ich mein Mutter-Sohn-Gespräch mit einer kleinen Floskel. »Hast du heute was geraucht? Raus mit der Sprache!«

»Nein, hab ich nicht! Echt nicht! Ich schwöre!«, antwortet mein Sohn kleinlaut.

»Du kiffst also nicht?«, frage ich nach und fühle mich schon gleich sehr beruhigt. Alles falscher Alarm. Was für ein Glück.

»Na ja, das habe ich so nicht gesagt. Du hast gefragt, ob ich heute was geraucht habe – habe ich nicht!«

Auf Wiedersehen Beruhigung.

»Ich hab heute echt nichts geraucht. Echt, Mama!«, bekräftigt er seine Aussage noch mal. An dem Satz stört mich nur die Zeitangabe. Das »heute« macht mich stutzig. Wie soll ich das verstehen? Heute nicht, aber gestern und vorgestern und sonst auch? Und morgen wieder?

»Und warum war dir dann so übel? Und was sollte die Bemerkung von deiner Schwester? Und was heißt: heute nichts geraucht?«, sprudeln die Fragen nur so aus mir heraus. Vielleicht hätte ich doch auf Christoph warten sollen.

»Ich glaube, mir wird wieder übel!« Mit diesen Worten springt mein Sohn vom Sofa auf und hastet zum Gästeklo. Kluger Schachzug – Zeit gewinnen durch eine kleine Auszeit. In meiner Hosentasche vibriert es, und aus dem Klo kommen Würgegeräusche. Gott sei Dank ist mein Sohn aus dem Alter raus, wo man ihm noch den Kopf halten musste. Trotzdem bin ich eine gute Mutter und biete Hilfe an. Zum Glück lehnt er ab. Ich bin, was Gerüche angeht, empfindlich. Wenn sich jemand übergibt, könnte ich direkt mitmachen.

Ich ziehe mein Handy aus der Tasche. Rakete hat geantwortet. Prompt. Jetzt nimmt die Sache langsam Fahrt auf.

Zeit für zwei Tage in einer aufregenden Metropole mit einem aufregenden Mann? Freitag und Samstag. Erbitte schnelle Antwort!

Was, um alles in der Welt, soll das bedeuten? Ist das eine Einladung? Wer der aufregende Mann sein soll, ist mir immerhin klar, eine aufregende Metropole allerdings kann von Berlin bis New York alles sein. Ich lese die SMS wieder und wieder. Freitag und Samstag. Das wäre ja schon übermorgen! Mit einem Mann zwei Tage unterwegs zu sein, einem Mann, von dem ich kaum etwas weiß, ist doch total bekloppt. Verrückt. Aber irgendwie auch ein aufregender Gedanke. Total verwegen.

Vielleicht ist die Metropole Paris? Das wäre nur gerecht. Ha, das würde Christoph schön ärgern, und allein die Vorstellung macht mir gute Laune. Ziehe ich den Gedanken an einen Kurztrip mit Rakete tatsächlich in Erwägung? Bin vielleicht ich es, die Drogen nimmt?

»Mama«, unterbricht da mein Sohn meine Gedanken, »mir ist immer noch schlecht und so heiß.«

Ich lege ihm die Hand auf die Stirn, und er glüht tatsächlich.

»Darf ich mich hinlegen?«, fragt er brav.

Er darf. Ich kann ja schlecht ein Kreuzverhör mit einem fiebernden Kind führen. Hat er sich vielleicht einen Virus eingefangen? Magen-Darm? Habe ich ihn womöglich zu Unrecht beschuldigt? Habe ich überreagiert?

»Leg dich hin und miss Fieber, aber nimm dir einen Eimer mit ans Bett! Wir reden morgen, da ist dann auch Papa da. Ich mache dir gleich noch einen Tee«, schicke ich meinen Sohn ins Bett.

Ich bin momentan sowieso mit meinen Gedanken ganz woanders. Wie soll ich über irgendwelche Haschereien debattieren, wenn mir nur noch diese merkwürdige Einladung durch den Kopf geht? Ich muss unbedingt sofort eine Freundin anrufen.

Heike besser nicht, entscheide ich. Wenn ich Heike frage, wird sie mir garantiert abraten mitzufahren. Heike ist zu vernünftig. Es bleibt nur Sabine. Alle meine anderen Freundinnen würden sich ausnahmslos an den Kopf greifen und mich für wahnsinnig erklären, weil ich überhaupt darüber nachdenke. Übrigens würde ich genau das Gleiche tun, wenn mich eine Freundin in solch einer Angelegenheit anrufen würde. Nach dem Motto: Bist du denn verrückt? Du kennst den doch gar nicht! Wer weiß, was der will! So was macht man nicht … Deshalb wähle ich Sabine. Sie ist die Einzige, die mir vielleicht die Antwort gibt, die ich gerne hören möchte.

Und wie stellt sich Herr Rakete das eigentlich vor?

Denkt der, ich lasse hier alles stehen und liegen, um mit ihm zwei berauschende Tage in einer, wo auch immer gelegenen, aufregenden Metropole zu verbringen? Soll ich die Kinder, auch wenn sie jetzt nicht mehr so klein sind, einfach alleine lassen? Genau das denkt der oder hält es jedenfalls für möglich. Gut – dass ich Kinder habe, weiß er ja nicht, aber trotzdem: Ganz schön eingebildet, der Herr Rakete.

Aber irgendwas an dieser »Anfrage«, wenn man das mal so nennen will, fasziniert mich. Sie verspricht nämlich genau die Komponenten, die meinem Leben ansonsten fehlen: Unvernunft, Romantik, einen Hauch Wahnsinn und richtigen Leichtsinn. Absolut verwegen! Sabine sieht es zum Glück ähnlich.

»Je nachdem, um welche Stadt es sich handelt, würde ich fahren. Und die aufregende Metropole wird schon nicht Braunschweig sein. Klar wird es auf Sex rauslaufen, aber du willst doch eh mal wieder. Und dann in einem coolen Hotel mit einem gutaussehenden Mann, der auch noch Rakete genannt wird! Da hast du doch all das, was du schon immer wolltest! Mach es – so eine Einladung kriegst du nie wieder!«

Das ist mit Sicherheit richtig. So eine Einladung habe ich noch nie bekommen und werde ich auch nie wieder bekommen. Die Einladung und die Bilder, die ich dazu im Kopf habe, sind wie Brausepulver. Prickelnd! Oder wie eine Art Überraschungsei. Man weiß nicht, was sich in dem Ei verbirgt, und stellt sich irgendwas Tolles vor. Aufregend!

Da kommt jemand daher, reißt dich aus deinem Alltag und will mit dir Zeit verbringen. Ist das nicht genau das, wonach du dich immer gesehnt hast? Vielleicht nicht unbedingt mit Rakete. Aber wenn es nun mal der Erste und Einzige ist, der so eine Offerte macht?

Ich habe mich selbst überzeugt. Warum eigentlich nicht? Was soll schon passieren? Wenn er ein Perverser ist, werde ich mir einfach ein eigenes Zimmer nehmen. Aber warum sollte ausgerechnet er so einer sein? Und wenn ich an meinen Ex mit seiner jugendlichen Miezi in Paris denke, dann gefällt mir die Vorstellung von Rakete und mir, irgendwo in der großen Welt romantisch bei einem Dinner und danach hocherotisch in weichen Daunen, noch viel besser. Ich werde es tun, beschließe ich. Wer nichts wagt, erlebt auch nichts.

Zum mindestens 17. Mal lese ich die SMS: *Zeit für zwei Tage in einer aufregenden Metropole mit einem aufregenden Mann? Freitag und Samstag! Erbitte schnelle Antwort!*

Wann geht's los? Wo geht's hin? Brauche ich Sandalen oder Gummistiefel, Kostüm oder Jeans?, schreibe ich zurück.

Bevor ich wieder ins Grübeln komme und die brave Andrea aus dem Reihenhaus die Regie übernimmt, drücke ich auf Senden. Gott wie aufregend! Jetzt geht's an die Logistik. Einfach so wegfahren ist als Mutter leider unmöglich. Logistik, Planung und Organisation sind Grundvoraussetzung, um »spontan« sein zu können. Was tun mit den Kindern? Wer guckt nach ihnen? Wer kocht, und was erzähle ich meiner Familie überhaupt? Die Wahrheit: »So ihr Lieben, ich fahre mit einem wildfremden Mann, von dem ich seine Zunge besser als den Rest kenne, keine Ahnung wohin und verbringe dort zwei Tage – wahrscheinlich hauptsächlich im Bett.« Mit Sicherheit nicht, denn das würde zur sofortigen Einweisung führen. Aber irgendeine schöne Geschichte wird mir schon einfallen. Daran soll es nicht scheitern. Ein Wellness-Wochenende mit Sabine. Irgendwo in irgendeinem netten, deutschen, trostlosen Mittelgebirge.

Männer denken ja häufig, das sei der Traum unserer schlaflosen Nächte. Sich ein Wochenende lang durchkneten zu lassen, in der Sauna zu sitzen, zur Kosmetik zu gehen und Thai Chi zu machen, um dann ausgeruht und ausgeschlafen (in solchen Wellness-Oasen ist ja abends nichts los!), zurück in die Alltagshölle zu kommen. Ein harmloses Vergnügen, von dem Mutti auch noch ein bisschen aufgehübscht nach Hause zurückkehrt. Sicherlich kann so ein Wochenende sehr nett sein, vor allem wenn man seine Freundin dabei und mal wieder Zeit hat, in Ruhe alles durchzuhecheln. Ich will wirklich nicht despektierlich klingen – aber Abenteuer und große Welt sind dann doch was anderes. Eine Wellness-Oase ist ein bisschen so was wie ein Indoorspielplatz für Frauen. Schön behütet, schön versorgt und schön beschäftigt.

Ich werde es organisieren, die Kinder haben schließlich einen Vater und einen Opa, der praktischerweise bei uns lebt und mir einige Gefallen schuldig ist. Ich bin sicher, ein kleiner Hinweis auf Sackkarre und Hasenpuschel wird genügen. Wahrscheinlich hätte mir Rudi sowieso geholfen. Im Gegensatz zu seinem Sohn, muss man ihn nie lange bitten. Er ist einfach von Natur aus hilfsbereit und gutherzig. Womit ich nicht sagen will, dass Christoph nicht gutherzig ist – tief drinnen sicher. Sonst hätte ich es ja wohl kaum so lange mit ihm ausgehalten.

Wenn Rudi mir hilft, steht dem Wahnsinn also nichts im Weg. Schon wieder meldet sich mein Handy.

Brauche deine Koordinaten für Ticket. Name und Geburtsdatum. High Heels und Kleid reichen. Ziel ist Überraschung. Wir fliegen Freitag um 8.50. Treffpunkt Flughafen, Terminal 1, 8.00 Uhr am Business Class Schalter. Mach dich hübsch!

Name und Geburtsdatum! Ob der das Ticket überhaupt bucht, wenn der mein Geburtsdatum sieht? Egal. 40 ist ja angeblich das neue 30 und knapp 50 ist dann somit das neue knapp 40. Blödes Blabla, aber in dem Fall hilft es mir, nicht direkt zu hyperventilieren. So stillos wird er schon nicht sein, eine Einladung nur auf Grund einer Jahreszahl zurückzuziehen. Sollte er es doch tun, kann ich es eh nicht ändern. Also nicht aufregen, Andrea, beruhige ich mich selbst. Du bist nicht mehr jung, aber auch noch nicht tot. Und dieses Wochenende wird das beweisen!

Das Alter ist nur eine Zahl. Auch so ein Blabla-Satz. Was sollte es denn auch sonst sein?

High Heels und Kleid? Das hört sich nicht nach plattem Land und strapaziösen Fußmärschen an. Eigentlich logisch, denn den Westerwald oder den Hunsrück würde man wohl kaum als aufregende Metropolen bezeichnen. High Heels und Kleid – das hört sich auch nicht nach stundenlangem Bummel durch Kirchen und Museen an. Zum Glück! Da würde man wohl eher Turnschuhe und Jeans wählen. High Heels und Kleid – das klingt nach lauschigen Straßencafés, nach exquisiten Restaurants, nach szenigen Bars, nach Cocktails, Lounge-Atmosphäre und nach Glamour.

Terminal 1, Business Class Schalter. Himmlisch! Ich

bin noch nie Business Class geflogen. Allein dafür lohnt sich der Ausflug. Ich sehe mich schon mit einem Glas Champagner in einem großen, weichen Ledersessel sitzen. Trotzdem wäre ein wenig mehr Information nützlich. Wo wohnen wir? Wie schick ist das Hotel? In welche Stadt fliegen wir? Brauche ich eine Strickjacke? Klar, es ist Sommer, aber es macht doch einen entscheidenden Unterschied, ob man in Reykjavik oder in Barcelona im Café sitzt. Wenn ich die Wahl hätte, dann wäre mir Barcelona lieber. Rom würde mir auch gefallen. London finde ich toll. Paris, Madrid und New York. New York wäre der Knaller, aber ist eher unwahrscheinlich. Man fliegt ja wohl kaum für zwei Tage nach New York. Ach, im Endeffekt ist es mir relativ wurscht. Rauskommen ist auf jeden Fall gut, und wenn es in der Business Class ist, fliege ich auch nach Bukarest oder Bratislava. Ich rufe noch mal Sabine an und erstatte Bericht.

»Check doch einfach die Abflüge am Freitagmorgen um acht Uhr fünfzig. So viele Maschinen werden da ja nicht gleichzeitig starten. Dann bleibt dir immer noch eine kleine Überraschung, aber du weißt ungefähr, wohin es gehen könnte. Überraschung light sozusagen«, schlägt sie mir vor.

Da hätte ich eigentlich auch selbst draufkommen können.

»Halt mich auf dem Laufenden! Ich will über jedes Detail Bescheid wissen«, verabschiedet sie sich.

Ich schicke Rakete Namen und Geburtsdatum und schreibe nur: *Bis Freitag, 8.00 Uhr! Freue mich!*

So jetzt gibt es kein Zurück mehr. Jetzt sitze ich quasi schon im Flieger.

Ich koche meinem Sohn einen Tee und frage, ob er etwas zu Abend essen will. Allein der Gedanke lässt ihn offensichtlich erschaudern.

»Hast du Fieber?«, will ich noch wissen.

»Siebenunddreißig Komma acht!«, jammert er.

Da kommt der Mann in ihm durch. Frauen würden das, wenn überhaupt, als leicht erhöhte Temperatur bezeichnen. Wenn man meinen Sohn anschaut, denkt man, er sei kurz vor dem Ende.

»Bleib halt im Bett!«, sage ich, »aber morgen gehst du in die Schule, jedenfalls, wenn es nicht schlimmer wird!«

»Mir ist immer noch schlecht«, jammert er weiter.

»Mir auch. Vor allem, wenn ich an die Rosen bei Reimers denke«, kann ich mir einen kleinen Seitenhieb nicht verkneifen.

»War doch keine Absicht!«, grummelt er.

Das wäre ja wohl auch noch schöner. Ich glaube sogar, mit Absicht hätte man einen solchen Treffer gar nicht landen können.

»Übrigens«, informiere ich meinen Sohn und nutze sein hoffentlich latent vorhandenes Schuldbewusstsein: »ich fahre Freitag und Samstag weg. Mit Sabine. Zwei Tage Wellness.«

»Okay«, sagt er nur.

Wahrscheinlich ist er froh, dann kann er sich in Ruhe was reinpfeifen und muss sich nichts anhören. Habe ich tatsächlich gedacht, er würde »Och, Mama, bleib doch bei mir!« sagen? So wie früher?

»Aber das eins klar ist, wir haben noch zu reden! Das Thema ist nicht erledigt!«, sage ich, als ich das Zimmer verlasse. »Ich warte nur auf deinen Vater«, schiebe ich noch hinterher. Ein Ausspruch wie in den tiefsten 60er Jahren. Eigentlich beschämend.

In meinem Fall aber natürlich nicht – ich warte ja nur, damit Mister Amour-fou-Paris-très bien-ça-va auch seinen Teil der Erziehungsarbeit leisten kann. Also ist es eher eine pädagogische Maßnahme, die meinen Ex betrifft. Ich schicke Christoph direkt eine SMS, damit er weiß, was morgen ansteht: *Gespräch mit unserem Sohn morgen um 16.00 Uhr, habe abends keine Zeit!*

Liebe Grüße und Ähnliches lasse ich weg. Mir ist nicht danach.

Claudia kommt nicht zum Abendessen. Sie bleibt bei den Von-und-Zus. Immerhin hat sie angerufen, um Bescheid zu sagen. Da ich meine Reise planen muss, ist es mir sogar ganz recht. Ich werde von Tag zu Tag inkonsequenter. Kein Wunder, dass meine Kinder mich nicht wirklich ernst nehmen. Ich kann mich an den meisten Tagen nicht mal mehr selbst ernst nehmen! Auch Rudi verlässt das Haus.

»Mer gehe zur Irene. Isch bleib über Nacht, wenn's der recht is?«, holt er meine Erlaubnis ein. Wenigstens einer, der das tut!

»Rudi, du musst mich doch nicht fragen, du bist erwachsen!«, lache ich.

»Ei ja, wenn was wesche der Kinner is oder so, gell, da hast du immer Priorität, des weist de, odä?«

Ich weiß es und nutze die Gunst der Stunde, um ihn wegen meines »Wellnessaufenthalts« am Freitag und Samstag zu fragen.

»Freitach is gar kein Thema, rund um die Uhr, auch

nachts, abä der Samstag is e bissche schwierisch, mer sin uff de Garteschow in Kassel, die Irene un isch, da habe mer schon Karte, un isch kann mer net vorstelle, dess die Kinner da mitwolle.«

Das kann ich mir allerdings auch nicht vorstellen. Ihr Gartenbedürfnis ist nach unserem herrlichen Schrebergartenausflug sicherlich gedeckt.

Natürlich sind »die Kinner« auch alt genug, um mal einen Samstag allein zu verbringen, und im Normalfall hätte ich mir darüber auch keinerlei Gedanken gemacht. Warum auch? Claudia würde mit Gustav Johannes abhängen, und Mark würde einfach nur abhängen und ein bisschen am Computer daddeln. Nach meinen gestrigen Erfahrungen allerdings sorge ich mich, dass Mark kiffkotzend irgendwo Büsche verziert. Ich glaube, der braucht ein bisschen mehr an Kontrolle. Das schreit ja geradezu nach einem Vater-Sohn-Samstag, denke ich. Christoph hat ja jetzt Miezi pur gehabt, da sollte das wohl mal drin sein.

»Zur Not lass isch des aach sause mit der Garteshow, mer sin dir ja weiß Gott was schuldisch!«, bietet mir Rudi an.

»Nein, Rudi, dein Sohn kann sich auch mal kümmern. Fahrt ihr zwei nur. Aber denkt immer dran, schön auf die Schlüssel aufpassen. Nicht immer ist eine rettende Sackkarre in der Nähe!«

Irene grinst, und Rudi lacht verschämt. »Da brauchst de dir kaane Sorge zu mache, mit dem Kram bin isch dörsch. Des hat mer för mein Lebtach gelangt, den annern Kram bring isch in den Laden zurück!«

Irene zuckt zusammen, und mir läuft ein Schauer über den Rücken. Welcher andere Kram? Welcher Laden?

Ich verabschiede die zwei und mache es mir mit ein paar Broten vor dem Computer bequem. Abflüge Freitagmorgen zwischen 8.50 und 9.00 Uhr: Warschau-Okecie, Istanbul, Venedig, Nürnberg, Riad und Birmingham.

Nürnberg sortiere ich gedanklich aus. Man fliegt doch nicht von Frankfurt nach Nürnberg. Das wäre doch lächerlich. Da ist man mit dem Auto doch definitiv schneller. Und wenn Nürnberg eine Metropole wäre, dann hätte ich das sicher auch schon mal gehört.

Riad kann ich mir auch nicht vorstellen. Riad ist die Hauptstadt von Saudi-Arabien und im Moment, Ende Juni, herrschen (wie ich dank Internet schnell herausfinde) dort Temperaturen bis 43 Grad. Dass Rakete einen Kurztrip nach Riad gebucht hat, halte ich eigentlich für nahezu ausgeschlossen. So oder so packe ich morgen zur Sicherheit eins dieser Super-Deos ein. 43 Grad! Ich habe es gerne warm, aber da mir momentan sowieso häufig immer mal wieder sehr warm ist, kann ich gut auf diese Affenhitze verzichten.

Warschau-Okecie habe ich noch nie gehört. Okecie, wie sich schnell klären lässt, heißt einfach nur der Warschauer Flughafen. Warschau gilt garantiert als Metropole und wäre immerhin ein äußerst außergewöhnliches Ziel. Nicht unter meinen Top Ten, aber vielleicht dennoch hübsch.

Mit Birmingham verhält es sich ähnlich. Eine Großstadt, keine Frage, aber romantisch ist anders. Aus meiner Schulzeit habe ich jedenfalls in Erinnerung, dass Birmingham eine graue Industriestadt ist.

Bleiben Venedig und Istanbul. Venedig wäre natürlich der Hammer. Als Kind war ich mal da. Mein Vater hat uns damals jedem ein winzig kleines Tierfigürchen aus Glas gekauft. Murano-Glas. Leider hat meine Schwester meine Ente bei einem Streit auf den Boden gedonnert. Zur Strafe sollte sie mir ihren kleinen Murano-Frosch geben, aber den hat sie beim Überreichen aus Versehen fallen lassen. Das sagt viel über meine Schwester und viel über unser Verhältnis. Mein Bruder hat damals einen Hund bekommen, um den wir ihn alle beneidet haben. Venedig: Gondeln, Kanäle, Laternen, der Markusplatz – Venedig ist quasi das Synonym für Romantik. Ich könnte mir eine neue Ente kaufen, oder sogar einen Hund, schießt es mir durch den Kopf. Schließlich ist es nie zu spät für eine glückliche Kindheit. Venedig wäre unglaublich. Lass es Venedig sein, bitte, bitte, hoffe ich.

Jetzt bleibt als Letztes wirklich nur noch Istanbul. Ich war schon in der Türkei, aber noch nie in Istanbul. Anita, meine Nachbarin, und Gesa aus der Agentur aber haben mir davon vorgeschwärmt. »Istanbul ist«, laut Gesa »das neue Marrakesch. So angesagt, so hip, so vielfältig.«

»Die tollsten Handtaschen aller Zeiten!«, war hingegen Anitas Argument für Istanbul. Hip und Handtasche statt Romantik und Glashund. Auch gut, entscheide ich. Eine neue Handtasche könnte ich mal wieder gebrauchen.

Wäre das Ganze eine Reiselotterie, dann wäre Nürnberg die Niete, Birmingham, Warschau und Riad jeweils eine Art Trostpreis, Istanbul der zweite Preis und Venedig ganz klar der Hauptgewinn. Noch zweimal schlafen und du weißt es, versuche ich mich zu entspannen. Zur Sicherheit recherchiere ich im Internet ein wenig zu Venedig. Schön, aber teuer, überlaufen von Touristen, Kaffee nahezu unbezahlbar, lautet der Tenor. Ich muss dringend noch Geld abheben, damit ich, zum Ausgleich für die großzügige Einladung, wenigstens mal ein kleines Essen bezahlen kann.

Ich mache mir eine Liste, um für die Packerei morgen vorbereitet zu sein. Wirklich lässig wäre es natürlich, nur mit kleinem Handgepäck zu reisen, aber ich bin mittlerweile in einem Alter, in dem nicht mal mehr ein Kulturbeutel reinpassen würde. Auch High Heels nehmen Platz weg, ich kann ja schlecht in Stilettos fliegen. Immer, wenn ich Frauen mit Mörderabsätzen zu den Gates staksen sehe, finde ich das sehr albern. Immer – das klingt jetzt gerade so, als würde ich ständig durch die Welt jetten. Schön wär's! Aber vielleicht wird es ja bald so sein. Vielleicht ist dieser kleine Ausflug nach Venedig der Auftakt zu einem ganz neuen Leben. Jetzt Venedig, demnächst London, dann Prag. Allein der Gedanke berauscht mich. Unterwäsche – ich brauche auf jeden Fall schöne Unterwäsche. Schlafanzug oder Nachthemd. Oder ist beides spießig und verklemmt? Schläft man als Geliebte eher nackt? Oder in einem seidigen Hauch von fast nichts? Meine karierte Flanellschlafanzughose ist jedenfalls mit Sicherheit nicht das richtige Accessoire für diesen Ausflug. Ein Negligé wäre das richtige. Nur besitze ich kein Negligé. Negligé kaufen, notiere ich auf meiner Liste. Negligé und Unterwäsche. Manchmal muss man auch investieren. High Heels setze ich gleich noch mit auf die Liste. Ich habe High Heels, aber eher High Heels aus der Vernünftige-hohe-Schuhe-Abteilung. Diese Art Pumps, die auch Flugbegleiterinnen tragen. Ein wenig Absatz, aber dennoch irgendwie bequem. Mit Fußbett! Ich werde mir ein paar Schuhe kaufen, die den Namen

High Heels wirklich verdienen. Atemberaubende hohe Stöckel. Ansonsten habe ich alles, was ich für meinen kleinen Trip brauche: zwei Kleider, eine (etwas zu enge) Jeans mit nettem Top und Blazer und noch eine Strickjacke, sollte es abends mal etwas kühler werden, während wir noch auf irgendeiner Dachterrasse einen Drink nehmen. Ich sehe mich schon da stehen – das Jäckchen um die Schultern geschwungen, im Arm von Rakete, mit Blick auf die Kanäle. Oder bei einer lauschigen Gondelfahrt.

Ein Piepen reißt mich aus meiner kleinen Phantasie. Eine SMS von Christoph: *Ich bin nicht Dein Angestellter! Du kannst mich nicht beliebig zu Terminen zitieren. Komme um 17.00 Uhr. Falls Du Dich erinnerst, ich gehöre zur arbeitenden Klasse!*

Oh, da ist aber einer richtig sauer. Wie schade, dass er jetzt motzig durch Paris laufen muss! Das tut mir aber sehr leid. Auch für seine kleine Sarah Marie. Aber immerhin: Dein, dich und dir hat er großgeschrieben. So hat halt jeder seine Qualitäten. Arbeitende Klasse! Pah! Er ist einer der Chefs, und wenn er um 16.00 Uhr irgendwohin will, dann kann er das auch.

Es piept schon wieder. Diesmal ist die SMS von Rakete: *Treffen lieber 7.45. Und schick noch mal ein Bild von dir, damit wir uns auch erkennen!* 😎

Er weiß nicht mehr, wie ich aussehe? War er so betrunken? Wollte der mich am Geruch erkennen? Wieso hat er mich dann eingeladen? Weil ich so phantastisch küsse? Seltsam!

Die Bildanfrage verstört mich, aber nicht nur das – sie bedeutet Arbeit. Jetzt kann ich nämlich den Rest des

Abends damit verbringen, ein Foto rauszusuchen, auf dem ich blendend aussehe, das nicht älter als zehn Jahre ist und auf dem ich mir auch noch irgendwie ähnlich sehe. Eigentlich nahezu unmöglich. Es gibt nicht sehr viele Fotos von mir und vor allem eigentlich keins, auf dem ich mir gefalle. Immer wenn ich Fotos von mir sehe, bin ich erstaunt. Nicht nur, weil ich mich eigentlich hübscher finde als auf den Fotos. Ich finde auch, dass ich mir gar nicht ähnlich sehe. Mein Bild von mir selbst ist ein völlig anderes. Auf den Fotos habe ich oft so einen verkniffenen Zug um den Mund und so kleine zusammengepetzte Augen. Sehe ich tatsächlich so angespannt aus?

Foto schicken, also ehrlich – das ist eine Zumutung. Will er noch mal schnell überprüfen, ob er sich versehentlich eine unattraktive Kröte eingeladen hat? Was wird er tun, wenn ihm das Foto nicht gefällt? Mich wieder ausladen? Allein die Anfrage macht mich irgendwie sauer. Schon deshalb simse ich zurück: »Ich werde Dich erkennen, keine Sorge. Bis übermorgen.« Also, kein Foto von mir!

Vielleicht war ich jetzt etwas sehr optimistisch, aber ich bin mir sicher, dass nicht irrsinnig viele Männer um 7.45 Uhr am Business Class Schalter rumstehen werden. Um mich nicht zu blamieren, googel ich Herrn Rakete. Tom Kurz, alias Rakete, hat nicht besonders viele Einträge. Es gibt seine Firmenseite »Happy Housing« und diverse Immobilienangebote. Auch im Ausland. Bilder von ihm gibt es nur drei – eins ist winzig klein, und auf den beiden anderen trägt er eine Sonnenbrille. Eine goldumrandete Pilotenbrille. Eine Ray Ban. Meine Erinnerung hat mich nicht komplett getäuscht. Er sieht gut aus. Volles graugesträhntes Haar, Dreitagebart, markante Nase und schöne Lippen. Die Unterlippe ein wenig voller, die Oberlippe einen Tick zu schmal, aber insgesamt stimmig. Eine kleine Unperfektion macht Gesichter oft hübscher, habe ich mal gelesen. Ein tröstlicher Gedanke, vor allem für Frauen wie mich, die von Perfektion meilenweit entfernt sind. Altersmäßig ist alles okay. Er ist 50. Das erleichtert mich ein wenig. Ich weiß, dass auch das Alter angeblich relativ ist und dass junge Männer angesagt sind. Trotzdem hätte es mich eingeschüchtert, wenn Rakete wesentlich jünger gewesen wäre. Ich rede nicht über ein oder zwei Jahre, aber ein Enddreißiger wäre mir definitiv zu jung. Wenn ein Mann sehr viel jünger ist, wächst der Druck. Man will ja nicht wie die Mutti an seiner Seite wirken. Auch körperlich macht ein junger Mann eher Stress. Ich finde, dass man das Madonna auch ansieht. Was die sich abplacken muss, nur um den Ansprüchen eines jungen Geliebten zu genügen. Zu alt ist allerdings genauso schwierig. Man möchte ja auch nicht gleich in die Seniorenbetreuung wechseln.

Wie auch immer – ich werde Rakete wiedererkennen.

Die Planung meines wahnwitzigen Ausflugs ist so gut wie abgeschlossen, nur noch ein paar Besorgungen, und ich bin startklar. Jetzt aber muss ich mich erst mal auf das große Kiff-Gespräch vorbereiten. Ich möchte morgen, mit Christoph und Mark, nicht wie die letzte Ahnungslose dasitzen.

»Woran erkenne ich, ob mein Kind kifft?«, gebe ich bei Google ein.

»Folgende Symptome können auf einen Cannabiskonsum hindeuten: Plötzlicher Leistungsabfall, Desinteresse, Gleichgültigkeit, Passivität und Demotivation.«

Plötzlicher Leistungsabfall – eher nein. Mark ist schon seit Jahren nicht besonders gut in der Schule. Da ist nach unten nicht wirklich viel Luft, und er wird ja nicht kiffen, seitdem er acht ist. Desinteresse – ja, mit Sicherheit. Gleichgültigkeit – auch ein klares Ja. Passivität – definitiv ja. Demotivation – unmotiviert auf alle Fälle. Aber sind das alles nicht auch typische Symptome eines normalen Pubertierenden?

»Wenn Sie außerdem einen Bong oder Zigarettenpapier zum Selberdrehen finden, dann ist Ihr Kind mit großer Wahrscheinlichkeit ein Konsument von Cannabis.«

Ein Bong – selbst das muss ich sicherheitshalber googeln – ist eine Art Wasserpfeife. Ich schaue mir die Bilder im Netz an und bin mir sicher, so etwas hier im Haus noch nicht gesehen zu haben. Zigarettenpapier habe ich auch noch nicht gefunden, aber so ein paar Papierchen sind ja auch leicht versteckt, und bisher habe ich niemals im Zimmer meines Sohnes herumgewühlt.

Ab und zu hole ich mal ein bisschen Dreckwäsche aus seiner Höhle, ansonsten lasse ich ihn hausen, wie er mag. Solange nichts Essbares rumliegt, soll es mir egal sein. Wenn der Boden frei ist, sauge ich sein Zimmer mit durch, wenn nicht – Pech für ihn und den Boden. Ich habe mich monatelang über seinen Saustall aufgeregt und irgendwann beschlossen, es sein zu lassen. Solange der sich auf sein Zimmer beschränkt – bitte sehr. Jeder wohnt, wie er mag.

Bei Claudia ist das Messie-Syndrom eines Tages ganz

von allein verschwunden. Für ihren Gustav Johannes hat sie ihr Zimmer richtig nett zurechtgemacht. Neuerdings hat sie sogar einen Hang zum Dekorieren. Kerzen, Fotorähmchen und andere Dekoartikel stehen da jetzt rum. Sorgfältig arrangiert, wahrscheinlich abgeguckt bei ihrer zukünftigen Adels-Schwiegermutti.

Mark, mein Sohn – ein Kiffer? Nein, das ist einfach unmöglich. Ich hätte doch gemerkt, wenn er Drogen nimmt. Das muss man doch merken als Mutter. Drogenkinder sind doch anders, oder? Sind die nicht auch sozial auffällig?

Im Internet findet sich bestimmt eine Antwort. Beim Rumsurfen stoße ich auf eine Seite, die sich »Drogen-Detektive« nennt. Unglaublich, was man alles einfach so bestellen kann: Speicheltest, Urintest und sogar eine Haaranalyse. Die Haaranalyse erscheint mir etwas sehr teuer. 189 Euro und acht bis zehn Tage Wartezeit. Es sei denn, man legt einen Fuffi drauf – dann geht's schneller. Weitaus günstiger, für nur 25 Euro 90 gibt's ein Kombiset: Urintest und Drogenwischtuch. Ich bin sofort überzeugt und bestelle.

Egal, was Mark morgen sagen wird, ich werde die Wahrheit herausfinden. Das ist mir das Geld wert, auch wenn am Ende rauskommt, dass er unschuldig ist – wovon ich zutiefst überzeugt bin … oder eher sein möchte. Mit meinem Drogenwischtuch kann ich jedenfalls bis zu einem Jahr zurückliegenden Drogenkonsum nachweisen. Ha! Der wird sich umgucken. Ich komme mir vor wie eine verdeckte Ermittlerin.

Aber darf eine Mutter so etwas tun? Heimlich und hinter dem Rücken des Kindes? Wo bleibt da das Vertrauen? Würde ich meiner Mutter so etwas verzeihen? Zerstöre ich damit alles, was es an gutem Verhältnis zwischen meinem Sohn und mir gibt? Oder ist es wirklich zu seinem Besten? Schließlich will ich ja nur die Bestätigung, dass die Kiffer-Vermutung Quatsch ist. Ich will seine Absolution. Will ihn mit allen Mitteln freisprechen. Bestellt ist bestellt – ich kann mir ja immer noch überlegen, ob ich das Zeug benutze. Vielleicht ist er morgen ja auch gleich geständig, dann schicke ich den Kram einfach zurück oder benutze ihn bei Freunden. Wäre doch mal interessant zu wissen, wer sich so alles heimlich was reinzieht.

Ich stöbere noch ein bisschen in den Immobilienangeboten von »Happy Housing«. Männer mögen es, wenn man sich für ihren Beruf interessiert und kompetente Fragen stellen kann. Schon um elf gehe ich ins Bett. Ich kann jeden Schönheitsschlaf gebrauchen. Auch wenn er wahrscheinlich auf den letzten Metern nicht mehr viel bringt. Meine Tochter ist noch nicht wieder aufgetaucht. Egal – soll sie halt bei den von Hessges einziehen.

Als ich so allein in meinem Bett, unserem ehemaligen Ehebett liege, fühle ich mich mies. Ich hätte das Bett längst austauschen sollen. Ich schlafe immer noch auf meiner Seite, Christophs bleibt ungenutzt. Seine Seite ist irgendwie tabu. Ein leeres Bett ist ein deutliches Zeichen. Ein großes, leeres Doppelbett ist überdeutliches Zeichen. Sollte ich mir ein kleines Ein-Meter-40-Bett kaufen? Aber würde das dann nicht heißen, dass ich mich damit abgefunden habe, allein zu bleiben? Sollte ich mir vielleicht erst mal eine Katze anschaffen, um nachts wenigstens irgendwelche Atemgeräusche zu hören? Manchmal ahne ich noch Christophs Umrisse auf der Matratze. Manchmal vermisse ich sogar sein Schnarchen.

Obwohl Christoph mich so irre nervt und genervt hat, fehlt er mir. Vor allem hier im Bett. Obwohl da so gut wie nie irgendetwas stattgefunden hat, wofür normale Paare ihr Bett benutzen – allein seine Präsenz war schön. Ich weiß, das ist widersprüchlich, aber es fühlt sich mies an so allein!

Die Tage rauschen vorbei, der Alltag bietet genug Ablenkung, aber an den Abenden, wenn Ruhe im Haus herrscht und ich hier liege, wird mir die Trennung oft schmerzlich bewusst. Ich habe niemanden mehr, an den ich mich einfach mal anschmiegen kann. Der nachts Wärme ausstrahlt. Christoph hat einen wunderbar warmen Körper. Immer, zu jeder Jahreszeit. Wie ein kleiner Ofen. Jetzt ist niemand mehr da, unter den ich meine kalten Füße schieben kann. Niemanden, den ich dafür verantwortlich machen kann, wenn ich schlecht geschlafen habe. Es ist keiner mehr da, der sich um mich kümmert oder mir wenigstens das Gefühl gibt, sich um mich zu kümmern.

Wenn ich hier in meinem Bett liege, neige ich dazu, das Gewesene ein wenig zu verklären – ich weiß. Und klar, lag vieles im Argen, aber trotz allem kann man es doch vermissen. Auch wenn es nicht immer gut war. Allein zu sein heißt ja, es zu zweit nicht geschafft zu haben. Scheitern ist nie schön.

Meine Mutter würde jetzt sagen: »Ich hab's dir gleich gesagt. Selbst schuld, Andrea! Hättest du mal auf mich gehört! Nur dieses eine Mal!«

Auch wenn man selbst schuld ist, kann es weh tun. Fast noch mehr. Ja, ich wollte, dass wir uns trennen, aber darf ich deswegen nicht ein kleines bisschen jammern? Manchmal wird einem ja auch erst nach einer Trennung klar, was sie bedeutet. Welche Konsequenzen sie hat. Und je länger die Trennung zurückliegt, umso stärker rücken positive Erinnerungen in den Vordergrund. Die Wut macht der Trauer Platz. Beim Einschlafen habe ich Bilder in meinem Kopf, Bilder von Christoph und seiner Miezi in Paris, Bilder von mir und Christoph in Paris. Bilder, auf denen wir lachen und uns umarmen. Uns so vertraut sind. So verliebt. So glücklich.

Ich muss weinen. Ich hätte jetzt die Frau in Paris sein können. Was haben wir bloß getan? Was habe ich bloß getan? Wie kann er mich nur so schnell ersetzen? Was will er mit der Tussi? Lohne ich den Kampf nicht? Hätte ich gerne, dass er um mich kämpft, weil ich ihn wirklich wiederhaben möchte, oder nur weil es mein verletztes Ego so will? Ich weiß überhaupt nicht mehr, was ich will. Und auch das ist ein Grund, um weiter zu weinen. Ich weine, weil ich weine und eigentlich nicht weiß, warum. Ich traure um das, was mal war. Traure ums Glück oder das, was ich dafür halte. Ich weine, bis ich einschlafe.

2

Am nächsten Morgen geht es meinem Sohn besser. Scheint wohl doch kein ganz so schlimmer Virus zu sein. Er hat die Nacht überlebt, der Eimer neben seinem Bett ist leer. Aber er will lieber zu Hause bleiben. »Sicher ist sicher, Mama! Mir ist noch nicht so gut!«

Ich bestehe darauf, dass er in die Schule geht.

»Ich glaube, ich habe noch Fieber!«, zieht er seine persönliche Schul-Fernbleib-Trumpfkarte.

»Du siehst nicht so aus, und du fühlst dich auch nicht so an, aber wir können gerne messen«, sage ich nur.

»Ist ja gut, ich geh ja«, grummelt er.

Immerhin weiß er, wann er verloren hat, und schwingt schon mal ein Bein aus dem Bett. Ein haariges Bein. Wann sind ihm bloß diese Haare gewachsen? Das ist wirklich kein Kinderbein mehr. Mein Sohn wird zum Mann.

»Willst du frühstücken?«, frage ich den angehenden Kerl.

»Klar«, brummt er. Auch die Stimme ist richtig tief.

»Okay, beeil dich und komm runter, ich mach dir was. Und denk dran, heute Mittag reden wir! Dein Vater kommt!«

Die Antwort ist eine Art unwilliges Grunzen. Danke fürs Gespräch.

Claudia ist nicht da. Sie hat bei ihrer Wahlfamilie übernachtet, mir aber immerhin eine SMS geschickt. *Hab mein Schulzeug dabei, bleibe bei den von Hessges, komme morgen nach der 8. Stunde.*

Kein Kuss, keine Entschuldigung, nur diese schlichte Information. Abgeschickt gestern um 00.15 Uhr. Eigentlich geht das nicht. Vor allem nicht, wenn man schon zum Abendessen hätte zu Hause sein müssen. Die schnappe ich mir, wenn wir das Kiffgespräch mit Mark hinter uns haben. Einer nach dem anderen.

Heute Abend bin ich auch noch bei unseren Nachbarn eingeladen. Bei Sackgassen-Kati und ihrem Mann Siegmar. Bis vor gut einem Jahr hatte ich wenig mit den beiden zu tun, aber seit der Trennung sind sie sehr um mich bemüht. Eine Ausnahme. Für viele Paare stehe ich seitdem auf einer Art roten Liste. Ich werde selten eingeladen. Nach einer Trennung steigt man auf in die Liga der potentiell gefährlichen Frauen. Als würde man sich, kaum dass der eigene Mann weg ist, wie ein ausgehungertes, wildes Tier auf den Rest der Männer stürzen – das erste Stück Fleisch nach jahrelangem Kräuterverzehr.

Ist man per se ungefährlicher, wenn man einen Partner an seiner Seite hat? Denken die wirklich, dass ich nach all den Jahren, die wir uns jetzt kennen, plötzlich, nur weil ich allein bin, in rasender Liebe zu einem ihrer Männer entbrennen würde? Es kränkt mich, nicht mehr automatisch dazuzugehören. Es kränkt mich, wenn Frauen sich demonstrativ an die Seite ihres Gatten stellen, ihren Arm um ihn legen, kaum dass ich ein Wort mit ihm spreche. Was wollen sie mir damit sagen? Etwa: »Finger weg, der gehört mir!«

Anita, meine Nachbarin, habe ich darauf auch angesprochen.

»Na ja, das sind halt alles Paare. Da ist das doch irgendwie blöd – auch für dich, oder?«, hat sie, ein wenig verlegen, geantwortet.

»Wenn es für mich blöd ist, sag ich es schon. Ich finde es viel blöder, auf einmal nicht mehr eingeladen zu werden«, habe ich gekontert. Das war überraschend mutig von mir. Normalerweise meide ich jede Form von Konfrontation.

Darauf hatte Anita keine gute Antwort: »Ach so, na ja, dann weiß ich ja Bescheid«, hat sie nur gesagt.

Jetzt weiß sie also Bescheid. Und da sie alles rumtratscht, weiß garantiert auch der Rest der Siedlung Bescheid. Geändert hat sich trotzdem nichts. Es gibt einfach Vorbehalte gegen Singlefrauen. Als würde man sich ab einem bestimmten Alter einfach verzweifelt alles krallen, was noch atmet und einen Hauch von Testosteron versprüht. Kein Mann aus meiner Nachbarschaft käme für mich in Frage. So allein kann ich mich gar nicht fühlen, und so viel kann ich gar nicht trinken, dass ich das überhaupt in Betracht ziehen würde – genau das hätte ich am liebsten zu Anita gesagt. Habe es aber runtergeschluckt, weil ich nicht unhöflich sein wollte. Schließlich ist einer der Männer, die ich nicht haben will, ihrer: Friedhelm. Allein der Gedanke!

Kati und Siegmar sind die Einzigen hier, die mich seither eingeladen haben. Abends, zusammen mit anderen. Ich rede natürlich nicht von irgendwelchen Kaffeeklatschnachmittagen oder Frauenfrühstücken. Da bin ich sehr willkommen. Immerhin habe ich eine Trennung hinter mir, und Christoph hat eine neue Freundin. Mit anderen Worten: Ich biete ausreichend Gesprächsstoff. Ich habe etwas gewagt, was die meisten nicht mal in Betracht ziehen. Und ich bin oft ein wenig geknickt, was die anderen darin bestärkt, auszuharren, mit weniger zufrieden zu sein. Ich bin die, die auf die andere Seite gewechselt ist und nun merkt, dass das Gras dort wirklich nicht immer grüner ist. Ich bin ihre personifizierte Warnung. So also sieht die Alternative aus, denken sie und halten das fest, was sie zu haben glauben. Nach dem Motto: Alles ist besser, als allein zu sein.

Ich denke, dass mindestens zwei Drittel meiner Freundinnen und Bekannten nicht glücklich in ihren Beziehungen sind. Und das ist freundlich geschätzt. Aber die Angst vor dem, was sie erwartet, ist anscheinend größer als das Unglück, das sie ertragen. Man kann das feige finden. Oder vernünftig. Je nach Perspektive. Vielleicht auch beides. Je nach eigener Tagesform kann mein Plädoyer da sehr unterschiedlich ausfallen.

Man muss als Frauen aber auch einfach wissen, dass es sein kann, dass da nichts mehr nachkommt, dass man allein bleibt. Unfreiwillig allein. Und das ist für viele das Schlimmste, was sie sich vorstellen können. Eigentlich verwunderlich. Ist es wirklich schlimmer, keinen Mann zu haben, als einen lieblosen, unfreundlichen Mann? Brauchen wir den Mann an unsrer Seite, um uns komplett zu fühlen? Kann das Leben ohne Mann nicht auch wunderbar sein? Oder ist das reine Propaganda? Kann man mit sich selbst glücklich werden, oder ist das sogar die Voraussetzung, um überhaupt glücklich zu sein – auch zu zweit? Tja, dann sollte ich mit dem Glücklichwerden schnellstmöglich anfangen.

Wenn man sich tatsächlich auf die Suche begibt oder auch nur die Augen offen hält, merkt man: Der Markt ist begrenzt, die Auswahl an guten Männern eher mau. Männer haben es in dieser Hinsicht wesentlich leichter. Selbst reichlich ramponierte Exemplare, mit ganz offensichtlichen Macken, gehen gut weg. Sie haben eben nicht viel Konkurrenz. Das sieht bei Frauen anders aus. Da draußen tummeln sich massenhaft gepflegte, gebildete, gutaussehende und unabhängige Frauen im mittleren Alter. Das führt zu einem gewissen Ungleichgewicht. Dazu kommt, dass Frauen sich gerne zumindest auf Augenhöhe liieren. Der Chefarzt und die Krankenschwester – kein Thema. Die Managerin und der Sekretär – eher selten. Noch immer gibt es viele Frauen, die, laut eigener Aussage, gern zu einem Mann aufschauen möchten. Warum eigentlich? Was genau bedeutet das? Muss er mehr Geld, mehr Macht, mehr Intelligenz oder mehr Status haben? Oder bitte gleich alles? Macht das eine Partnerschaft per se stabiler?

Und wieso eigentlich muss ein Mann immer alles besser wissen? Ich suche ja keinen Lehrer. Ich will allerdings auch keine Lehrerin sein. Ein gewisses Maß an Allgemeinbildung ist unverzichtbar. Lieber einer mit Wampe als einer, der nicht in der Lage ist, Deutschlands Bundesländer aufzuzählen. Bildungslücken, so groß wie Freibäder, sind schwer auszuhalten. Zumal, wenn einer glaubt, die nicht schließen zu müssen, aber dennoch denkt, fürs Lenken und Bestimmen geboren zu sein. Schnelles Denken und eine gewisse Allgemeinbildung sind ja außerdem die Grundvoraussetzung für Humor – und all das zusammen hat eine Menge Sexappeal.

Ich denke, das sehen Männer oft etwas anders. Doppel-D-Körbchen kompensieren für die meisten von ihnen einiges. Männer haben es offenbar lieber, wenn Frauen von allem eher ein bisschen weniger als sie selbst haben – ausgenommen im Dekolleté. Eine Frau darf ruhig schlau sein, aber eben nicht ganz so schlau wie er. Das tut seinem Selbstwertgefühl gut. Er will kein angekratztes Ego.

Partnerschaften, in denen sie wesentlich mehr Geld verdient als er, sind laut Statistik gefährdet und anfällig. Das können Männer nur schwer ertragen. Umgekehrt habe ich noch selten Beschwerden gehört. »Ach, der ist mir einfach zu reich!«, wird selten erwähnt.

Immerhin ist das bei mir kein Problem. Ich bin keine Frau, die wahnsinnig viel verdient. Mehr Macht, mehr Geld und mehr Status als ich haben viele. Sehr viele. Macht, Geld und Status sind mir nicht irre wichtig. Natürlich ist es schick, mit einem Aston Martin abgeholt zu werden, mit einem Privatjet ins Sommerhaus nach Südfrankreich zu fliegen (eine wunderbare Vorstellung, obwohl mir Italien oder Spanien lieber wären), aber mein Po sitzt auch in einem VW Sharan gut, und ich kann mich auch im Pauschalurlaub amüsieren. Ich muss mit einem Mann nicht angeben können, aber er muss mir gefallen, und das ist schwer genug. Ich will lachen können – am liebsten mit ihm zusammen, er soll kein Dummkopf sein, ich will tollen Sex haben, genügend Zärtlichkeit und mich nicht langweilen. Er muss nett zu den Kindern sein, er muss mich optisch ansprechen und mir guttun. Ich muss ihn lecker finden. An sich kein wahnsinnig anspruchsvolles Profil. Solche Männer muss es doch geben!

Aber wollen solche Männer mich? Was erwarten die? Sind Frauen heute immer noch Trophäen, die hauptsächlich dafür sorgen sollen, dass andere Männer beeindruckt sind? Schöne Geschöpfe, die als Zierrat dienen? Oder ist das nur in ganz bestimmten Kreisen so?

Wollen normale Männer nicht auch genau das, was ich will? Es schön haben. Sich wohl fühlen. Sich auf dem Sofa an jemanden ankuscheln. Jemanden gerne anfassen. Ein Glas Rotwein zusammen trinken.

Wollen Männer partout junge Frauen? Oder ist das ein Klischee? Wenn ihre Ehen in die Brüche gehen, suchen sich Männer häufig jüngere Frauen als Folgepartnerinnen. Sie wollen nicht wieder eine, die sie vollnörgelt und alles besser weiß, die sagt: »Wo zwei schmutzen, müssen auch zwei putzen!« Eine, die Rechte einklagt und Pflichten verteilt. Sie wollen eine Frau, die sagt: »Wow, Norbert, was du alles weißt! Erklär mir das doch mal?« Eine, die nicht nachfragt, ob seine Ideen für die Reorganisation der Abteilung wirklich so brillant sind, wie er behauptet, und die Freudentränen weint wegen eines kleinen Louis Vuitton Täschchens, selbst wenn es ein Fake ist. Denn das muss schon drin sein, für all die Bewunderung. Jüngere Frauen sehen das vermutlich viel pragmatischer: Lobhudelei gegen Versorgung. Natürlich sind sie im Zweifelsfall auch knackiger und körperlich besser in Form, aber ich glaube nicht, dass das der eigentliche Grund ist, warum Männer jüngere Frauen haben wollen. Es ist eine angenehme Beigabe. Denn eigentlich geht es ihnen darum, sich selbst noch mal jung, wichtig und bedeutend zu fühlen.

Ob ich mit Rakete lachen kann? Tollen Sex habe? Ob er mir guttut? Will ich mit ihm auf dem Sofa kuscheln und ein Glas Rotwein trinken? Ich habe keine Ahnung. Ich habe in einer Gefühlsmischung von Überschwang und Alkohol mit ihm geknutscht. Das war schön. Es war unüberlegt, aufregend, spontan – aus einer Laune heraus, aber schön. Vor allem hat es mir gefallen, dass mich jemand offensichtlich begehrt, mich so voller Leidenschaft küsst. Es hatte gar nicht unbedingt sehr viel mit ihm als Person zu tun. Eher mit mir. Zu ihm kann ich gar nicht viel sagen. Ich weiß, dass er bei Frauen ankommt. Ich bin mir sicher, dass manche mir diese Küsse neiden. Ich weiß, dass mir das egal sein sollte, aber es gefällt mir. Ich weiß auch, dass er eigentlich nicht hundertprozentig in mein Beuteschema passt. Er ist einen Tick zu geleckt. Zu schnöselig. Aber sein Status als Objekt der Begierde, als »guter Fang«, macht das wett. Allein der Gedanke, dass ich ihn präsentieren kann. Er hat was von einem Trophäen-Mann. Er macht was her. Ob dauerhaft, das ist eine andere Frage. Aber geht es bei mir um Dauerhaftigkeit? Ziehe ich dafür so jemanden wie Rakete überhaupt in Betracht? Oder weiß ich insgeheim längst, dass er, wenn überhaupt, nur für ein Abenteuer taugt? Auf meinem Sofa kann ich mir ihn jedenfalls irgendwie nur schwer vorstellen.

Vor der Trennung war ich nie bei Siegmar und Kati eingeladen. Wir kannten uns, haben uns auf der Straße nett hallo gesagt, aber Freunde waren wir nicht. Kati ist eine Freundin meiner direkten Nachbarin Anita, und bei der haben wir uns ab und an gesehen. Auf einer der berüchtigten Frühstücks-Brunch-Veranstaltungen von Anita hat Kati mal für einigen Wirbel gesorgt, als sie ausgeplaudert hat, dass sie und Siegmar eine offene Beziehung führen und beide regelmäßig zum Brazilian Waxing gehen. Anders ausgedrückt: Sie sind sexuell flexibel, vögeln querbeet, und untenrum tragen sie nichts. Weder er noch sie. Bei der ersten Begegnung mit Siegmar nach dieser Offenbarung, an der Käsetheke im Supermarkt, bin ich auch wirklich knallrot angelaufen. Ich konnte mich nur schwer auf Gouda und Co konzentrieren. Zu wissen, dass er intim rasiert ist, hat mich erschüttert. Wieso tut ein erwachsener Mann so etwas? Einerseits fragt man sich das, andererseits – was sagt das letztlich über einen Menschen aus? Nichts, außer dass er sich in Sachen Schamhaar nach dem aktuellen Trend richtet. Bei Männern soll der Grund auch oft der sein, dass der Penis ohne Wildwuchs rundum größer wirkt. Bitte schön – jeder, wie er mag. Ich hoffe, dass Rakete nicht im Siegmar-Look dasteht, wenn die Unterhose fällt. Aber gut, auf die Funktion hat das Haar ja keinen Einfluss.

Zurück zu Kati und Siegmar. Sie sind einfach nett zu mir, und das gefällt mir selbstverständlich. Jeder Mensch wird gerne nett behandelt. Sie sind anders als ich, aber das kann ja auch interessant sein. Sie finden außerdem, ich hätte mich zu meinem Vorteil entwickelt, seit Christoph ausgezogen ist. Ich würde mich mehr trauen. Das hat Kati zu mir gesagt, just an dem Tag, an dem ich meinen neuen tiefdunkellila Nagellack ausprobiert habe. Ob das schon ein Zeichen von Sich-was-Trauen ist? Egal. Es war auf jeden Fall schön, mal eine Art Lob zu bekommen.

Heute Abend wird bei den beiden gegrillt. Grillen ist

im Sommer in der Reihenhaussiedlung fast schon Pflichtprogramm. Da wird der Kugelgrill oder der Gasgrill (je nach Ideologie des männlichen Hausbewohners!) im Gärtchen aufgebaut, und der Würstchenduft zieht über die kleinen Buchsbäumchen.

Beim Thema Grillen fällt mir sofort mein Crocs-Fußpfleger ein. Der hatte irgendwie was. Irgendwas Sexy-Animalisches. Na ja, aber eben nur irgendwas, und das auch nur ein bisschen. Wenn ich an ihn denke, sehe ich vor meinem geistigen Auge sofort Bilder, wie er mit der Hornhautraspel in der Hand raue Fersen bearbeitet. Nicht sehr verlockend.

Ich mache mir gedanklich eine Liste von dem, was ich heute alles erledigen muss. Heute Vormittag muss ich in die Agentur. Dann einkaufen, Salat für heute Abend machen, Gespräch mit Mark und Christoph führen und natürlich Koffer packen. Ach ja, und noch ein paar klare Worte mit meiner Tochter sprechen. Manchmal lähmt mich allein schon der Gedanke an das, was alles auf meiner To-do-Liste steht.

Kurz bevor ich das Haus in Richtung Büro verlasse, ruft meine Mutter an. Mist, die hätte eigentlich auch auf meine To-do-Liste gehört.

»Wenn du dich schon nicht meldest, Andrea, dann rufe eben ich an. Wie geht es dir?«, fragt sie mit einer Stimme, die klingt, als hätte ich eine schwere unheilbare Krankheit.

»Gut, ich hätte heute auch angerufen«, antworte ich und beschließe, mich, egal was sie sagt, nicht aufzuregen.

»Ich muss ins Büro. Gibt's was Wichtiges, oder können wir später telefonieren?«, frage ich schnell.

»Ich habe gehört, Christoph ist mit diesem jungen Ding in Paris! Weißt du davon? Was gedenkst du denn in der Sache zu tun?«

»Ich weiß Bescheid, Mama«, antworte ich, »und ich kann da wohl nichts tun. Soll ich sie aus Frankreich ausweisen lassen? Mit der UN-Eingreiftruppe abholen lassen?«

»Ironie ist hier völlig fehl am Platze, Andrea. So langsam musst du dir wirklich Sorgen machen. Das nimmt Formen an, die nicht mehr zu korrigieren sind. Wenn du jetzt nicht alles gibst, ist er definitiv verloren!« Sie seufzt.

Ich rege mich nicht auf, ich rege mich nicht auf, ich rege mich nicht auf. Doch ich rege mich auf! »Mama, was soll ich deiner Meinung nach tun? Sie umbringen, ihn entführen? Ihn an mich ketten? Er hat das entschieden, ich habe den beiden kein Ticket gekauft!«

Auf diese Argumente geht meine Mutter überhaupt nicht ein: »Andrea, im übertragenen Sinn hast du ihnen durchaus die Tickets gekauft. Und das Nächste ist dann die Scheidung. Er wird mit dieser Frau Kinder haben. Die ist jung, die will bestimmt welche, und du weißt, wie schnell so was passiert. Zack, ist die schwanger und du kannst sehen, wie du dich durchschlägst – auch finanziell. Noch hast du die Chance, die Sache hinzubiegen, aber so langsam wird es eng. Deine Schwester macht sich auch Sorgen.«

»Und mein Arbeitgeber auch, wenn ich nicht bald auftauche!«, beende ich diese unerquickliche Diskussion, die ja eigentlich keine ist. Es ist, wie meist, nur eine Anhäufung von Vorwürfen.

»Wenn du am Sonntag zum Kaffee kommst, können wir in Ruhe drüber reden und eine Strategie entwickeln. Deine Geschwister kommen auch!«, lädt mich meine Mutter ein.

Ein überaus verlockender Gedanke! Uah!

»Ich bin am Wochenende nicht da. Ich fahr mit Sabine zum Wellness-Wochenende! Ihr müsst also alleine Strategien entwickeln – das könnt ihr ja eh besser ohne mich!« Ich bin ich nun doch ein wenig beleidigt.

»Tja, ob das in deiner Situation die richtige Maßnahme ist, ins Wellness-Wochenende zu fahren, wage ich zu bezweifeln. Davon kommt er bestimmt nicht wieder! Aber tu, was du nicht lassen kannst, du bist ja alt genug«, ist sie nun auch beleidigt.

Das können wir zwei wirklich gut, uns gegenseitig verärgern. Es gibt kaum jemanden, der mich so auf die Palme bringen kann wie meine Mutter. Ich liebe sie, aber ich kann sie nur in kleinen, homöopathischen Dosen ertragen.

»Sie meint es doch nur gut!«, hat Christoph früher immer Partei für meine Mutter ergriffen. Meint sie es tatsächlich nur gut, oder will sie einfach nur, dass die Welt und ihr Umfeld so funktionieren, wie es ihr gut passt? Denkt sie wirklich darüber nach, was für mich, ihre Tochter, gut wäre, oder geht es nicht doch eher um das, was ihr gut gefallen würde? Bin ich genauso, wenn es um meine Kinder geht? Will ich für sie nicht auch das, was ich für richtig halte? Gerade bei Claudia. Ich will, dass sie zielstrebig ist, dass sie ein tolles Studium absolviert und nicht, dass sie ihrem Gustav Johannes auf Biegen und Brechen zu gefallen versucht. Ich will, dass sie stark, selbständig und unabhängig wird. Sie hingegen will momentan nur eins: rund um die Uhr mit ihrem Liebsten zusammen sein. Ist das so sträflich? Sollte ich mich nicht für sie freuen? Trifft das, was ich meiner Mutter vorwerfe, nicht eins zu eins auch für mich zu? Stört es mich so dermaßen an ihr, weil ich ganz genauso bin? Will auch ich, dass mein persönliches Umfeld so lebt, wie es meiner Vorstellung entspricht? Fehlt es mir, genau wie meiner Mutter, an Toleranz? Na ja, immerhin stelle ich mir diese Fragen – ich kann mir kaum vorstellen, dass meine Mutter das tut.

Im Büro kann ich meine Klappe mal wieder nicht halten. Ich erzähle – mit vor Stolz leicht geschwellter Brust – ganz beiläufig von meiner Einladung nach Venedig. (Es wird schon nicht Warschau sein!) Dabei versuche ich, mir meine Ekstase nicht anmerken zu lassen, und tue fast so, als würde ich ständig zu romantischen Wochenenden eingeladen. Silke und Gesa sind platt.

»Echt, du fährst mit Rakete nach Venedig? Also, das ist ja unglaublich! Der muss ja wirklich voll auf dich abfahren. Was hast du denn mit dem gemacht?«; will Silke wissen.

Gerade so, als hätte ich eine ganz besondere Kusstechnik oder irgendeinen Trick, der Männer zum Erliegen bringt. Schön wär's. Allein die Blicke von Gesa und Silke sind einiges wert.

Es ist albern, aber durch die Einladung von Rakete habe ich bei meinen Kolleginnen enorm an Achtung gewonnen. Das Interesse eines Mannes kann den eigenen Marktwert, wie ich hier merke, ganz offensichtlich steigern – das ist ärgerlich, fühlt sich aber trotzdem irgendwie gut an. Ich lasse, auch versuchsweise beiläufig, noch einfließen, dass wir Business Class fliegen und in einem irre schicken Hotel übernachten werden. Ja, das ist plumpe und platte Angeberei. Das ist eigentlich richtig würdelos, und davon abgesehen, habe ich keine Ahnung, ob wir in einem schicken Hotel wohnen werden. Das ist also nicht nur Angeberei, sondern womöglich auch noch gelogen. Macht nichts, denke ich, er wird schon nicht im letzten Schuppen mit mir absteigen, und die beiden sind ja auch nicht dabei, um meine Aussage zu überprüfen.

»Ich mühe mich bei Parship ab, stehe abends in Clubs rum, und du gehst einmal aus und schnappst dir gleich auch noch einen von den echt angesagten Typen. Du musst mir verraten, wie du das machst!«, bettelt Gesa, und man kann förmlich sehen, was ihr durch den Kopf geht: Wie kann das nur sein? Die ist älter und ja auch nicht so hübsch!

»Also, das hätte ich nicht für möglich gehalten! Du musst uns haarklein Bericht erstatten. Schlaft ihr im Doppelzimmer?«, wird sie von Silke unterbrochen.

»Das sehen wir noch«, kichere ich und bin selbst unsicher. Bisher war ich davon ausgegangen. Natürlich hätte es noch mehr Charme, wenn er zwei Zimmer gebucht hätte. Das würde dem Ausflug eine andere Note geben. Aber, mal ehrlich, warum sollte er mich dann mitnehmen? Ich bin keine ausgewiesene Italien- oder Venedigexpertin, und dass er mich als Gesprächspartnerin so amüsant findet, dass er mich direkt auf einen Wochenendtrip einlädt, wage ich zu bezweifeln. Sehr viel gesprochen haben wir, jedenfalls in meiner Erinnerung, nicht. Es kann eigentlich nur um Sex gehen. Natürlich will man lieber als großes Ganzes begehrt werden – Geist, Körper und Charakter – als Gesamtpaket eben, aber was nicht ist, kann ja noch werden. Wenn er mich erst kennenlernt, wird er schon merken, was ich für eine tolle Frau bin.

Die Frage ist nur: Bin ich tatsächlich eine tolle Frau? Gibt's da draußen nicht jede Menge bessere? Optisch mit Sicherheit. Ich bin als Schulnote eine Drei. Die würde ich mir jedenfalls selbst geben. Drei heißt: Befriedigend. Also schon ganz hübsch, aber nicht umwerfend. Ich gehöre nicht zu den Frauen, nach denen man sich auf der Straße mit halboffenem Mund umdreht. Ich bin guter bis gehobener Durchschnitt. Meine Figur ist in Ordnung, aber es ist eben die Figur einer Frau, die zwei Kinder und andere Hobbys hat als Pilates, Marathon, Yoga und Fitnessstudio. Mit etwas mehr Aufwand könnte mein Körper sicher ein wenig straffer und knackiger sein. Nur würde der Aufwand im Verhältnis zum Ergebnis stehen? Ich denke eher nicht. Allein schon der Gedanke an ein Mehr an Aufwand macht mich sehr müde.

Meine Oberschenkel sind etwas zu kräftig, mein Hintern auch. Aus meinem Hintern könnte man zwei kleine niedliche Popos machen. Obenrum ist alles ganz in Ordnung. Meine Brüste mag ich. Auch wenn sie nicht mehr ganz an Ort und Stelle sind. Meine Haare sind zu dünn, mein Kinn ist ein wenig zu spitz, der Rest geht. Mein IQ entspricht auch in etwa einer Drei. Ich habe bisher keine Anzeichen von Hochbegabung bei mir entdecken können, bin aber dennoch keine strunzdumme Tussi. Das ist alles so weit in Ordnung. Toll ist aber sicherlich anders.

»Du musst dich selbst lieben, damit andere dich lieben können!«, sagt meine Freundin Heike gerne.

Liebe ich mich selbst? Ist das nicht ein wenig narzisstisch? Eine doch sehr spirituelle Weisheit? Ich finde mich okay. Ja, ich bin zufrieden. Es hätte schlimmer kommen können. Aber wenn ich mich selbst, quasi von außen, betrachte, sehe ich durchaus Defizite. Zur Begeisterung für mich selbst neige ich nicht. Ich halte einen gewissen Realismus in der Hinsicht auch für besser.

Heike, mit der ich zwischendurch schnell mal telefoniere, hält meinen kleinen Wochenendtrip übrigens für keine besonders gute Idee.

»Du kennst doch die Männer, Andrea! Wieso die Kuh kaufen, wenn man die Milch umsonst haben kann!«

An dem Spruch ist sicherlich was dran – einerseits. Aber andererseits … Ich habe mal gelesen: »Wozu das Schwein heimbringen, wenn man nur ein bisschen von der Wurst will!« Genau das ist es eigentlich, und das antworte ich Heike auch.

»So kenn ich dich gar nicht!«, tut sie entsetzt, muss dann aber doch lachen. »Wenn das so ist, dann viel Spaß in Venedig, Warschau oder wo auch immer. Die Stadt spielt ja bei deinem Vorhaben keine große Rolle.«

Silke und Gesa sind den gesamten Vormittag im Büro komplett aufgeregt, gerade so, als würden sie ins heiße Wochenende starten. Bei all der Fragerei gebe ich mich zurückhaltend und auch ein bisschen geheimnisvoll.

»Halt uns auf jeden Fall auf dem Laufenden!«, verabschieden die beiden sich und wünschen mir kichernd ganz viel Spaß.

Totgearbeitet haben wir uns heute jedenfalls nicht.

Als ich nach Hause komme, hat Rudi schon gekocht. Er kümmert sich wirklich häufig ums Essen, seitdem er den Kochkurs besucht hat.

»Ach, Andrea, des is mer alles immer noch so irre peinlisch!«, stöhnt er, als er mich sieht.

»Ich habe es schon fast vergessen, Rudi. Erinner mich einfach nicht mehr dran!«, antworte ich und muss sofort an den rosa Puschel auf Irenes Po denken.

Rudi hat Risotto gemacht. Mit grünem Spargel und Champignons. Es sollten sehr viel mehr Männer in Kochkurse gehen. Man sollte Kochkurse zum Männerpflichtprogramm machen.

Während Rudi sein Risotto umrührt, »Mer muss viel rührn. Des is des Geheimnis von em gute Risotto!«, erzählt er mir Neues aus seinem Liebesleben: »Mit der Irene un mir is es grad schwierisch. Irschendwie strengt die misch mehr an, als se mir guttut. Isch will kaan Stress, und ma ehrlisch, ach wenn de net dran erinnert wern willst, des mit dene Handschelle un so, des war net mei Idee. Isch hab's gern ganz normal. Isch brauch da kei Artistik un so was.«

»Aber du magst die Irene doch«, versuche ich die Handschellen aus seinem Kopf zu bekommen.

»Ja, isch mag se ganz gern, abä isch hab's aach gern geruhsam und will net als so en Heckmeck. Un mer macht des irschendwie Stress, wenn aane dauernd was will!«, erklärt er mir seine Gefühlslage.

Das klingt nicht gut und hört sich nach Typisch-Mann an. Spaß – ja, es nett haben – ja, aber anstrengend soll es bitte nicht sein. Sobald Frauen Ansprüche stellen, wird es den meisten Männern zu viel. Da ist selbst mein Rudi keine Ausnahme. Schade.

»Aber es ist nun mal so in einer Beziehung – jeder hat seine Wünsche und Bedürfnisse«, gebe ich therapeutischen Rat.

»Beziehung! Ei, isch hab nie gesagt, dess isch ne Beziehung will. Mer mache Sache zusamme, abä mer sin ja net verheiratet. Des war isch schon ma, un des werde isch sicher net wiedä tun. Isch hätt des all gern eher so unverbindlischer«, ist seine prompte Antwort.

Unverbindlich, aber gerne mit Sex. Schon wieder typisch Mann. Ich glaube nicht, dass seine Irene sich damit zufriedengibt.

»Und was hält Irene von deinen Unverbindlichkeitsabsichten?«, frage ich nach.

»So direkt hab isch ihr des noch net gesacht! Mehr so angedeutet«, gibt er zu. Also ist er auch noch feige.

»Du musst schon ehrlich mit ihr sein. Das hat sie nicht verdient!«, ermahne ich ihn.

»Des hat sich irschendwie noch net ergeben«, wehrt er meine Vorwürfe ab.

»Du bist doch kein Feigling. Oder hast du etwa keine Eier in der Hose?«, werde ich jetzt deutlicher.

»Du hast ja rescht«, lenkt er ein. »Isch werd's demnächst emal anspreche. Sie will aach, dess isch bei ihr einzieh, un werklisch, Andrea, des will isch uff kaanen Fall. Isch bin gern hier bei euch, des wird mer sonst aanfach zu eng. Lebe will isch liebä hier mit euch.«

Rudi – ausziehen? Ich schaue auf das appetitliche Risotto und denke: Nein. Nein, den gebe ich nicht her. Wir sind ein gutes Team, Rudi und ich.

»Ausziehen würde auch ein bisschen weit gehen«, wechsle ich jetzt, aus purem Eigennutz die Seite. Tut mir leid, Irene, denke ich, aber bei aller weiblichen Solidarität, das Risotto wird weiterhin hier auf meinem Tisch stehen.

»Ich lasse dich auf keinen Fall ausziehen! So weit muss es ja nicht gehen. Man kann ja auch eine Beziehung haben und trotzdem getrennt wohnen!«, unterstütze ich meinen Schwiegervater.

»Mer wern es sehen!«, knurrt er und erklärt das Risotto für fertig.

Kaum steht es auf dem Tisch, sind auch schon die Kinder da. Fast als hätten sie vor der Tür gelauert und nur darauf gewartet, dass es Essen gibt.

Claudia ist mal wieder schlecht gelaunt.

»Was ist denn los, mein Schatz?«, bemühe ich mich, obwohl es an sich keinen Grund für ausufernde Freundlichkeit gibt. Aber der Gedanke an meinen wahnwitzigen Ausflug und die Erinnerung an die Gesichter von Gesa und Silke heute Morgen machen mir unverhältnismäßig gute Laune.

»Bin genervt«, antwortet sie und schlingt das Risotto in sich rein.

»Wovon denn?«, versuche ich, so etwas wie eine Konversation entstehen zu lassen. »Von der Schule?«

»Das eh«, antwortet sie, »aber auch von Gustav Johannes.«

Oh, das sind ja ganz neue Töne. Ich bin kurz davor, mich zu freuen, darf mir das aber natürlich auf keinen

Fall anmerken lassen. Zeige ich jetzt Begeisterung, wird sie ihn sofort verteidigen. Also muss ich es genau umgekehrt machen.

»Na, so schlimm kann es doch nicht sein«, heuchle ich. »Ihr versteht euch doch sonst so gut!«

»Der geht zum Studium nach England«, schimpft meine Tochter, »und der hat das mit seinen Eltern geplant und angeleiert, ohne mit mir zu reden. Was denkt der? Dass ich mitgehe, oder was?«

Genau das ist es, was der denkt, denke ich. Oder er denkt, dass er einfach macht, was er will, und entweder sie kommt mit, oder sie lässt es bleiben. Aber all das sage ich selbstverständlich nicht.

Rudi antwortet für mich: »Des is egoistisch von dem Bub. Des macht mer net!«

Zum Thema Egoismus sollte er sich nach unserem kurzen Gespräch vorhin eigentlich eher bedeckt halten – aber bitte. Das eigene Verhalten zu beurteilen ist ja immer noch mal eine andere Sache. Mit sich selbst ist man dann doch häufig etwas nachsichtiger als mit anderen.

»Danke, Opa«, murmelt Claudia und Mark grinst.

»Ja glaubst du vielleicht, der will ausgerechnet dich direkt nach der Schule heiraten, oder was? So bescheuert kann ja keiner sein«, gibt Mark dann auch noch einen Kommentar ab. Einmal Öl ins Feuer bitte!

»Du bist einfach nur sackblöd und hast keine Ahnung! Du wirst nie eine finden«, kontert seine Schwester. Geschwisterliebe ist etwas sehr Spezielles.

»Na ja, ich meine, er hätte darüber schon mal mit dir sprechen müssen. Nett ist das nicht!«, unterstütze ich meine Tochter.

»Der wird sich umgucken!«, schimpft sie los. »Soll er doch nach England und mit den blassen, fetten Engländerinnen abhängen.« Claudia ist richtig sauer.

»Na, vielleicht steht das alles noch gar nicht fest, und er überlegt sich das noch mal«, ändere ich meine Taktik.

»Die Uni ist ausgesucht, und er ist angemeldet – so ein scheißteurer Laden natürlich, ist ja klar, passt ja. Da ist nichts mehr mit Überlegen.« Ganz neue kritische Töne. Wie wunderbar!

»Tja«, ergreife ich noch mal sehr berechnend Partei für die Adelssippe, »natürlich wollen die von Hessges das Beste für ihren Sohn!«

»So, das ist also das Beste: Hauptsache weit weg von mir, oder was?«, schnaubt meine Tochter.

»So meine ich das natürlich nicht. Aber die wollen halt eine Top-Ausbildung für ihren Sohn, wie alle Eltern, und sie können sich das auch noch leisten!«, bohre ich noch ein bisschen in der offenen Wunde.

»Dem werde ich es zeigen. Was der kann, kann ich schon lange!«, wütet meine Tochter.

Heißt das etwa, auch sie möchte in England studieren? Ich spüre sofort, wie meine extreme Verarmungsphobie meinen Puls beschleunigt. Englische Internate kosten ungefähr 25 000 Euro pro Semester. Netto! Davon leben andere Familien ein ganzes Jahr lang. Und ein Studium an einer Privatuni wird kaum billiger sein. Dazu noch die Mietkosten, Taschengeld und Flüge – eine Horrorvorstellung.

»Du willst doch nicht etwa auch nach England?«, frage ich vorsichtig bei meiner Tochter nach.

»Ha, ich renn dem doch nicht hinterher. Auf keinen Fall! Da ist doch eh noch beschisseneres Wetter als hier. Der kann mich mal!«, wettert sie weiter. Wie schnell sich die Lage ändern kann – eben noch Mister und Miss Unzertrennlich, und jetzt das.

»Wenn der nicht angekrochen kommt, war's das. Ich sitz doch nicht hier rum, schimmle vor mich hin und warte, bis der ne englische Adelstusse anschleppt!«

Endlich erkenne ich meine Tochter wieder. Wie schnell man so eine Perlenkettenattitüde ablegen kann, ist erstaunlich. Trotzdem gefällt mir meine Tochter so besser. Irgendwie ist es altersadäquater. Besser ein bisschen motzig und zornig, als so mega-angepasst und spießig. Ich will, dass sie ihr Leben in die Hand nimmt und nicht einem anderen Leben, dem von Johannes Gustav von Hessges, hinterhertrottet.

Claudias Handy fiept. WhatsApp meldet sich. WhatsApp gehört zum Jugend-Handy-Standard-Equipment. Eine App fürs Handy, mit der man SMS und Fotos verschicken kann – per Internet. Und dabei kann man sehen, ob der andere online ist und ob die Nachricht angekommen ist. Dann erscheinen vor der versendeten Nachricht zwei kleine Häkchen. Das klingt sehr, sehr praktisch und ist es auch, führt aber schnell zu einer gewissen Manie. Man sieht, da ist jemand online, und man fragt sich sofort, warum einem der Trottel dann nicht eben mal eine Nachricht schickt. Außerdem kann ja auch der Gegenpart sehen, dass man online ist, und im Zweifelsfall fragt der sich, was man da eigentlich stundenlang guckt und beobachtet.

»Und?«, frage ich neugierig.

Die eben noch so gesprächige Claudia nuschelt: »Ist für mich!«, und unser Gespräch ist beendet. Na klar ist es für sie, sonst wäre die Nachricht wohl kaum auf ihrem Handy gelandet. Idiotische Antwort. Aber ich weiß, wann nachfragen sich nicht mehr lohnt, und halte den Mund.

»Herzscher, des klärt sich alles, der wird sich schon noch besinne!«, mischt sich nun der Beziehungsexperte Rudi ein.

Claudia schüttelt nur leicht den Kopf. Mark hat in der Zwischenzeit zwei riesige Teller Risotto gemampft. Es scheint, er hat seine Übelkeit überwunden. Er sieht kein bisschen krank aus.

»Ich bin ja ab morgen weg«, wechsele ich jetzt das Thema, weil mir einfällt, dass Claudia es noch gar nicht weiß. »Ich fahre mit Sabine zum Wellness!«

Keine Reaktion. Es interessiert sie nicht die Bohne. Ich hätte auch »zum Walfang« oder »auf Südsee-expedition« sagen können. Völlig wurscht. Kein Wohin-fahrt-ihr-denn-Genau?, kein Wann-kommst-du-Wieder?, kein Was-macht-ihr-Da?, oder gar ein Viel-Spaß-Mama! Nichts. Jugendliche agieren oft grob unhöflich, selbst die eigenen Kinder. Sie haben in ihrer Welt genug um die Ohren und finden das, was Eltern machen, per se zumeist nicht wahnsinnig spannend. Das dürfe man nicht persönlich nehmen, liest man immer wieder in schlauen Büchern, aber ärgerlich ist es trotz allem.

»Und nächste Woche werden wir zum Mond fliegen, Sabine und ich!«, rede ich betont munter weiter. Und tatsächlich – meine Kinder leben noch, und ihr Gehör funktioniert.

»Hä?«, fragt mein Sohn. »Irre witzig«, sagt meine Tochter.

»Papa wird sich um euch kümmern, und Opa ist am Sonntag da«, kläre ich die Logistik.

»Okay!«, sagt Mark nur. Wahrscheinlich freuen sich meine Kinder sogar. Vater und Großvater lassen die beiden eher in Ruhe als ich. Sie drängen keine ungewollten Gespräche auf, jeder darf fröhlich vor sich hin wurschteln, so wie er eben mag.

»Ach ja, Mark, um fünf kommt Papa zum Gespräch. Ich erwarte, dass du dann da bist!«

»Und vorher nix rauchen!«, bemerkt meine Tochter noch.

»Lass das, Claudia. Das ist doch Quatsch!«, ermahne ich sie.

Sie lacht nur trocken, und ihr Bruder langt über den Tisch, um seiner Schwester eine zu verpassen. Leider erwischt er, weil sie sich rechtzeitig zur Seite wegduckt, nicht sie, sondern ihren Teller, der mit den Risottoresten auf den Boden knallt. Prima, ein herrlicher Ausklang.

»Das machst du weg!«, zische ich meinen Sohn an. »Und du hör auf, deinen Bruder zu provozieren«, herrsche ich gleich auch noch meine Tochter an. »Hilf ihm lieber!«, schiebe ich noch hinterher. Ich stehe auf und bin zornig. Was ist jetzt nur wieder schiefgelaufen? Der Anfang des Mittagessens war doch vielversprechend. Eine falsche Frage und sofort ist Schluss mit lustig, Schluss mit vertraut und gemeinsam.

Rudi greift ein: »Ich mach des mit den Kinnern. Geh du ruhisch. Du hast sicher zu tun«, bringt er mich aus der Schusslinie.

Rudi ist ein Familienstabilisator. Er wirft sich oft zwischen die Fronten und versucht, Verständnis für beide Seiten aufzubringen. Rudis Anwesenheit tut uns allen gut. Er hat etwas grundlegend Versöhnliches, und mit seiner liebevollen Art ist er unser Familienbaldrian geworden. Schon deshalb werde ich ihn nicht an Irene abgeben.

Bevor Christoph zum Kiff-Gespräch kommt, habe ich noch genug Zeit, um zu packen und mich meinem Körper zu widmen. Erst packen, dann Pflege, entscheide ich.

Großer Koffer oder Trolley? Das ist die erste Frage, die sich aber schnell klärt, denn der Trolley ist nicht da. Wahrscheinlich gerade in Paris. Wie dreist! Also schicke ich Christoph direkt eine SMS, dass ich den Trolley brauche. *Bring den Trolley heute Nachmittag mit!*, schreibe ich nur. Zu viel Nettigkeit hat der nicht verdient. Schon nach zehn Minuten bekomme ich eine Antwort: *Der Trolley gehört mir!* Wir haben das Reiseset damals gemeinsam gekauft: Koffer, Trolley und Reisetasche – alles passend. Jetzt fängt der also so an. Ich könnte ausrasten. Dann nehme ich eben den Koffer. Auch gut.

Aber das mit dem Der-gehört-mir werde ich mir merken. Jetzt geht es schon um solche Dinge. Geld war bisher nie ein großes Thema zwischen uns. Das scheint sich gerade zu ändern. Wie du mir, so ich dir! Und schon hacke ich die nächste SMS in die Tasten: *Im Keller stehen mindestens noch sechs Kartons mit Dingen, die auch Dir gehören, die kannst Du heute mitnehmen! Kannst ja Deinen Trolley für den Transport benutzen!* Sofort fühle ich mich besser. Die Zeiten, in denen ich mir alles hab bieten lassen, sind vorbei. Bei ihm anscheinend auch, denn es kommt prompt die Antwort-SMS: *Sag mal, geht's noch, was ist denn mit Dir los? Das ist mein Haus, und da lasse ich stehen, was immer ich will!*

Sein Haus!!! Wie gnädig, dass ich mit seinen Kindern in seinem Haus wohnen darf! Bisher dachte ich, es wäre unser Haus. Immerhin trage ich ja auch zum Familieneinkommen bei. Und außerdem – wer hat ihm denn seine Karriere ermöglicht? Seine Karriere und dazu Kinder? Wer hat hier den ganzen Scheiß gemacht? Gewaschen, gekocht, die Kinder aufgezogen? Und jetzt heißt es: mein Haus! Mein Impuls ist es, aufzustehen, ein Täschchen zu packen (irgendeins wird er ja dagelassen haben) und einfach zu gehen. Soll er doch in sein Haus ziehen und seine Kinder großziehen! Ich beschließe, nicht zu antworten. Der soll hier nur heute aufkreuzen! Der wird sich umgucken, der Mister Mein-Haus! Der kann sich seinen Trolley sonst wohin stecken! Wenn ich eins kann, dann richtig beleidigt sein! Das sollte er eigentlich wissen, der Idiot! Und wenn er es vergessen hat, wird er sich erinnern, spätestens heute Nachmittag. Ich fühle mich direkt besser.

Wenn der wüsste, was ich morgen mache! Was wäre dann? Wäre er sauer? Eifersüchtig oder vielleicht sogar eher ein bisschen froh, dass die abgelegte Gattin sich auch amüsiert und er dann mit seiner kleinen heißen, jungen Miezi kein schlechtes Gewissen haben muss?

Ich werde jetzt noch in die Stadt fahren und mir einen Trolley kaufen, einen schönen großen Trolley. Ich habe keine Lust für einen Kurztrip mit einem riesigen Koffer aufzulaufen. In drei Stunden kommt Christoph, aber zur Not wartet er eben ein bisschen auf mich. Ich habe in meinem Leben schon verdammt viel Zeit damit verbracht, auf ihn zu warten. Ich werde auf jeden Fall zu spät kommen, beschließe ich. Zwanzig Minuten oder so. Er kann sich ja solange mal mit seinem Vater beschäftigen. Um den kümmert er sich so gut wie überhaupt nicht. Wieso auch? Er hat ja mich, die alles regelt. Kinder, Haus, Garten und dazu noch den Vater. Da kann der Gnädigste sich ja ruhig mal so rauspicken, was ihm gerade in den Kram passt. Sein Haus! Ich kann mich kaum beruhigen. Sobald ich nur daran denke, brodelt es in mir: »Da lasse ich stehen, was immer ich will!« Ja, mich hat er stehen lassen in seinem Haus, zusammen mit seinem alten Krempel. Gut, in gewisser Weise bin ich auch genau das: alter, benutzter Krempel.

Wenn ich jetzt sowieso in die Stadt fahre, kann ich gleich auch noch schnell neue Unterwäsche kaufen und zum Waxing gehen. Rasieren ist ja immer so eine Sache. Mist, das hätte ich mal besser schon vor ein paar Tagen erledigt. Nicht dass ich untenrum pickelig bin. Dann lieber haarig.

»Ich fahre noch mal schnell in die Stadt, muss was erledigen«, sage ich Rudi schnell Bescheid.

»Isch bin hier, lass der Zeit«, antwortet er freundlich.

»Kommt Irene heute?«, will ich noch wissen.

»Ne, mer mache heut ma jeder seins. Klaane Auszeit! Isch geh jetzt mit em Hund. Des tut mer aach gut. Un mein Bub kommt ja nachher, da will isch gern hier sein«, informiert er mich. Sein Bub!

»Ich komme auch um die Zeit wieder – wir müssen ja mit Mark reden. Also bis nachher«, verabschiede ich mich von Rudi.

Einen Trolley zu kaufen ist wesentlich einfacher als schöne Unterwäsche. Genauer: Schöne Unterwäsche gibt es massenweise, aber schöne Unterwäsche, die auch an meinem Körper schön aussieht, zu finden ist schwer. Ich stehe in der Umkleide eines großen Kaufhauses, und eine Fachkraft aus der Wäscheabteilung kümmert sich um mich. Sie hat, beim ersten Blick auf meine Brüste, entschieden, dass ein Push-up nicht schaden kann.

»Ich würde sagen B- bis C-Körbchen und fünfundachtzig Umfang«, schätzt sie.

»Ich hatte bisher achtzig«, wehre ich mich, »achtzig B!«

»Die meisten Frauen tragen viel zu knappe Wäsche!«, bleibt sie streng. »Sie auch! Das sehe ich durch Ihr T-Shirt. Die Träger schneiden ein und vorne quillt es.« Wirklich charmant.

»Für welchen Anlass soll es denn sein? Sport, Alltag oder für besondere Momente?«, will sie dann wissen und zwinkert mir zu.

»Also, am ehesten vielleicht besonderer Moment«, antworte ich. »Gut«, stellt sie ungerührt fest, »untenrum würde ich sagen zweiundvierzig. Ich hol dann mal was! Farblich irgendeine Vorstellung?«

Ich will sie wieder korrigieren und ihr sagen, dass ich vierzig trage, lasse es dann aber. Wenn mir der Slip gleich runterrutscht, wird sie schon überzeugt sein.

»Also, schwarz oder creme oder so«, sage ich in Bezug auf die Farbfrage.

»Schwarz oder creme oder so, aha. Das lässt mir ja reichlich Spielraum. Sexy, nehme ich mal an?« Ich nicke.

Nach wenigen Minuten hängt sie mir eine Auswahl in die Umkleidekabine. Zweimal rot (ist das schwarz oder creme, oder bin ich jetzt farbenblind?) Zweimal lila, grasgrün und schwarz.

»Creme ist nichts für besondere Momente, da muss man in unserem Alter schon ein bisschen mehr Gas geben!«, lacht sie. »Creme ist elegant, aber seit wann ist Eleganz im Schlafzimmer gefragt?«

In unserem Alter! Die ist mindestens fünfzig. Mindestens. Und ich bin definitiv unter fünfzig. Das sind Welten. Aber ich ignoriere den Hinweis und probiere das grasgrüne Ensemble, das mir von der Form her gefällt. Eine ordentliche Unterhose, die den Namen auch verdient und ein schöner BH mit einem Hauch Push-up. Die Hose ist eng. Sie schneidet mir in den Bauch, und das im Stehen. Wenn ich in der Hose sitze, wird der Abdruck wahrscheinlich noch wochenlang zu sehen sein.

»Darf ich mal?«, fragt da die forsche Verkäuferin, und ehe ich antworten kann, hat sie den Vorhang schon zur Seite geschoben. Mit einem knappen »Entschuldigung« greift sie mir an die Brüste und schiebt sie eine Etage höher.

»Sieht doch gleich ganz anders aus«, freut sie sich und erteilt mir Anweisungen: »Beim Anlegen des BHs müssen sie sich vornüberbeugen und sich erst dann, wenn Sie den BH zuhaben, aufrichten. Kleiner Trick.«

»Die Hose ist zu eng!«, stellt sie noch fest. »Ich hol mal die vierundvierzig!« Mit diesen Worten zieht sie den Vorhang wieder zu.

Ein Slip in 44. Das ist unmöglich. Das muss eine italienische Firma sein. Ich hatte noch nie 44. Ich ziehe den grasgrünen Zwergschlüpfer aus und gucke nach der Firma. Deutsch. Tatsächlich, es ist eine 42er Hose. Das muss ein Irrtum sein. Eine Fehlauszeichnung. Der grüne BH sieht ein bisschen nach Kermit aus, nach Kermit auf Mozzarella-Haut, aber er macht ein Mordsdekolleté. Immerhin. Ich könnte ja noch mit Selbstbräuner arbeiten.

»Hier ist die Hose in vierundvierzig. Die müsste reichen.«

Die Lautstärke, mit der sie das gesagt hat, dürfte ausreichen. Ausreichen, um die gesamte Etage über meine Ausmaße zu informieren.

»Finden Sie nicht, ich sehe in dem Grün ein wenig wie Kermit aus?«, frage ich bei der Verkäuferin nach.

»Nein! Kermit würde auch wohl kaum grüne Wäsche tragen. Das wäre ja so, als würden Sie hautfarbene anziehen«, lautet ihre bizarre Logik.

Tatsächlich passt die 44er Hose. Unangezogen schien sie wirklich sehr groß zu sein, über meinen Po gezogen ist es mit diesem Anschein vorbei.

»Die schneiden klein, sehr klein!«, versucht die Verkäuferin mich zu trösten. Es klappt. »Bei der Firma tragen auch Frauen mit einer Sechsunddreißig oft mal eine Achtunddreißig!«, legt sie noch einen drauf.

Das ist allerdings ein völlig anderes Problem. 36 oder 38 – das ist Pillepalle, also wirklich gar kein Problem. 42 oder 44 – hier liegt die Demarkationslinie zwischen Durchschnitt und Mops. Ich brauche eine Mopsgröße. Ich könnte natürlich einfach das Schild rausschneiden. Ich werde das Schild rausschneiden! Denn auch die Unterhose sieht gut aus.

»Haben Sie die Kombi auch noch in einer etwas dezenteren Farbe?«, wage ich eine weitere Frage an die Unterwäschefachkraft.

»Nur in Pink und Neongelb! Und da sind die großen Hosen alle schon weg!«

Riesige Pos, so wie meiner, in Neongelb. Manche trauen sich was. Da kann man in Unterwäsche auf die Straße gehen und wird garantiert nicht überfahren. Ich bewundere den Mut, einen Mopspo so in Szene zu setzen. Aber im Zweifelsfall ist es die richtige Taktik – übersehen kann man ihn eh nicht, dann also betonen. Liebe, was du hast, und so weiter … blabla.

»Ziehen Sie mal die lilane an. Das Schleifchen auf dem Popo ist sehr niedlich«, fordert mich die Verkäuferin auf. Man muss es ihr lassen, sie kümmert sich. Diesmal passt die Hose. In 42. Schon deshalb würde ich sie am liebsten sofort kaufen. Obwohl ich meinen Po und meine Hüften als 40er in Erinnerung hatte. Mich selbst allerdings auch! Proportional zum Alter wächst alles, immerhin sind meine Ohren noch so, wie sie waren. Angeblich haben ältere Leute größere Ohren, vielleicht schrumpft aber auch nur der Kopf, und die Ohren sehen deshalb größer aus.

Das lila Ensemble ist hübsch. Ich hätte es niemals selbst ausgewählt, aber es sieht am Körper schön aus. Volle Brüste, trotzdem gut verpackt, und das Schleifchen hat was. Ich gucke auf die Uhr und erschrecke. In einer Stunde wird Herr Haus-und-Trolleybesitzer bei uns eintrudeln. Ich entscheide, sowohl Grün als auch Lila zu kaufen. Obwohl ich nicht in einer schicken Designerboutique geshoppt habe, sind die Preise furchterregend. 225 Euro zahle ich für das bisschen Stoff. Egal, ich werde gut aussehen, und das wiederum ist gut für meine Psyche. Ich kann jede Unterstützung brauchen, und die bietet gute Wäsche ja in jeder Hinsicht. Also, eine notwendige und sinnvolle Ausgabe. Immerhin kostet mich die Reise ja nichts. Ich habe somit, wenn man die Gesamtkalkulation betrachtet, immer noch immens gespart. Auf dem Weg in die Kofferabteilung komme ich an den Schuhen vorbei. High Heels – die hätte ich ja fast vergessen! Ich schaue mich schnell um, und sofort springen mir ein paar Lackpumps ins Auge. Unglaublich hoch, aber verdammt sexy – und sie passen. Die nehm ich! Dann kaufe ich auch noch schnell einen Trolley. Zu groß, um als Handgepäck durchzugehen, aber kleiner als mein Koffer. Noch mal 240 Euro weg. So langsam hätte ich den Flug wahrscheinlich selbst bezahlen können, aber da hätte ich ja dann trotzdem einen Trolley gebraucht, rede ich mir den Preis schön. Ich kann ja auch nicht am Business Class Schalter mit einem total billigen Rollköfferchen auftauchen, und so ein Trolley ist außerdem eine Anschaffung fürs Leben. Bei dieser Art von Anschaffungen sollte man also keinesfalls sparen. Wirklich ein sehr hochwertig aussehender Trolley, ein ganz anderes Kaliber als der von Christoph. »Hochwertisch« ist ein Begriff aus dem Repertoire meines Schwiegervaters.

Ich komme genau 20 Minuten zu spät nach Hause. Mit meinem Trolley in der Hand betrete ich das Haus. Sein Haus!

»Schön, dass du auch vorbeischaust, Andrea«, begrüßt mich mein Ex. »Ich hatte ein kleines, unvorhergesehenes Trolleyproblem und musste noch mal in die Stadt!«, knurre ich zurück.

»Prima«, sagt er nur und deutet auf unseren Trolley. »Habe ich dir mitgebracht. Na ja, vielleicht kannst du den anderen zurückbringen.« Oh, da hat er sich erbarmt und der armen Exfrau seinen Trolley zur Verfügung gestellt. Wie enorm großherzig! Ich denke nicht daran, meinen wunderbaren chicen Rollkoffer zurückzugeben, um dann jedes Mal, wenn ich einen brauche, auf Ihro Gnaden angewiesen zu sein.

»Ich bin nicht gern abhängig von deinen Launen«, antworte ich ruhig. »Nur raus mit der Kohle, wir haben es ja!«, meckert er. »Ich arbeite, falls du das vergessen hast, ich verdiene Geld!«, platzt es aus mir heraus.

»Wollt ihr noch mit mir reden? Oder lieber weiterstreiten! Dann gehe ich zu Frank!«, mischt sich jetzt Mark ein. Den hatte ich glatt vergessen.

»Geh du hoch. Wir rufen dich, wenn wir mit dir reden wollen. Du gehst heute weder zu Frank noch zu sonst wem!«, bekommt jetzt mein Sohn meine schlechte Laune ab.

Rudi macht sich bemerkbar: »Soll isch auch raufgehen?«, räuspert er sich scheu.

»Ja«, antwortet Christoph. »Nichts für ungut, Papa, aber ich muss hier noch was mit Andrea abklären.«

Da bin ich aber gespannt. Will er die Scheidung, ist seine Miezi schwanger, oder nimmt er mir meinen neuen Trolley weg? Was will der denn unbedingt unter vier Augen bereden?

Rudi und Mark verschwinden ins Obergeschoss – sichtlich erleichtert, dem Krisengebiet entkommen zu sein. Am liebsten würde ich auch hochgehen.

»Und was gibt's so Wichtiges zu klären? Sollten wir nicht lieber mit Mark reden?«, eröffne ich unser Gespräch.

»Ja, aber vorher muss ich dir was sagen.« Er räuspert sich, und ich ahne, dass es nichts mit dem Trolley zu tun hat. Ich kenne diesen Gesichtsausdruck.

»Sarah Marie und ich überlegen, zusammenzuziehen. Nicht heute oder morgen, aber demnächst. Ich will, dass du das weißt.«

Welch wunderbare Nachricht! Ich will, dass du das weißt! Wofür? Damit ich ihnen zum Einzug Brot und Salz vorbeibringe? Ihnen beim Umzug helfe?

Dieses Zusammenziehen ist mehr als nur ein Zusammenziehen. Es bedeutet: Das war es für uns. Aus, Schluss, vorbei. Von wegen vorübergehend getrennt. Hätte er nicht erst mal mit mir sprechen, unsere Beziehung klären müssen, bevor er einen so weitreichenden Entschluss fasst? Das ist der Todesstoß für jeden noch so geringen Hoffnungsschimmer. Sie ziehen zusammen. Das ist ein Schritt weiter als: Sie haben eine Beziehung. Das hat was Ernstes. Was Verbindliches. Und es ist genau das, wovor mich meine Mutter gewarnt hat: Erst wohnen sie zusammen, dann kommt die Scheidung, dann heiraten sie und bekommen Kinder, und ich bin die lästige Ex, die immer noch Geld kostet. Ich bin die Vergangenheit, und sie ist die Zukunft. Ich hätte nie gedacht, dass es so schnell gehen könnte.

Ich bin sprachlos. Was soll ich auch sagen: Ich freue mich für euch? Oder doch eher: Bist du wahnsinnig geworden? Soll ich mich jetzt vielleicht auch noch für die Information bedanken? Am liebsten würde ich schreien, ihn rausschmeißen, richtig ausrasten. Oder weinen.

Eigentlich ist es zum Weinen. Ich merke, wie meine Augen leicht wässerig werden. Aber ich bin alt genug, um zu wissen, dass das nichts bringt. Eher im Gegenteil.

Außerdem ist Mitleid nicht die Reaktion, die mir gefallen würde.

»Du musst wissen, was du tust!«, sage ich so ruhig wie eben möglich.

»Sie will es gerne«, ist seine Antwort. Jetzt macht er auch noch so, als wäre es die Entscheidung seiner Miezi und er hätte eigentlich nichts damit zu tun. Das ist typisch. Er war schon immer ein bisschen feige.

»Was soll ich dazu groß sagen, außer dass du dich schnell umorientiert hast?«, ergänze ich und kann einen bissigen Unterton nicht verbergen.

»Tja, du wolltest ja nicht mehr. Wenn ich dich erinnern darf, Andrea, war unsere Trennung deine Entscheidung. Und soll ich deswegen ewig alleine bleiben?«

Ha! Was man unter »ewig« versteht, darüber könnte man sich gerne mal austauschen. Aber das lasse ich jetzt lieber.

»Wo wir schon dabei sind, ich muss dir auch was sagen«, antworte ich, ohne auf sein Ewig einzugehen.

»Was willst du mir sagen?«, fragt er, und ich höre Bestürzung in seiner Stimme.

»Ich fahre morgen mit Sabine weg, zum Wellness. Es wäre gut, du könntest dich um die Kinder kümmern.«

Ich sage mit Absicht nicht: mal um die Kinder kümmern, oder: endlich mal um die Kinder kümmern. Obwohl es korrekt wäre. Er reißt sich nicht gerade ein Bein aus, wenn es ums Kümmern geht. Erst kommen er und seine Arbeit, dann sein Golf, seine Sarah Marie, und dann, wenn dann noch Zeit ist, kommen die Kinder. Ich bin in dieser Aufreihung überhaupt nicht mehr existent. Schon wieder merke ich, wie Wasser in meine Augen schießt. Nein, ich werde nicht weinen. Er wirkt erleichtert.

»Ach so, es geht nur darum. Na ja, ich hatte eigentlich was anderes vor, aber ich krieg das irgendwie hin, auch wenn du es mir wirklich früher hättest sagen können! Und mal ehrlich, Andrea, so klein sind sie ja auch nicht mehr, und mein Vater ist ja auch noch da!«

»Sie haben einen Vater, und sie sollten ihn auch ab und an mal sehen! Und dein Vater ist beschäftigt!«, bleibe ich streng. Nach seinem Wir-ziehen-zusammen-Outing habe ich gute Karten.

»Reg dich ab, ich werde das irgendwie regeln – wie immer!«, stöhnt er. Von wegen schlechtes Gewissen, jetzt werde ich auch noch angeraunzt. Der spinnt wohl! Wie schnell Traurigsein von Wütendsein verdrängt werden kann.

»Was ist denn jetzt mit unserem Sohn? Was war denn das für eine Panikmache?«, wechselt mein Ex elegant das Thema.

»Angeblich, so behauptet es jedenfalls seine Schwester, kifft er. Ich kann es mir, ehrlich gesagt, nicht vorstellen, aber wer weiß? Und mit Panikmache hat das gar nichts zu tun. Es geht um Drogen, Christoph. Und du als Anwalt und Vater solltest das vielleicht doch ein wenig ernster nehmen!«, informiere ich ihn. »Du bist der Vater!«, füge ich noch hinzu.

Er antwortet prompt und in seinem Anwaltstonfall: »Das ist mir bekannt, Andrea! Ich halte das allerdings alles für totalen Unsinn – aber bitte schön, dann reden wir eben mit ihm.«

Es ist mittlerweile kurz nach sechs, und um sieben

muss ich bei Kati und Siegmar zum Grillen sein. Mein Handy summt. Eine SMS vom Crocs-Fußpfleger. *Sie schulden mir einen Wein. Wann trinken wir den?*, lautet der Text. Ach du je, das hatte ich längst verdrängt. Wein mit dem Fußpfleger. Was schreibe ich bloß zurück? Kann die nächsten Tage nicht, fliege mit einem anderen Mister Unbekannt irgendwohin, um wahrscheinlich Sex zu haben? Bitte gedulden Sie sich und reihen sich in die Schlange der Anwärter ein? Ich fühle mich richtiggehend begehrt.

»Reden wir jetzt mit Mark, oder hast du was Besseres zu tun?«, reißt mich mein Ex aus meinen Gedanken. »Wer schreibt dir denn da?«, will er noch wissen.

»Ich wüsste nicht, dass dich das was angeht!«, motze ich ihn an. »Und ich bin auch keine vierzehn mehr und lasse mich von dir maßregeln. Ich schreibe, wann ich will und mit wem ich will. Du machst ja auch, was du willst!«

»Das ist doch kindisch, Andrea!«, sagt er nur und hat damit sogar recht.

Natürlich ist es kindisch, aber egal. Der Vergleich hinkt auch ein wenig: Er fährt nach Paris und ich lese eine SMS. Lächerlich. Mister Crocs muss warten. Um den kümmere ich mich später.

»Mark, kommst du bitte runter. Dein Vater und ich wollen mit dir reden!«, rufe ich in den ersten Stock und ignoriere den Kindisch-Kommentar. Mein Sohn kommt angeschlichen.

»Also«, startet Christoph offensiv ins Verhör, »kiffst du – ja oder nein?« Ein sehr direkter Einsteig.

»Ja, manchmal, also ab und zu, nicht oft, klar, wie alle!«, antwortet mein Sohn, und ich kippe vor Schreck fast von der Couch.

Mein Sohn nimmt Drogen! Wahrscheinlich seit unserer Trennung, was natürlich bedeutet, dass ich schuld bin, wir schuld sind. Mit unserem Verhalten haben wir ihn in die Drogensucht getrieben. Er macht noch nicht mal den Versuch, es zu leugnen.

»Wie oft heißt nicht oft?«, fragt Christoph scheinbar ungerührt.

»Manchmal halt, wenn was da ist. Das machen echt alle!«, argumentiert mein Sohn und wirkt nicht besonders schuldbewusst.

»Und wenn alle von der Brücke springen, springst du auch!«, rutscht mir ein alter Spruch meines Vaters raus.

Mark rollt mit den Augen, genau wie ich es damals getan habe, wenn mein Vater den Satz gebracht hat.

»Du kiffst dir dein bisschen Hirn weg!«, antwortet Christoph und bleibt erstaunlich ruhig.

»Und weiter?«, reagiert Mark ziemlich frech.

Jetzt langt es aber. Wenigstens kleinlaut könnte er sein oder reumütig. Aber nichts da.

»Wir gehen zur Drogenberatung, und du hörst sofort damit auf, wenn du noch kannst!«, bricht es aus mir heraus.

»Andrea, so funktioniert das nicht!«, fährt mir Christoph in die Parade.

»Das Nächste ist dann Kokain, dann Heroin, dann Obdachlosigkeit und Kriminalität, Beschaffungskriminalität. Ich lebe doch nicht hinterm Mond!«, schreie ich.

Wie kann der hier so gelassen bleiben? Es geht immerhin um das Leben unseres Sohnes! Da wird man sich ja wohl mal aufregen dürfen.

»Kokain, Heroin – ja geht's noch? Ich bin doch nicht doof!«, äußert sich mein Sohn und grinst.

Jetzt könnte ich ihm eine knallen. Was erdreistet sich der, auch noch breit zu grinsen?

»Das ist voll harmlos, alle kiffen. Kokain könnten wir doch gar nicht bezahlen!«, redet er weiter.

»So nicht, Mark!«, wird jetzt auch Christoph sauer. »Ganz so harmlos ist die Kifferei auch nicht.«

»Ja, und ihr seid bestimmt die Experten!«, kichert mein Sohn.

Hat der sich vor unserem Gespräch noch irgendwas reingepfiffen, oder wie kommt der dazu, so mit uns zu reden? Der benimmt sich, als ginge es um irgendeine Banalität.

»Jetzt ehrlich, chillt mal. Das ist total harmlos!«, nölt mein Sohn und wirkt genervt.

»Noch entscheiden wir hier, was harmlos ist und was nicht!«, ermahnt ihn Christoph.

»Echt, das ist heute anders als früher. Ihr habt geraucht und gesoffen, wir kiffen. Alle. Da ist ja die Frage, was gefährlicher ist!«, wehrt sich Mark.

»Ich habe mal eine geraucht und trinke ab und an kontrolliert ein wenig Alkohol. Das kann man wohl kaum geraucht und gesoffen nennen. Außerdem, Freundchen – wir sind im Gegensatz zu dir erwachsen und wissen, was wir tun!«

»Neulich nachts sah das bei dir aber nicht gerade kontrolliert aus, als du hier eingelaufen bist«, grinst mein Sohn schon wieder.

Hat der mich etwa gesehen? Nach meinem kleinen Clubausflug und dem Geknutsche mit Rakete? Ich kann mich nicht erinnern.

»Das steht hier nicht zur Debatte. Es geht um dich! Und hör gefälligst auf, so dämlich zu grinsen«, werde ich so langsam richtig sauer. Ich hatte mir das Gespräch anders vorgestellt.

»So geht das nicht, Mark«, erregt sich jetzt auch Christoph. »Jetzt werden andere Saiten aufgezogen. Du scheinst selbständig nicht zurechtzukommen, also brauchst du mehr Kontrolle und dazu weniger Geld. Dein Taschengeld ist ab sofort gestrichen.«

Andere Saiten aufziehen! Auch das könnte eins zu eins von meinem Vater stammen. Aber das Geldargument ist das erste, was meinen Sohn tatsächlich zu treffen scheint.

»Ja, und wovon soll ich dann weggehen oder so was?«, fragt er bestürzt.

»Du gehst nicht mehr weg«, sagt sein Vater nur knapp, »und ernährt wirst du ja hier. Ein Zimmer hast du auch. Da kannst du es dir jetzt gemütlich machen. Bis du mit dem Scheiß aufhörst.«

»Nur weil ihr Stress habt, krieg ich es jetzt ab. Das ist voll fies und ungerecht!«, schreit Mark und springt auf. »Ich geh hoch und mach es mir in meinem Zimmer gemütlich«, schiebt er noch verächtlich hinterher.

»Ich entscheide, wann das Gespräch beendet ist!«, versucht Christoph seine Autorität zu demonstrieren.

»Bestraf mich doch! Aber mehr könnt ihr ja nicht mehr machen, oder willst du mich noch schlagen?«, brüllt er von der Treppe.

»Und jetzt?«, frage ich nur.

»Jetzt bleibt er zu Hause und bekommt keinen einzigen Euro!«, entscheidet Christoph.

»Und wegen des Kiffens? Sollen wir uns da Rat bei einem Fachmann holen?«, hake ich noch mal nach.

»Andrea, er kifft. Das machen die meisten Jungs. Das ist keine große Sache, aber das darf man ihm natürlich nicht sagen. Bei der Drogenberatung lachen die uns aus.«

Das halte ich für völlig falsch. Kiffen kann der Einstieg in alles sein – ich lese Zeitung und bin ja keine komplett naive Mutti. Mir fällt mein Drogenprüfset ein. Mist. Die Ausgabe hätte ich mir schenken können. Er hat ja gestanden. Andererseits kann ich in ein paar Wochen überprüfen, ob er wirklich aufgehört hat zu kiffen.

»Meinst du, der lässt das jetzt?«, frage ich Christoph.

»Keine Ahnung. Aber hier hat er ja wenig Möglichkeiten, an das Zeug ranzukommen, und er wird ja wohl kaum was rauchen, wenn du im Haus bist.«

Das wiederum halte ich für naiv. Und was ist mit der Schule? Soll ich da etwa mitgehen? Rund-um-die-Uhr-Kontrolle ist schlicht nicht machbar.

»Willst du ihn hier anketten? Was ist mit der Schule und dem Sport?«, weise ich Christoph auf die kleinen Schwachstellen in seinem Plan hin.

»Der wird kaum in der Schule kiffen, das traut der sich nicht!«, antwortet der. Da wäre ich mir nicht mehr so sicher. Bis vor einer halben Stunde hätte ich überhaupt nicht für möglich gehalten, dass mein Sohn ein Kiffer ist.

»Du musst ihn dir nach der Schule genau anschauen! Und wenn er kein Geld hat, kann er auch nichts kaufen!«, sagt Christoph.

Wie soll ich den denn kontrollieren? Knallharte Leibesvisitation? Sollen wir Rudis Dackel zum Drogenspürhund ausbilden lassen? Oder muss mein Sohn täglich nach Schulschluss zum Urintest? Wie stellt Christoph sich das vor, und welche Rolle übernimmt er in seinem Plan?

»Tolle Idee! Und woran sehe ich, ob er gekifft hat? Und was machst du?«, antworte ich leicht genervt.

»Ich gehe arbeiten und finanziere das alles!«, hat er die Antwort sofort parat und guckt hochnäsig.

Entweder ich schlage ihn, oder ich schlage ihn und gehe, oder ich schlage ihn, brülle und gehe dann. Also gut! Ich schlage ihn in Gedanken und gehe, kann mir allerdings einen kleinen Kommentar nicht verkneifen.

»So nicht! So redest du nicht mit mir! Gespräch beendet!«, zische ich.

»Dein ewiges Beleidigtsein nervt, aber wir sind ja durch. Warten wir einfach mal ab!«, bemerkt er, von meinem Ausbruch ziemlich ungerührt, und erhebt sich.

»Dann mache ich das halt auch wieder allein. Wär ja sonst auch echt mal was Neues gewesen, wenn du was gemacht hättest!«, keife ich.

Nein, ich habe mich nicht wirklich unter Kontrolle. Der regt mich richtig auf. Was denkt der? Dass Mark nach seiner kleinen Ansprache einfach aufhört mit der Kifferei – weil Papa mal geschimpft hat?

Was haben wir da überhaupt gemacht? War das die richtige Art und Weise, mit dem Problem umzugehen? Hätten wir nicht nach dem Warum fragen müssen und erwähnen sollen, dass wir uns Sorgen machen? Dass wir unsicher sind, nicht wirklich Bescheid wissen und einfach nur Angst um ihn haben? Das, was wir da abgeliefert haben, war keine eins a Pädagogik. Im Gegenteil. Frontalgemeckere, sonst nichts. Genau die Art, bei der ich früher einfach abgeschaltet habe. Weil es nervig war und so vorhersehbar. Mit Christoph kann ich darüber nicht mehr sprechen – er hat gerade die Haustür hinter sich zugeknallt. Nicht mal seinem Vater hat er Tschüs gesagt. Das lässt darauf schließen, dass er ziemlich aufgebracht ist. Was soll's. Hat er verdient. Ich werde mich noch mal in Ruhe mit ihm besprechen, wenn ich von meinem Wellness-Wochenende zurück bin. So oft wie ich das jetzt erzählt habe, glaube ich schon fast selbst dran. Letztlich ist es ja auch eine Art Wellness-Wochenende. Für meine Psyche. Und meinen Unterleib – hoffe ich zumindest.

Es ist kurz vor sieben. Mist! Kati und Siegmar und das Grillen. Die habe ich zwischendrin glatt vergessen, genau wie den Salat, den ich mitbringen wollte. In zehn Minuten einen Salat zu zaubern und mich einigermaßen herzurichten, ist eine kaum lösbare Aufgabe. Ohne Salat zu kommen, wäre mir peinlich. Also muss das Herrichten zurückstehen. Nudelsalat geht schnell. Vor allem, wenn man wie ich noch Nudeln vom Vortag übrig hat. Kaum fange ich hektisch an, in der Küche zu werkeln, taucht Rudi auf. Die Küche betrachtet er mittlerweile als sein Revier.

»Wo ist denn der Bub hin?«, will er wissen.

»Der Bub war beleidigt und ist abgerauscht. Und ich hab echt Stress. Ich bin eingeladen, muss noch einen Salat machen, und eigentlich wollte ich mich auch noch umziehen! Und schlechtgelaunt bin ich jetzt auch noch«, fasse ich schnell zusammen.

Jetzt zählt hier jede Minute. Obwohl es beim Grillen ja

nicht auf die Minute ankommt. Aber Kati hat neunzehn Uhr gesagt und nicht ab neunzehn Uhr. Ich hasse es, wenn Gäste einfach ein, zwei Stündchen später eintrudeln. Schon deshalb bin ich selbst auch gerne pünktlich.

»Andrea, Herzsche, ich mach der den Salat, und du machst dich fertisch. Du siehst aus, als könnste en paar Minütscher für dich gebrauche! Nimm dir des doch net alles so zu Herze.«

Wenn er nicht mein Schwiegervater und ein paar Jährchen jünger wäre, könnte ich mich, allein für solche Sätze, in ihn verlieben.

»Geh halt! Ich zauber was aus dem, was mer daham«, sagt er noch mal und streicht mir liebevoll über den Kopf. Nein, Irene, den kannst du definitiv nicht haben! Zeitweise gerne – aber er bleibt hier bei mir wohnen.

Ein Leben ohne Rudi kann ich mir kaum mehr vorstellen. Dabei war das zu Beginn ganz anders. Ich war nicht heiß drauf, dass mein Schwiegervater bei uns einzieht – und das ist noch höflich ausgedrückt. Ich habe letztlich nur eingewilligt, weil ich dachte, es sei eine vorübergehende Maßnahme, nur solange bis Rudi aus der tiefsten Traurigkeit erwacht. Jetzt ist er schon eine ganze Weile aus dieser Traurigkeit erwacht, und ich genieße seine Wachheit. Das Beste an Rudi ist sein Einfühlungsvermögen, er hat Empathie und ist nicht so krankhaft ichbezogen wie viele andere Männer. Das wird Irene momentan sicher anders sehen. Aber so leid mir das für sie tut, ich bin froh, dass Rudi uns erhalten bleibt. Im Gegensatz zu Rudi steht es bei mir mit Empathie und Ichbezogenheit nicht so gut. Daran könnte ich arbeiten – jetzt allerdings nicht.

Im Schlafzimmer steigt meine Laune augenblicklich.

Vor mir auf dem Bett liegen die Klamotten, die ich für Venedig rausgesucht habe. Die muss ich nur noch – mitsamt der heißen Unterwäsche – in meinen neuen Trolley packen, und dann kann es losgehen.

Je mehr ich über Christoph und seine Pläne nachdenke, umso mehr freue ich mich auf mein Wochenende. Ich werde es mir hübsch machen, beschließe ich. Was der kann, kann ich auch! Rauschende Nächte und aufregende Tage werden die Hiobsbotschaft von heute wenigstens für zwei Tage vergessen machen. Ich würde am liebsten sofort losfahren.

Jetzt geht's aber zum Grillen. Bin gespannt, wer noch kommt. Anita, meine Nachbarin, über die ich Kati kenne, habe ich gefragt, ob sie auch dabei ist, aber sie hat leicht pikiert gesagt, dass sie nicht eingeladen sei. Was mich nicht unbedingt traurig stimmt, denn ihr Mann Friedhelm ist so oder so kein Highlight, und bei Anita kann ich mir eine gewisse Schadenfreude nicht verkneifen. Da spürt sie mal, wie das ist, wenn man plötzlich nicht mehr auf der Einladungsliste steht. Schadenfreude, mangelnde Empathie und Ichbezogenheit – meine eigene Charakter-Mängelliste wächst und wächst. Ich schlüpfe in eine frische Jeans und merke, dass heute Abend noch einiges zu tun ist. Meine Beine sind stoppelig – das hat wirklich nichts mit sexy zu tun. Für heute geht das, aber nach dem Grillen muss ich das dringend noch ändern. Auch die sogenannte Bikinizone braucht noch den letzten Feinschliff. Feinschur wäre passender. Ich für meinen Teil werde den Grillabend früh beenden und mich dann an die Körperarbeit machen.

Bevor ich das Haus verlasse, klopfe ich bei meinem Sohn an die Zimmertür.

»Was willst du denn noch?«, fragt er nicht gerade höflich. »Wir haben doch alles besprochen. Ist jetzt Zimmerkontrolle, oder wolltest du checken, ob ich am Rauchen bin? Oder werde ich jetzt sicherheitshalber festgekettet?«

»Ich wollte einfach noch mal nach dir gucken«, sage ich. »Keine Kontrolle. Unser Gespräch ist irgendwie blöd gelaufen«, zeige ich dann noch Selbstkritik – normalerweise auch nicht meine große Stärke.

»Kann man sagen! Ihr wart megablöd«, antwortet er und dreht seinen Kopf zurück in Richtung PC.

Mark scheint auch kein Selbstkritikexperte zu sein. Hat wohl meine Gene. Sein Verhalten ärgert mich. Da komme ich hierher, um gut Wetter zu machen, und muss mich von ihm auch noch anmotzen lassen. Verkehrte Welt. Sollte er nicht verdammt kleinlaut und reumütig sein? Soll ich ihn jetzt etwa auch noch trösten? Habe ich gekifft oder hat er gekifft?

»Wer von uns beiden hat denn gekifft?«, frage ich.

Er reagiert nicht mal. Gut, war ja auch 'ne doofe Frage und eigentlich auch eher dazu gedacht, die Verhältnisse noch mal klarzustellen.

»Ich geh zu Kati und Siegmar zum Grillen. Du bleibst hier, Opa ist da«, gebe ich letzte Anweisungen.

Wer nicht reden will, soll es halt lassen. Ich bin ja keine Bittstellerin.

Nach nur zwanzig Minuten stehe ich wieder in der Küche und staune. Rudi hat in der kurzen Zeit zwei Salate gemacht. Tomaten-Brotsalat und Nudelsalat. Er ist und bleibt mein persönlicher Held.

»Einer hätte gereicht, Rudi! Aber toll, danke, du bist der Beste!«, zolle ich seiner Leistung Anerkennung.

»Für disch immer gern!«, sagt er nur und lächelt. Dieser Mann ist unglaublich. Wie hat Inge das bloß hinbekommen?

»Hübsch siehst de aus!«, ergänzt er noch.

»Rudi, ich liebe dich!«, antworte ich.

Und er nickt und sagt: »Isch disch auch, eusch alle! Ihr seid mein Leben!«

Wir umarmen uns, und ich muss wieder mal fast weinen. Kein anderer Mann hat mich je so angerührt.

»Danke für alles! Ich muss jetzt los.« Mit diesen Worten löse ich mich aus der Umarmung und versuche, die Tränen zurückzuhalten.

Kati und Siegmar wohnen nicht weit von uns entfernt. Mit meinen Salaten unter den Armen laufe in durch unsere Siedlung. Hier reiht sich ein Häuschen ans nächste. Die Häuser sind begehrt. Nicht zu weit weg von der großen Stadt, S-Bahn-Anschluss und gerade noch bezahlbar für Menschen mit einem durchschnittlichen Einkommen. Die Siedlung ist ein großer Kompromiss. Nicht unbedingt irrsinnig schön gelegen, bei ungünstigem Wind hört man die nahe Autobahn, aber dafür insgesamt so wahnsinnig vernünftig. So wie vieles in meinem Leben.

Ich bin generell eine eher vernünftige Person. Vielleicht ein wenig zu vernünftig. Schon deshalb passt mein morgiger Ausflug so gar nicht zu mir. Er ist alles andere als vernünftig, und genau das ist eben auch das Aufregende daran. Ich sollte mehr aufregende Dinge tun, denke ich. Sonst werde ich irgendwann innerlich schimmeln. Verschimmeln. An Langweile zugrunde gehen. Ich finde mich selbst, bei ehrlicher Betrachtung, auch nicht sonderlich spannend. Was habe ich schon zu bieten? Ja, wo um alles in der Welt sollte ich auch was wirklich Interessantes erleben? Beim Einkaufen? Beim Putzen?

Mit meinem Ego steht es momentan wirklich nicht zum Besten. Kann nicht auch ein, auf den ersten Blick, langweiliges Leben spannend und vor allem erfüllend sein? Wieso nagt seit einigen Jahren ständig dieser tiefe Zweifel an mir? Wird Spannung und Aufregung womöglich maßlos überschätzt?

Während all diese Gedanken ungeordnet durch meinen Kopf wabern, erreiche ich das Haus von Kati und Siegmar. Sie haben eine Menge getan, um ihr Häuschen individuell zu gestalten. Es ist in einem zarten, hellen Gelb gestrichen, Spitzengardinen hängen vor den unteren Fenstern, und die Fensterrahmen sind in einem dunklen Rot gehalten. Nicht mein Geschmack, aber auffällig. Ein bisschen Pipi-Langstrumpf-Schweden-Style mit einem Touch Spießigkeit kombiniert. Ich muss nicht mal klingeln, da geht die Tür schon auf. Kati strahlt mich an.

»Ich freue mich so, dass du kommst!«, begrüßt sie mich enthusiastisch und zieht mich in ihre Arme, gerade so, als wäre ich unter gefährlichsten Umständen aus Südamerika eingeflogen. Lustig.

»Ich bin einen Tick spät – tut mir leid, ich hatte Stress. Aber hier sind die Salate«, sage ich und löse mich, so gut es eben geht, wenn man gleichzeitig zwei Salate hält, aus der Umarmung. Die hat ja wirklich einen Narren an mir gefressen.

»Der Siegmar freut sich auch wahnsinnig«, grinst sie und tätschelt mir den Po. Sie ist eine ziemlich tatschige Person, was bedeutet, sie fasst einen ständig an und rückt einem auch immer ziemlich nah auf die Pelle.

»Gut siehst du aus, so entspannt!«, redet sie weiter.

Das ist nun wirklich sehr erstaunlich, dass ich nach dem Theater heute Nachmittag entspannt aussehen soll. Ich halte das für eine sehr gewagte Schmeichelei, vor allem nachdem ich eben noch meinen Stress erwähnt habe. Aber sei's drum, ich nehme jedes Kompliment. Bei der Menge, die ich bekomme, sollte ich nicht zu wählerisch sein. So viel zu spät scheine ich nicht zu sein, denn außer mir ist, wie es aussieht, noch kein Gast da.

»Wo sind denn die anderen?«, frage ich neugierig. »Ich dachte schon, ich wäre spät dran!«

Kati lacht. »Welche anderen?«, antwortet sie. »Wir dachten, wir machen es uns mal im kleinen Kreis gemütlich.«

Eine Grillparty mit drei Leuten! Wofür hat der arme Rudi jetzt zwei Salate gemacht? Das ist irgendwie merkwürdig.

»Wir grillen nur zu dritt? Soll ich Rudi und meinen Kindern noch Bescheid sagen? Es wäre doch schade um die Salate«, schlage ich vor.

»Nee, lass mal, wir wollten dich mal ganz für uns allein haben. Wir haben da so eine Idee – na ja, und für Kinder ist die eher nichts«, antwortet Kati und zwinkert mir zu.

So langsam wird es mir hier ein bisschen unheimlich. Was soll denn das für eine Idee sein? Offene Beziehung,

Brazilian Waxing und all die anderen Dinge, von denen Kati mal bei einem Frauenfrühstück erzählt hat, schießen mir durch den Kopf. Sucht sie eine neue Gespielin für ihren Siegmar? Den-untenrum-nichts-Träger? Was für ein gruseliger Gedanke. Ich habe den Impuls, sofort wieder zu gehen.

»Trinken wir erst mal was!« Mit diesen Worten hält sie mir ein Glas hin.

Ich bin verunsichert und weiß nicht so recht, wo das hinführen soll. Was denken die beiden? Vor allem: Was wollen die beiden? Bin ich vielleicht schon ein bisschen paranoid? Vielleicht geht es ihnen ja tatsächlich nur um einen netten harmlosen Abend? Was bilde ich mir ein? Vielleicht wollen sie sich nur um eine arme Alleinstehende kümmern, mir ungeteilte Aufmerksamkeit zukommen lassen. Ich nehme den Drink, der nach sehr viel Hochprozentigem riecht, und setze mich erst mal aufs Sofa. Sie werden schon nicht ohne meine Einwilligung über mich herfallen. Vielleicht bin ich wegen meines kleinen Trips morgen auch gedanklich schon so versext – wer weiß. Man muss ja nicht gleich panisch werden. Es will mir ja nicht jeder an die Wäsche.

»Lass uns essen und trinken und ein bisschen reden, da brauchen wir doch sonst niemanden. Wir mögen es gern ein wenig intimer«, unterbricht da Kati meine Gedanken.

Siegmar hat inzwischen den Grill entzündet. Intimer? Wie – intimer? Ich werde einfach alle Avancen ignorieren. Schon deshalb spare ich mir jeden Kommentar und konzentriere mich auf mein Getränk.

»Magst du ein Würstchen?«, fragt Siegmar.

Selbst diese, an sich absolut harmlose, Frage an einem

Grillabend bekommt in meinem Kopf einen zweideutigen Beigeschmack. Ich muss mich zusammenreißen.

»Gerne, Siegmar«, antworte ich deshalb, und er lacht.

Mittlerweile sitzt Kati neben mir auf der Couch und fängt schon wieder an ein bisschen touchy zu werden. Wie beiläufig legt sie mir die Hand auf den Arm.

»Und sag mal, Andrea, wie geht es dir denn so? Was machen die Männer?«

Bei diesen Worten beugt sie sich sehr nah zu mir herüber. So nah, dass ich erkennen kann, dass sie Nasenhaare hat – eine Tatsache, die mich eigentlich nicht interessiert. Ich rücke, so unauffällig wie möglich, ein wenig zur Seite, lächle freundlich, obwohl ich eigentlich aufspringen und flüchten möchte.

»Ja, alles eher noch im Entstehen, aber es läuft nicht schlecht. Also nichts Konkretes, aber einiges an Angeboten«, antworte ich. Das war jetzt ziemlich verklausulierter Mist, aber egal.

»Ich hole mir was vom Salat, okay?«, frage ich und stehe auf. »Wollen wir uns nicht raussetzen? Ist doch noch schön warm, und frische Luft tut doch immer gut!«, plädiere ich für eine etwas öffentlichere Umgebung. Der Nachteil eines Reihenhausgartens – jeder kann sehen, was der andere so treibt – wird hier eindeutig zum Vorteil.

Ich häufe mir ordentlich was von Rudis Brotsalat auf den Teller. Salat ist eigentlich der falsche Ausdruck. Es ist eine Menge fettig angebratenes Brot mit Tomate und einem Hauch Grün. Weil dieser Salat so wenig Salat hat, mag ich ihn besonders gern.

»Bei deiner Figur kannst du dir die Kohlenhydrate, die

da drin sind, ja leisten«, schmunzelt Kati, und Siegmar kommt mit einem Würstchen auf mich zu.

»Esst ihr nichts?«, frage ich ein bisschen erstaunt. Ich fühle mich so langsam wirklich komisch. Wollen die mir jetzt beim Essen zuschauen?

»Wir fasten gerade, detoxen, entgiften meine ich«, erklärt mir Kati.

Die beiden fasten und laden mich zum Grillen! Geht's noch bekloppter? Die eine Thüringer für mich hätten sie auch in die Pfanne legen können.

»Habt ihr jetzt wegen mir den Grill angeschmissen?«, erkundige ich mich.

»Klar, aber kein Problem, habe ich gerne gemacht«, betont Siegmar. »Grillen liegt in der Natur des Mannes! Ist meine zweitliebste Beschäftigung!« Er lacht.

Ich frage sicherheitshalber nicht nach, was seine liebste Beschäftigung ist.

»Aber wollen wir das Ganze dann nicht besser verschieben? Wir können doch warten, bis ihr auch wieder esst«, entgegne ich. Ich kann kaum glauben, was hier vor sich geht.

»Das mit dem Fasten haben wir erst beschlossen, als die Einladung schon stand, und wir wollten dich nicht wieder ausladen. Gerade in deiner Situation, da ist man ja oft empfindlich«, versucht mir Kati diese bizarre Situation zu erklären.

In meiner Situation? Ich bin ja nicht erst seit gestern getrennt und auch nicht wirklich eine Aussätzige, die sonst nirgends erwünscht ist.

»Wir setzen uns zu dir und trinken ein bisschen von unserer Gemüsebrühe«, lächelt Siegmar. »Das mit dem

Fasten ist super, ich habe schon gar keinen Hunger mehr. Es läuft phantastisch!«, informiert er mich, und als er ausatmet, wabert eine Welle sehr strengen Geruchs zu mir rüber. Das ist ein erheblicher Nachteil des Fastens. Man bekommt einen fiesen Mundgeruch.

»Guck mal, meine Hose sitzt schon viel lockerer!«, zeigt er und zieht den Hosenbund nach vorne, und ich kann seinen Bauch sehen. Kein verführerischer Anblick. Weiß, haarlos, wabbelig, und das, obwohl er nicht dick ist. So sollte kein Männerbauch aussehen. Da ist mir die straffe Kugelvariante lieber. Trotzdem starre ich drauf.

»Und?«, fragt er.

Ich kann keinen Unterschied sehen, wahrscheinlich schon deshalb, weil ich mir seinen Bauch noch nie so genau angeschaut habe.

»Na ja, ich kann das nicht so beurteilen«, antworte ich diplomatisch.

»Das ist schade, aber das könnten wir ja ändern!«, kichert er und Kati lächelt mich vielsagend an.

Langsam bin ich mir sicher, dass mich meine Ahnung doch nicht getrügt hat. Die wollen was von mir! Die denken, ich bin so einsam, dass ich mit ihnen was anfange. Die wollen mir, um es mal positiv zu formulieren, aus meinem sexuellen Notstand raushelfen. Ich muss hier weg. Schnellstmöglich – auf jeden Fall, bevor es peinlich wird. Da hilft nur der bewährte Telefontrick.

»Ich muss mal gerade verschwinden!«, sage ich und husche mit Handy in Richtung Gästetoilette. Ich schreibe sowohl Mark als auch Sabine eine SMS.

An Mark: *Rufe mich bitte an und sag, dass dir schlecht ist. Ich erkläre dir alles nachher!*

An Sabine: *Erlöse mich! Bin bei sexgierigen Nachbarn, die schlimme Dinge mit mir vorhaben. Du weißt schon, der gewaxte Typ mit Frau. Ruf mich an und erfinde irgendwas, damit ich hier weg kann. Schnell, es ist ein Notfall! Noch habe ich die Klamotten an!*

Betont entspannt gehe ich zurück in die Höhle der Sexmonster.

»Und wie geht es euch so?«, lenke ich das Gespräch mal in andere Bahnen.

»Gut! So gut, dass auch andere an unserem Glück partizipieren dürfen!«, antwortet Kati, und schon wieder höre ich einen bestimmten Unterton heraus. Nicht schlüpfrig, das wäre übertrieben, aber leicht zweideutig – das trifft es.

Bevor ich antworten kann, klingelt das Handy. Sabine.

»Entschuldigt, da muss ich dran, das ist meine beste Freundin, der geht's gerade nicht so gut.« Ich kann wirklich eins a lügen. Muss auch auf meine Charakter-Mängelliste: Profi-Lügnerin.

»Ja, Sabine, geht's dir immer noch schlecht?«, beginne ich das Gespräch, damit Sabine gleich weiß, in welche Richtung das hier geht. Sabine könnte meine Meisterin sein. Die kann sich Geschichten ausdenken, dass man nur so staunt. So auch heute.

»Andrea, ich bin gerade mit dem Notarzt im Höchster Krankenhaus angekommen. Es könnte der Blinddarm sein, Nierensteine oder die Gallenblase. Mir ist furchtbar übel, vielleicht muss ich notoperiert werden. Mein Liebster ist nicht da, ich bin ganz allein. Kannst du kommen?« Sie schluchzt extrem laut. Das war nicht ganz das, was ich wollte. Eine Nummer kleiner hätte es auch getan.

»O Gott!«, sagt Kati bestürzt, während sie mein Gespräch belauscht.

»Ich komme natürlich! Ich bin gerade bei Freunden, aber das geht natürlich vor. Das werden sie verstehen. Ich komme in die Notaufnahme. Bin gleich bei dir, du Arme!«

Siegmar und Kati schauen entsetzt. Ich erkläre die Situation, und sie sind tatsächlich voller Verständnis. Siegmar umarmt mich und haucht mir eine weitere Brise muffeligen Atem ins Gesicht. Sofort fühle ich mich schlecht. Sie sind nett und liebevoll, und ich bin ein verlogenes Stück. Mein Telefon klingelt wieder. Wie im Reflex gehe ich dran und bereue es sofort. Es ist mein Sohn Mark.

»Ich weiß nicht, was du genau willst, aber mir ist schlecht. Komm bitte heim!«, sagt er nur.

Insgeheim bin ich ein wenig beruhigt, wie schlecht er lügen kann. Dafür kann er aber verdammt laut sprechen. Kati und Siegmar haben alles, Wort für Wort, mitgehört.

»Ach du je«, zeigt sich Kati mitfühlend, »wie willst du das denn alles alleine regeln?«

»Ich schaue schnell nach Mark, der übertreibt gern mal, und dann fahre ich zu Sabine. Das scheint ja wirklich ernst zu sein!«, demonstriere ich planerische Qualitäten.

»Wir lassen dich doch jetzt nicht im Stich!«, sagt da Kati, während sie in ihre Schuhe schlüpft. »Der Siegmar bleibt bei Mark, und ich fahre mit dir in die Klinik! Das musst du nicht alleine durchstehen«, entscheidet sie. »Mach dich fertig, Siegmar, lösch den Grill. Geh du ruhig schon vor, Andrea. Wir sind in fünf Minuten bei dir. Mach dir keine Sorgen!«, gibt sie mir letzte Anweisungen.

Mist, das war nicht ganz nach Plan.

»Das braucht ihr nicht! Rudi ist zu Hause und kümmert sich sicherlich«, versuche ich die beiden umzustimmen.

»Das ist selbstverständlich, auch wenn du das nicht gewöhnt bist! Wir lassen dich nicht allein«, wiegelt Kati entschlossen ab.

Was denken die, wie ich lebe?

»Ich gehe schon mal, aber es ist es nicht nötig, dass ihr nachkommt«, sage ich und will so wenigstens meinen kleinen Vorsprung nutzen. Zu Hause wird mir schon was einfallen, um sie wieder loszuwerden. Rudi wird mir sicher helfen!

Ich renne nach Hause. Jetzt zählt jede Minute. Ich muss meinem Sohn klarmachen, was da auf ihn zukommt. Vor allem, wer da auf ihn zukommt. Mark sitzt missmutig in seinem Zimmer.

»Ich kann dir das jetzt nicht erklären, aber Sabine ist im Krankenhaus und dir ist schlecht. Und jetzt kommen Siegmar und Kati, um dir Beistand zu leisten, weil ich zu Sabine ins Krankenhaus fahre, obwohl die eigentlich gar nicht da ist«, versuche ich, das Wichtigste in Kürze zusammen zu fassen. Würde mir jemand so was erzählen, würde ich denken, er sei irre.

»Ich muss das jetzt nicht verstehen, oder?«, sagt mein Sohn nur.

»Nein, leg dich einfach ins Bett und guck leidend«, antworte ich. »Du kannst wieder aufstehen, wenn ich zurück bin!«

»Jetzt habe ich sogar nicht nur Hausarrest, sondern muss auch noch im Bett bleiben. Das geht echt zu weit.

Und ich kapier's nicht. Wenn Sabine im Krankenhaus ist, wie könnt ihr da zum Wellness-Dingsbums fahren?«

Das habe ich nicht bedacht. Die eine Ausrede mit der anderen kaputt gemacht. Lüge entlarvt Lüge.

»Das ist kompliziert. Dir ist jetzt einfach übel. Das wird ja wohl nicht zu viel verlangt sein, nach allem, was passiert ist!«, beende ich das Gespräch. »Ich muss gleich los, wo ist Rudi überhaupt?«, frage ich noch schnell.

»Der ist mit dem Hund unterwegs! Ich weiß nicht, wann der wiederkommt!«, murmelt Mark.

»O doch, das weißt du! Der kommt sofort wieder! Deshalb hast du dann jemanden, der sich kümmert, kapiert? Egal – das ist jedenfalls das, was wir zu Siegmar und Kati sagen.«

»Wer sind überhaupt Siegmar und Kati? Und was wollen die hier? Und warum musst du ins Krankenhaus? Wer von uns beiden kifft denn hier eigentlich?«, wird mein Sohn jetzt ein wenig spitzfindig.

Bevor ich ihn zurechtweisen und ihm nochmals alles erklären kann, klingelt es schon. Das werden Siegmar und Kati sein.

»Ich sage, du schläfst. Verhalte dich ruhig und bleib im Bett! Rühr dich nicht vom Fleck, bis ich wieder da bin!«

»Hab verstanden«, brummt er, und ich gehe zur Haustür. Wie erwartet sind es Kati und Siegmar.

»Bleib ganz ruhig, Andrea!«, begrüßt mich Kati und schlingt gleich wieder ihre Arme um mich.

»Ich bin schon wieder ganz ruhig«, antworte ich und schiebe sie sanft ein Stück von mir weg. »Also danke für euer Angebot, aber Rudi ist da und guckt nach Mark –

der schläft. Und wegen des Krankenhauses … ich denke, es ist besser, ich fahre allein. Ihr kennt die Sabine ja nicht, und das wäre ihr dann sicher unangenehm. Ich schaffe das schon – aber trotzdem, lieb von euch. Danke.«

Ich finde, da habe ich mich auf die Schnelle recht elegant aus der Affäre gezogen. Besser gesagt, ich hätte mich fast recht elegant aus der Affäre gezogen, denn Rudi taucht vor dem Haus auf.

»Ei Schatzi, was bist de denn schon wiedä da? Was issen los?«, zeigt er sich erstaunt. Aber er ist nicht der Einzige, der erstaunt ist. Denn vor etwa 30 Sekunden habe ich zu Siegmar und Kati gesagt, Rudi sei da und würde sich um Mark kümmern.

»Wir dachten, Rudi wäre zu Hause?«, sagt da auch schon Kati verwundert.

»Er ist ja jetzt zu Hause. Also ich meinte eben, dass er gleich zu Hause ist«, stammle ich. Elegant ist anders.

»Rudi, Mark ist schlecht, wie du ja weißt. Er schläft aber jetzt, und netterweise kümmerst du dich ja. Ich muss ins Krankenhaus zu Sabine, der geht es nicht gut!«, informiere ich meinen Schwiegervater.

»Was en Dörschenanner«, bemerkt er nur trocken.

»Soll ich nicht sicherheitshalber doch mitkommen? Zu deiner Freundin ins Krankenhaus? Und Siegmar kann dem Rudi gerne helfen!«, mischt sich Kati wieder ein.

»Des schaff isch schon selbst. En kranke Bub is doch kaan Problem. Isch bin nur verwundert, als isch los bin mit em Karl, war der Mark noch putzmunter. Ei, es kann werklisch schnell gehe mit em Krankwern!«, lehnt Rudi das Hilfsangebot ab.

Kati wirkt richtiggehend beleidigt: »Du machst es einem nicht leicht, Andrea. Wer Hilfe will, muss sie auch zulassen!«

»Ich bin sehr froh über euer Angebot, aber wir regeln das hier selbst. Danke noch mal«, bin ich nun ein wenig vehementer. Muss ich die erst wegschubsen, damit sie es kapieren! Nein.

Sie wenden sich ab, allerdings nicht ohne einen kleinen Kommentar von Kati: »Na ja, ein bisschen verstehe ich die anderen jetzt doch. Man will dir was Gutes tun und zur Seite stehen, und du bist so abweisend. Da musst du dich auf Dauer auch nicht wundern!«

Die sind beleidigt! Das ist ja nun die Höhe. Was bilden die sich ein? Dass sie, weil sie mich zum lauschigen, »intimen« Grillabend eingeladen haben, gleich zum engsten Familienkreis gehören? Und was soll die Bemerkung über die anderen? Welche anderen? Eben noch fand ich die beiden wirklich nett und hilfsbereit, jetzt bin ich richtig sauer auf sie. Dummerweise habe ich die herrlichen Salate von Rudi bei ihnen stehenlassen. Aber ich kann sie ja schlecht jetzt zurückfordern, obwohl es ja mehr als albern ist, sie bei zwei Fastenden zu lassen. Immerhin Kati und Siegmar haben es endlich verstanden und gehen.

»Deine Entscheidung! Und das mit dem Grillen holen wir nach. Gute Besserung für deine Freundin! Dein Sohn scheint so krank ja nicht zu sein«, verabschiedet sich Siegmar.

»Tschüs dann!«, schließt sich Kati an.

Uff, die wären wir schon mal los.

»Bin isch zu alt, odä war des seltsam?«, lautet Rudis Kommentar.

»Das war seltsam. Lass uns reingehen, Rudi«, sage ich nur.

Was für ein Abend! Muss ich jetzt auch noch so tun, als würde ich ins Krankenhaus fahren? Ne, die werden das ja wohl kaum kontrollieren – und wenn, dann lüge ich eben noch ein bisschen weiter und sage, dass Sabine angerufen hat und es ihr schon viel bessergeht. Falscher Alarm! Waren dann doch nur Blähungen!

»Mark, du kannst aufstehen. Kannst aber auch gleich liegenbleiben, es ist eh Abend!«, rufe ich hoch in Richtung Kinderzimmer.

Kurze Zeit später stehen Mark und Rudi ratlos im Wohnzimmer.

»Was war das?«, wollen sie wissen.

»Nur ein kleines Missverständnis«, erkläre ich, ohne irgendwas zu erklären.

»Habt ihr die Salate uffgegesse?«, erkundigt sich Rudi.

»Ne, aber in der Hektik habe ich sie dort vergessen.«

»Ei, soll ich se hole?«, fragt Rudi freundlich.

Ich überlege kurz. Einerseits ist es natürlich ziemlich unhöflich, etwas zurückzufordern, was man gerade eben mitgebracht hat, andererseits sind die beiden am Fasten, und für den Mülleimer sind Rudis Salate wirklich viel zu schade.

»Geh ruhig vorbei, wenn du magst. Du kannst ja nach den Schüsseln fragen, das ist nicht so peinlich!«

Ich lege mich aufs Sofa und versuche, mich auf morgen zu besinnen. Auf was habe ich mich da nur eingelassen? Bisher dominierten Vorfreude und Aufregung beim Gedanken an meinen kleinen Ausflug, nun macht sich ein ungutes Gefühl in mir breit. Ich fühle mich ein bisschen so, als sei ich von einem Escort-Service eingekauft worden – nur ohne Bezahlung. Irgendwie billig. Leichte Beute. Ich überlege, ob ich nicht besser absage.

Das ist das Gute an Kindern: Man findet immer einen Grund für eine Absage. Ein krankes Kind ist die beste Ausrede überhaupt. Jede gute, brave Mutter würde da doch zu Hause bleiben. Aber war ich nicht lange genug eine gute, brave Mutter? Wird es nicht endlich mal Zeit, nicht brav zu sein? Außerdem ist mein Kind ja nicht krank. Wen kümmert es, dass meine Reise vielleicht ein wenig anrüchig und unmoralisch ist? Es weiß ja niemand davon, außer Sabine und Heike – und die sind meine Freundinnen. Das größte Problem bin ich selbst. Tief in mir wehrt sich etwas gegen diesen Trip. Er entspricht so gar nicht meinem Naturell. Aber vielleicht liegt die Aufregung genau darin: Etwas zu tun, was man sonst nicht tun würde.

Niemand zwingt dich zu irgendwas, beruhige ich mich selbst. Du wirst dich einfach nur amüsieren, Andrea, nicht mehr und nicht weniger. Und du hast es verdient. Ich denke ein bisschen an Sarah Marie und Christoph, und schon sehe ich meine Reise wieder in einem völlig anderen Licht. Es geht nur um Spaß, Andrea, nur um Spaß – du willst ja nicht heiraten, du bist ja schließlich noch verheiratet.

Aber wahrscheinlich nicht mehr lange, schießt es mir durch den Kopf, und sofort spüre ich wieder eine große Traurigkeit in mir. Bald werde ich eine geschiedene Frau sein. Eine geschiedene Frau mit zwei Kindern. Keine Aussicht, auf die ich mich freue. Obwohl mir mein Status als verheiratete Frau auch nichts bringt. Christoph ist weg. Das ist eine Tatsache, mit der ich zurechtkommen muss, ob es mir gefällt oder nicht. Oder muss ich noch mal alles versuchen, um ihn zurückzuerobern? Aber will ich das überhaupt? Eine Frage, die mich wieder und wieder beschäftigt. Ist selbst eine Beziehung, die man kaum mehr als solche bezeichnen kann, besser als keine? Bis vor kurzem hätte ich entschieden Nein gesagt, inzwischen bin ich mir nicht mehr sicher. Vielleicht bin ich doch viel konservativer, als ich dachte, als ich mich selbst gerne sehen würde. Fühle ich mich nur mit Mann komplett?

Rudi klingelt. Tatsächlich hat er es geschafft, unsere Salate zurückzuholen. Allerdings kann von Salaten nicht mehr wirklich die Rede sein. Die Schüsseln sind leer.

»Die habbe alles uffgefuttert. Er hat noch Stückscher im Mundwinkel hänge gehabt!«, grinst Rudi. So viel zum Thema Fasten. »Un sie hat neugierisch gefracht, ob de schon weg bist! Die wollt direkt wiedä mitkomme, aber isch hab se dadevon abgehalte. Des war in deinem Sinne, gell? Ich hab erklärt, des du moin mit de Sabine fortfährst zum Wellness un noch ordentlich zu tun hast!«

Mist, da hat Rudi jetzt was durcheinandergebracht. Was werden Kati und Siegmar bloß denken? Das war's dann. So schnell werde ich garantiert nicht mehr zu einem lauschigen Grillabend eingeladen. Aber eigentlich – umso besser. Ich beschließe, mir keine Gedanken mehr über Kati und Siegmar zu machen. Irgendwo ist auch mal Schluss. Sollen sie doch denken, was sie wollen. Allerdings ist mir klar, dass sie nicht nur denken werden, was sie wollen, sondern auch noch schön rumerzählen werden, was sie wollen. Aber trotzdem: Ich werde deswegen jetzt nicht planlos mit dem Auto rumfahren und so tun, als müsste ich ins Krankenhaus. Ich habe weiß Gott anderes zu tun.

Während ich Sabine jetzt schnell eine SMS – *Danke! Gerettet! Details später.* – schicke, fällt mir das Fehlen einer Person in meinem Haushalt auf.

»Wo ist eigentlich Claudia?«

Rudi ist informiert – wenigstens einer: »Bei Mischa, ihrer Freundin. Isch glaab, die hat Trost gebraucht. Die hat Liebeskummä, die klaa Maus. Sie kommt abä gege elf zurück, hat se gesacht.«

Die kleine Maus kommt um elf Uhr nach Hause! Na dann.

»Ich geh mal hoch und lege meine Sachen für morgen zurecht. Ich wünsche dir eine gute Nacht!«

Rudi grinst. »Was en Kuddelmuddel! Ist die Sabine jetzt im Krankehaus, oder net? Un was is mit em Wellness?«, fragt er.

»Ach, Rudi, das ist schwierig. Die Sabine ist daheim, und wir fahren morgen weg. Das andere war nur eine Ausrede.«

Er nickt, obwohl er aussieht, als würde er sich ernstlich Sorgen um meine Verfassung machen.

»Schlaf gut, Rudi«, sage ich und gehe in mein Schlafzimmer.

Ich checke noch mal meine Klamotten, packe alles in den Trolley und lege meine Sachen für morgen raus. Dann widme ich mich in aller Ruhe meinem Körper. Duschen, rasieren, cremen – das ganze Programm. Nach einer guten Stunde, Nägel lackieren und Haare waschen inklusive, ist mein Körper einsatzbereit. Besser geht's halt nicht mehr, denke ich, während ich mich nackt im Spiegel mustere. Ich schaue mich an, als wäre die Person im Spiegel nicht ich. Mit Abstand – so als würde ich eine fremde Frau in der Sauna betrachten. Meine besten Tage sind, jedenfalls figürlich gesehen, vorbei. Meine Oberschenkel haben Cellulitis, und mein Po ist auch nicht frei davon. Der Bauch hängt ein bisschen, die Brüste auch. Meine Arme sind zu dick und nicht gerade straff. Ich wirke insgesamt nicht gerade muskulös. Woher auch? Ich gehöre leider nicht zu den Frauen, die mit Inbrunst sagen: Ich kann ohne Sport nicht leben! Ich kann nämlich sehr gut ohne Sport leben. Mir fehlt diese Disziplin, um morgens vor der Arbeit noch eben mal zehn Kilometer zu joggen. Jetzt bereue ich das. Hätte ich mich doch nur aufgerafft! Meinen Schenkeln hätte es sicher genutzt. Aber zu spät. Es ist, wie es ist, und es könnte schlimmer sein. Schließlich ist Rakete auch keine dreißig mehr. Aber wahrscheinlich hatte er schon die ein oder andere Dreißigjährige im Bett, und im Vergleich wird es da für mich schon ein bisschen eng.

Ich lege mich vorsichtig aufs Bett, um meine frisch lackierten Fußnägel nicht zu ruinieren, und schnappe mir meinen Laptop. Man kann wirklich alles googeln.

Ich tippe ein: Wie sieht man beim Sex gut aus?

Als Erstes springt mir eine Anzeige ins Auge: Dezente Schamlippen – für ein neues Körpergefühl!

Das macht mich richtig wütend. Ich klicke die Seite an. Die Angebotspalette ist erstaunlich: Schamlippenverkleinerung, Vaginalverjüngung, G-Punkt-Vergrößerung,

Hymenrekonstruktion und Venushügel-Sculpting. Was sollen wir denn noch alles renovieren? Ticken die noch richtig? Gibt es jetzt sogar die idealen Schamlippen? Darf man nur noch Sex haben, wenn man zuvor vaginal verjüngt wurde? Sind wir Frauen verrückt geworden? Würden Männer so etwas tun? Lassen die sich ihre Hängeeier anheben? Lassen die sich ihren Penis straffen, oder ist der per se so ein hübsches Körperteil? Das klingt jetzt vielleicht ein wenig voreingenommen, aber mal ehrlich: Welches Unterleibskörperteil an sich hübscher ist, darüber sollte ja wohl kein Zweifel herrschen! Ich gebe zu, mit Fragen wie Venushügel-Sculpting und Vaginalverjüngung habe ich mich bis gerade eben noch nie beschäftigt. Und werde ich in Zukunft auch nicht! Irgendwo ist wirklich mal Schluss! Wann soll ich das denn noch machen? Und vor allem, wie sollte ich das bezahlen?

Zurück zum Ausgangsthema: Wie sieht man beim Sex irgendwie vorteilhafter, mit anderen Worten weniger fett aus? Um den Bauch zu verbergen, lese ich, muss man sich auf den Rücken legen und eine Art Brücke machen, also das Becken und die Hüften anheben. Immerhin darf man sich dabei mit den Unterarmen abstützen. Ich probiere es aus. Nicht schlecht, der Bauch sieht jedenfalls flacher aus. Um die Beine schlanker wirken zu lassen wird empfohlen, sie in die Luft zu recken. Wer Bauch und Beine gleichzeitig schöner aussehen lassen will, hat damit allerdings ein Problem. Man kann kaum die Beine in die Luft strecken, während man eine Art Brücke macht, außer man arbeitet nebenher im chinesischen Staatszirkus als Artistin, aber dann hat man garantiert einen Körper, der solcherlei Ablenkungsmanöver nicht nötig hat. Generell soll man die Aufmerksamkeit auf Körperteile lenken, die einem selbst gut gefallen. Meine Hände?

Ich forsche weiter im Internet. Guter Sex – was macht den aus? Leidenschaft, Abwechslung, Hemmungslosigkeit und Aufregung. Na, da wäre ich selbst ja nie drauf gekommen! Kontrollverlust soll sexy sein?

Probieren Sie es mal mit dem Pistenspiel, um Aufregung in Ihr Liebesleben zu bekommen, schlägt eine Zeitschrift vor. *Sie ziehen sich aus und legen mit Ihren Kleidungsstücken eine Spur bis zum Bett, und auf dem haben Sie sich drapiert – nackt natürlich.* Das wäre machbar, auch in einem Hotelzimmer.

Ich beschließe, nicht noch mehr zu lesen, denn je mehr ich über Sex lese, desto ängstlicher werde ich. Der vernünftigste Tipp erscheint mir: Entspannen Sie sich, und vermeiden Sie grelles Licht. Das mit dem Licht werde ich auf jeden Fall machen! Für die Entspannung brauche ich mit Sicherheit den einen oder anderen Drink.

Um 23:30 Uhr klopft es an meine Tür. Claudia ist zurück.

»Na, Mäuschen, wie ist es?«, frage ich freundlich. »Geht's dir besser?«

»Ne«, knurrt sie nur. »Der hat sich einfach nicht gemeldet! Nicht eine SMS, der war nicht mal online bei WhatsApp!«, jammert sie. Während sie das sagt, zieht sie ihr Handy aus der Hosentasche und schaut drauf. »Nichts! Meinen ganzen Tag hat der mir vermiest. Wahrscheinlich hat er mich schon vergessen.«

»So ein Quatsch«, versuche ich sie zu trösten. »Der ist beleidigt. Männer sind schnell mal beleidigt! Wart ab, der meldet sich schon!«

»Ja, und wenn nicht?«, fragt sie. »Was mache ich dann?«

»Hast du dich bei ihm gemeldet?«, will ich wissen.

»Also eigentlich wollte ich nicht, aber dann habe ich doch kurz geschrieben«, stammelt sie, und an ihrem Tonfall kann ich erkennen, dass sie es bereut.

»Das war nicht so gut! Du weißt doch: Willst du gelten …«

»… mach dich selten«, beendet sie meinen Satz. »Das ist doch Scheiße, altmodische Scheiße. Warum muss ich so was machen?«, will sie wissen.

»Ach, Schätzchen«, antworte ich, »du hast recht und trotzdem nicht recht. Es ist doof, aber so funktioniert es halt. Leider haben sich die Spielregeln in Bezug auf Liebe in den letzten Jahrhunderten nicht sehr verändert. Die Männer übrigens auch nicht! Geh schlafen, er wird sich schon melden. Wenn du willst, kannst du dein Handy bei mir lassen, dann kommst du gar nicht in Versuchung, ständig drauf zu starren oder was zu schreiben!«

Sie guckt erschrocken: »Mein Handy? Ich soll ohne mein Handy ins Bett gehen?«

Sie tut gerade so, als hätte ich gesagt, sie solle auf der Straße schlafen.

Ich nicke: »Ja, oder mache es aus. Der wird sich jedenfalls wundern, und wenn er sieht, dass du auch mal nicht online bist, wird er sich schon bemühen.«

Sie schaut nachdenklich. »Meinst du echt?«, fragt sie mich.

»Es könnte doch gut sein«, sage ich und freue mich, dass wir seit langem mal wieder richtig miteinander sprechen.

Sie zögert noch immer. »Ach was soll's! Vielleicht schlafe ich dann wirklich besser«, entscheidet sie und drückt mir das Handy in die Hand. »Nicht dran rummachen, Mama! Und nix lesen – versprich's mir!«, gibt sie mir noch Anweisungen. Sicherheitshalber schaltet sie es aus.

Ich verspreche es und lege es auf meinen Nachttisch.

»Ich hab dich lieb!«, sagt sie, als sie sich zur Tür umdreht.

»Komm mal her, mein Schatz«, antworte ich, stehe auf und nehme sie fest in den Arm. »Ich dich auch – und wie. Wir haben es manchmal schwer miteinander, aber du weißt, lieb habe ich dich immer.«

Ich drücke ihr einen dicken Kuss auf die Wange und sie küsst zurück.

»Uah, du bist ja nackt!«, sagt sie noch, und weg ist sie.

Das war endlich mal wieder einer schöner Tagesausklang. Versöhnlich und liebevoll. Mein Nagellack ist trocken, und ich kuschle mich in mein Bett. Was auch immer da auf mich zukommt morgen, hier zu Hause sind Menschen, die mich lieb haben. Das ist schön, denke ich, stelle meinen Wecker und fühle mich seit langem mal wieder richtig wohl.

3

Ich wache auf, noch bevor der Wecker klingelt. Ich bin aufgeregt und habe unruhig geschlafen. Ich fühle mich wie eine Drittklässlerin vor ihrer ersten Klassenfahrt. Ich springe, ganz gegen mein Langschläfernaturell, sofort aus dem Bett und gehe runter in die Küche. Erst mal einen Kaffee trinken und dann in aller Ruhe alles zusammensuchen. Ich habe Zeit, beruhige ich mich. Ich muss um 7:45 Uhr am Lufthansaschalter stehen. Es langt, wenn ich gegen sieben losfahre. Ich werde mein Auto am Flughafen parken. Das ist zwar teuer, aber immer noch günstiger, als mit dem Taxi zu fahren. Außerdem fahre ich ja mit Sabine zum Wellness, und da würde man ja nicht mit dem Taxi hinfahren – entweder würde ich Sabine abholen oder Sabine mich. Ich muss wenigstens heute Morgen mein Lügenkonstrukt noch irgendwie aufrechterhalten. Leider hat mein Nagellack die Nacht nicht gut überstanden. War doch noch nicht richtig durchgetrocknet. Ebenmäßig ist anders. Er hat eine Art Strichmuster, irgendwie so als hätte jemand meine Fußnägel ausgepeitscht. Ich möchte einmal einen Lack finden, der hält, was er verspricht! Na egal, es wird ja keine eingehende Fußkontrolle geben, und jetzt kann ich es eh nicht mehr ändern. Ob ich doch noch mal schnell drüberpinsele? Aber dann? In meine Pumps? Das Risiko gehe ich mal besser nicht ein. Ich werde den Lack mitnehmen und zwischendrin nachbessern.

»Moin, Andrea!«, begrüßt mich da Rudi.

»Guten Morgen, Rudi. Auch einen Kaffee?«, antworte ich.

»Gern. Musst du net los?«, fragt er.

»Ja, und deshalb wäre es auch nett, wenn du den Kindern was zum Frühstück machen könntest. Ich werd kurz vor sieben fahren.«

Es wäre zu ärgerlich, wenn ich durch einen schnöden Stau meinen Flug verpassen würde. Da stehe ich lieber auf dem Flughafen noch eine halbe Stunde rum. So langsam fange ich an, nervös zu werden.

»Mach dich vom Acker, ich kümmer mich, un heut Mittag kommt ja de Christoph!«

Ja, das wollen wir mal hoffen – aber inzwischen ist es mir auch egal. Ich bin für heute und morgen nicht zuständig. Mütter neigen ja dazu, selbst Phasen kurzer Abwesenheit komplett durchzuplanen. Essen einfrieren, Listen erstellen und dann halbstündlich anrufen, um zu kontrollieren, ob ihre Liebsten auch ohne sie überleben. Fürs Essen ist Rudi zuständig, und Christoph sollte auch in der Lage sein, seine Kinder vor dem Verhungern zu bewahren. Anrufen werde ich jedenfalls nicht. Ich werde mich ausnahmsweise nur um mich selbst kümmern. Mir fällt ein Satz von Dorothy Parker, einer von mir hochverehrten Schriftstellerin, ein, der hoffentlich auch für mein Wochenende gelten wird: *I've been too fucking busy – or vice versa*. Ich muss kichern.

»Freust de dich so, ma rauszukomme?«, fragt da mein Schwiegervater.

»Ja, das tue ich. Ich freu mich riesig! Danke, dass du dich kümmerst.«

»Gern, Andrea. Du tust mir ja auch so manche Gefalle!«, sagt er und zwinkert mir zu.

Hasenpuschel denke ich nur.

»Willst de noch was mitfrühstücke?«, erkundigt er sich liebevoll.

Ich habe überhaupt keinen Hunger und lehne dankend ab.

»Rudi, ich geh hoch und mach mich fertig. Sabine und ich wollen früh los«, sage ich noch, bevor ich mich in Richtung Schlafzimmer aufmache. Hoffentlich passiert dieses Wochenende nicht irgendwas! Sollte das Flugzeug abstürzen, weiß niemand, dass ich drin bin. Außer Sabine. Ich muss daran denken, ihr Bescheid zu sagen, wo genau es hingeht.

Ich dusche, mache mir die Haare und ziehe die bereitgelegten Klamotten an. Ich finde, ich sehe gut aus. Lässig, aber chic. Jeans, weiße Bluse, Lederjacke und Pumps. Eigentlich wollte ich Sandalen anziehen, aber wegen der kleinen Nagellackpanne scheiden die aus. Ich stopfe die Sandalen mitsamt dem Lack noch in den Trolley, schnappe mein Handy vom Nachttisch und bin fertig. Fertig und nervös. Furchtbar nervös. Ich bin kurz davor, wieder auszupacken. Wenn ich noch länger hierbleibe, werde ich genau das tun, und deshalb beschließe ich, jetzt schon loszufahren. Ich kann ja am Flughafen noch einen Kaffee trinken.

»Rudi, ich fahre los. Du denkst an die Kinder! Grüß sie von mir – ich will sie jetzt nicht wecken. Ich rufe an, wenn was ist«, verabschiede ich mich von meinem Schwiegervater.

Ich muss los. Ich hätte den Kindern gerne noch tschüs gesagt, will aber nicht noch mehr rumlügen. Wellness – ich komme!

Natürlich bin ich viel zu früh am Flughafen. Es ist ja immer so – hat man es verdammt eilig, findet man garantiert keinen Parkplatz, ist man dagegen früh dran, dann klappt alles reibungslos. So stehe ich jetzt also mit meinem Trolley in der riesigen Abflughalle und starre auf die Anzeige. Ich hoffe so sehr auf Venedig! Ich setze mich in ein Café, und während ich eine weitere Ladung Koffein zu mir nehme, suche ich mein Handy, um Sabine anzurufen. Als ich es anmachen will, verlangt es nach einem Code. Seit wann das denn? Nach nur wenigen Schrecksekunden dämmert es mir: Ich habe Claudias Handy dabei! Mein Handy liegt zu Hause im Bad. Das auf dem Nachttisch ist das Handy meiner Tochter gewesen, das sie gestern dort brav hat liegenlassen. Das kommt davon, wenn man Kindern teure Smartphones kauft. Ich werde panisch. Ich habe jetzt weder Raketes Nummer noch sonst irgendeine. Schaffe ich es, noch mal nach Hause zu fahren, um die Handys zu tauschen? Das ist logistisch unmöglich – es ist inzwischen 7:20 Uhr, und um 7:45 Uhr bin ich verabredet. Was mache ich nur? Ich kann ja schlecht ein ganzes Wochenende ohne Handy unterwegs sein. Ich muss Claudias Code rausfinden, um wenigstens irgendein Handy zu haben.

Claudia! O Gott! Die bringt mich um. Die läuft gerade garantiert zu Hause Amok. Armer Rudi! Wenn die jetzt mein Handy findet und meine SMS sieht, dann fliegt mein ganzes Lügenkonstrukt auf. Wie bescheuert bin ich bloß.

Wie könnte Claudias Code lauten? Ihr Geburtsdatum? Ich gebe es ein und scheitere. Nichts. Der Geburtstag von Gustav Johannes? Leider fällt mir der nicht ein. Das ist ein Zeichen, überlege ich. Ich soll nicht fahren. Das ist kein Zeichen, sondern nur Schusseligkeit, reg dich ab, Andrea, versuche ich, mich zu beruhigen. Ich probiere es mit *1234*. Tatsächlich! Es funktioniert. Sonderlich originell war meine Tochter da nicht, aber gerade bin ich sehr froh darüber.

Was nun? Zu Hause anrufen und ein komplettes Geständnis ablegen? Drei Nachrichten sind eingegangen und sechs Anrufe in Abwesenheit. Alle von meinem Handy. Immerhin – das hat sie gefunden.

Mama, wo ist mein Handy?, lautet Nachricht eins. Nummer zwei klingt schon panischer: *Ich werde verrückt. Wo ist mein Handy? Was soll ich ohne machen? Hier ist nur deins, und da sind komische Nachrichten! Melde dich! Mein Code ist 1234!*

Eine wirklich unglaublich kluge Nachricht, die mich kurz am Verstand meiner Tochter zweifeln lässt: Sie schickt mir ihren Code auf ihr Handy, auf dem ich ja wohl kaum Nachrichten lesen kann, wenn ich den Code nicht habe.

Nachricht Nummer drei lautet: *Habe Sabine angerufen, und die hat gesagt, ihr würdet euch erst im Wellnesshotel treffen. Opa hat gesagt, du holst sie ab. Ich verstehe das alles nicht! Wo bist du, was machst du? Melde dich, und guck ja nicht meine Nachrichten an! Ich brauche mein Handy. Sofort!*

Ich soll ja nicht ihre Nachrichten angucken – das ist ja auch wieder sehr klug! Wofür schickt sie mir dann welche? Tja, das mit dem Sofortbrauchen muss bis übermorgen warten. Oder ich lasse es hier am Flughafen, deponiere es irgendwo, und sie kann es abholen. Einerseits wäre das sehr nett von mir, andererseits ausgesprochen verräterisch. Schließlich fliege ich ja nicht mit Sabine in die Wellnessferien, sondern fahre mit dem Auto – wie also sollte das Handy hierhergekommen sein? Außerdem hätte ich ja dann in Venedig kein Handy. Natürlich könnte ich das Handy auch einem Taxifahrer in die Hand drücken und ihn als Handyüberbringer nutzen. Was für ein fieses Kuddelmuddel.

Nur, ohne Handy will ich die nächsten Tage nicht sein, und deshalb reagiere ich einfach mal überhaupt nicht. Claudia wird es schon überleben. Es wird eine überaus lehrreiche Erfahrung sein. Das könnte man natürlich auch umgekehrt für mich behaupten, aber sie ist jünger, und ich bin im Ausland und dort vielleicht mal aufs Handy angewiesen. Bei älteren Menschen kann es eher zu medizinischen Notfällen kommen. Egal wie ich es drehe und wende – ich habe ein latent schlechtes Gewissen. Claudia wird durchdrehen. Ohne ihren Gustav Johannes und mit quasi durchtrennter Nabelschnur. Wie soll er sie so erreichen? Wie Kontakt aufnehmen? Ich bin nicht mal sicher, ob er unsere Festnetznummer kennt. Aber sie mit Sicherheit seine. Und man kann es ja auch wie in meiner Jugend machen und einfach mit dem Rad beim Freund vorbeifahren. Egal – ich kann mich jetzt nicht mehr darum kümmern.

Es ist Zeit, sich am Treffpunkt einzufinden. Ich merke, wie mir grauenvoll heiß wird. Ich fange an zu schwitzen.

Was ist das? Mir wird plötzlich irre warm. Als hätte jemand meine Schweißdrüsen, wie Düsen im Whirlpool, alle auf einmal aufgedreht. Volle Pulle. Mein Nacken ist klatschnass, fast als hätte ich gebadet. Ist das eine dieser berüchtigten Hitzewallungen? Eine Wechseljahrserscheinung? Bisher habe ich nur ab und an nachts geschwitzt. Wie herzlos sind diese Wechseljahre nur? Müssen sie ausgerechnet jetzt in die Offensive gehen? Meine mühsam aufgefönten Haare, eh nur mit viel Stylingprodukt einigermaßen vorzeigbar, fallen langsam in sich zusammen. Was für ein Timing! Ich brauche dringend Taschentücher. Eigentlich eher Handtücher. Also nichts wie zur Toilette und sehen, ob es noch Rettung gibt.

Es ist 7:35 Uhr – mir bleiben genau noch zehn Minuten. Zehn Minuten, um mich einmal komplett trockenzulegen. Was für eine Bescherung! Mir läuft der Schweiß in Strömen den Rücken runter, mein Körper verlangt nach einer erfrischenden Dusche und mein Kopf ist mit Sicherheit puterrot. Ich sehe bestimmt umwerfend aus! Immerhin, das akute Schwitzen scheint aufgehört zu haben. Es war wie ein Flash.

Ich habe fast die Toiletten erreicht, als mich eine Stimme aufschreckt: »Halt, Sie haben nicht bezahlt! Stehenbleiben!«

Alles guckt, ich auch. Schnell wird mir klar, wenn die Stimme meint – mich. Es ist die Bedienung aus dem Café, in dem ich bis eben noch gesessen habe. In all der Schweißhektik habe ich glatt vergessen zu bezahlen. Peinlich! Ich entschuldige mich, zücke sofort mein Portemonnaie und gebe fünf Euro Trinkgeld als Wiedergutmachung – und das bei einem Cappuccinopreis von fünf Euro! Fünf

Euro für einen Cappuccino! Ich sollte ein Flughafencafé eröffnen. Zum Glück ist die Bedienung zufrieden und glaubt mir, dass es keine Absicht war.

»Geht es Ihnen nicht gut?«, fragt die junge Frau sogar noch mitfühlend. Ich muss ja grausig aussehen.

»Nein, doch, also eigentlich schon. Alles okay! Bin nur ein bisschen in Eile«, antworte ich und öffne endlich die Tür zu den Damentoiletten.

Im großen Spiegel über den Waschbecken kann ich gleich sehen, dass mein Gesicht tatsächlich knallrot, meine Wimperntusche verschmiert ist und meine Bluse Schwitzringe aufweist. Ich tupfe mir die Achseln, den Nacken und den Rücken, so gut es mit Einmalhandtüchern eben geht, trocken. Er wird mich ja nicht schon im Flieger antatschen, und wenn wir erst in Venedig, in unserem Palasthotel sind, hüpfe ich schnell unter die Dusche.

Das Handy klingelt. Ich sehe auf dem Display, dass es Gustav Johannes ist. Wenigstens das – meine Strategie hat gewirkt. Eine Nacht Handyausschalten, und schon meldet sich der kleine, adelige Stinkstiefel. Was nun? Gehe ich dran und erkläre, warum Claudia nicht im Besitz ihres Handys ist, oder lasse ich ihn noch ein bisschen zappeln? Zappeln ist meine Entscheidung. Bei anderen und für andere kann ich unglaublich konsequent sein – ginge es um mich selbst, ich würde garantiert schwächeln und drangehen.

Nach fünf Minuten Tupfen und Wischen und Make-up-Make-Over bin ich einigermaßen wiederhergestellt. Ich stelle das Handy auf lautlos. Jetzt ganz entspannt bis zum Lufthansa-Business-Check-in-Schalter. Besser keine zu schnellen Bewegungen, obwohl mich der Hitze-Flash ja im Sitzen getroffen hat.

Schon von weitem sehe ich ihn. Er ist wirklich groß. Und er sieht gut aus – jedenfalls aus der Entfernung und von hinten. Ich ziehe meinen Bauch ein, bemühe mich, cool zu gucken, und schlendere auf ihn zu.

»Hi, Tom!«, sage ich, und er dreht sich um.

»Ach, hallo, du musst die Andrea sein, oder?«, fragt er und scannt mich ohne Hemmungen von Kopf bis Fuß.

»Ja, die müsste ich wohl sein!«, antworte ich und bin direkt ernüchtert. Der hat mich nicht mal sofort erkannt.

»Ja dann«, sagt er noch und klingt nicht gerade begeistert.

Kein Kuss zur Begrüßung, keine Umarmung, nicht mal ein Händeschütteln. Ich stehe da wie ein junger Mann bei der Musterung. Werde ich für tauglich befunden oder direkt ausgemustert und nach Hause geschickt? Was für ein unsäglich blödes Gefühl. Ich hätte doch heimfahren sollen!

»Und freust du dich?«, fragt er da.

Ich nicke. Meine Güte, ich verhalte mich wie eine Fünfjährige, die zum ersten Mal einem fremden Mann gegenübersteht. Leider sind keine Eltern dabei, hinter denen ich mich verstecken kann. Ich bin doch sonst nicht so dermaßen auf den Mund gefallen!

»Gut, dann stelle ich dir erst mal die anderen vor«, redet Tom weiter.

Die anderen? Welche anderen, schießt es mir durch den Kopf und platzt dann aus mir heraus: »Welche anderen?«

So viel zum romantischen, lauschigen Wochenende.

»Na ja, das ist eine Makler-Incentive-Reise. Insgesamt vier Kollegen und Begleitung – alle eingeladen vom Verband. Habe ich dir das nicht gesagt?«, informiert mich Rakete.

»Ne, aber kein Problem. Venedig ist so oder so schön!«, zeige ich mich flexibel.

»Venedig?« Er guckt, als hätte ich Saturn gesagt. »Wie kommst du denn auf Venedig?«, rätselt er und ergänzt: »Wir fliegen nach Istanbul, neue Märkte erobern und schauen, ob da eine Zusammenarbeit mit den türkischen Kollegen geht. Und weil alle jemanden dabeihaben, wollte ich nicht allein auflaufen.«

Wie charmant. Es ist ein Schnorrertrip, und ich bin eine Art Lückenbüßer.

Er scheint zu merken, dass er nicht wirklich freundlich war, und legt versöhnlich den Arm um mich: »Egal! Wie auch immer, wir machen uns ein hammergeiles Wochenende!«

Er hat tatsächlich geil gesagt! Ich hasse diesen Ausdruck bei erwachsenen Menschen. Geil zu sagen, ist auf akustische Art so in etwa wie ein Ed-Hardy-T-Shirt zu tragen und keinesfalls altersgerecht. Ich schaue mir Rakete gründlich an. Wenigstens an seinem Aussehen gibt es wirklich nichts zu meckern. Ein kantiges, markantes, aber hübsches Gesicht. Faltig, Dreitagebart und graues, gegeltes Haar. Einen Tick zu lang für meinen Geschmack. Groß, mindestens einen Kopf größer als ich, und schlank. Fast schon zu schlank. Er sieht gepflegt aus. Schmalgeschnittener Anzug, Einreiher, dazu T-Shirt und Turnschuhe. Im Haar eine Sonnenbrille. Ja, er ist ein affiger Gockel, aber eindeutig ein Hingucker. Hätte schlimmer sein können, und vielleicht ist ein bisschen Gesellschaft ja auch nett und nimmt der Situation ein wenig ihrer Brisanz.

»Hallo!«, höre ich da auch schon eine tiefe Stimme. »Ich bin der Ed. Und das ist die Conny.« Ein Mann, etwa um die ein Meter 70 groß, kräftig, mit Baseballkappe und Cowboystiefeln, streckt mir seine Hand hin. Ed drückt fest zu und strahlt mich an: »Endlich mal ein neues Gesicht! Hat die Nicki wohl keine Zeit gehabt.« Er lacht.

Wieso endlich mal ein neues Gesicht? Was bitte soll das denn heißen? Ich frage lieber nicht nach.

Tom, also Rakete, guckt verlegen. »Die Nicole, also, die Nicki, die ist eine Ex von mir, nichts Wichtiges!«, erklärt er mir.

Ich nicke – was soll ich dazu auch sagen? Conny, die Freundin oder Bekannte oder was auch immer von Little Ed, umarmt mich zur Begrüßung. Sie ist gut einen halben Kopf größer als er und mit Sicherheit auch 15 Jahre jünger. Irgendwas Anfang 30 würde ich schätzten. »Wir werden eine tolle Zeit haben. Istanbul ist so megahip! Echt ein Shoppingparadies!«, freut sie sich.

Ob wir sehr viele Gemeinsamkeiten haben werden, bezweifle ich, aber immerhin ist Conny freundlich.

Nach und nach gesellen sich auch die anderen zu uns. Neben Little Ed und seiner Conny sind da noch Horst und Tini und Will (der so aussieht, als gehöre an seinen Namen auch noch ein i) mit seiner Freundin Steffi. Alle Frauen sehen auf den ersten Blick nicht so aus wie Ehefrauen – sie sind alle jünger als ich, oder zumindest besser erhalten. Aber alle sagen freundlich guten Tag und machen einen ganz netten Eindruck. Ich werde ja nicht meinen Lebensabend mit ihnen verbringen, sondern nur zwei Tage in Istanbul, rede ich mir gut zu.

Rakete verlangt meinen Pass (an den ich zum Glück heute Morgen gedacht habe) und checkt uns ein.

»Wir Männer fliegen vorne, es gab nur für uns Business Tickets, aber die paar Stunden bis Istanbul sind ja auch in der Holzklasse kein Problem«, eröffnet mir Rakete und überreicht mir mein Ticket. Ich bedanke mich brav, obwohl ich leicht angesäuert bin. Die Frauen fliegen hinten, die Männer vorne! Welcher wohlerzogene Mann würde so etwas machen? Wahrscheinlich jeder. Schade, Business Class hätte mir gefallen. Wäre mal was Neues gewesen. Und auch herrlich zum Angeben im Büro. Little Ed immerhin hat Benehmen. Er tritt seinen Platz in der Business Class an seine Conny ab, obwohl sie in ihrem zarten Alter auch sicherlich gut hinten sitzen könnte, ohne direkt Gefahr zu laufen, Thrombose zu bekommen. Aber Überraschung: Conny will nicht nach vorne in die Business Class!

»Ich sitze bei den Mädels, da können wir uns alle schon mal kennenlernen«, kichert sie.

Ich hätte das Ticket genommen, aber leider fragt Rakete mich nicht. Ed lenkt sofort ein. Er scheint erleichtert. Gut für ihn, er hat durch Großzügigkeit gepunktet, muss aber dennoch auf nichts verzichten.

Nach der Sicherheitskontrolle haben wir noch Zeit und sitzen im Wartebereich vor unserem Abflug-Gate. Zeit, in der ich die anderen eingehend betrachten kann. Alle drei Frauen sind gutaussehend. Zwei von ihnen sind blond, haben lange, perfekt gesträhnte Mähnen. Kein Ansatz zu entdecken. Die haben mit Sicherheit den gleichen Friseur. Tini ist dunkelhaarig. Ein sattes Dunkelbraun, lang und glänzend und garantiert heute Morgen schon frisch geglättet. Kein graues Haar weit und breit. Alle drei tragen Turnschuhe (Tini hat diese neumodischen Dinger mit Keilabsatz an, die beiden anderen tragen klassisch lässige Converse – Steffi die mit Stars and Stripes, Conny welche in verwaschenem Türkis) und ich fühle mich mit meinen Pumps und der weißen durchgeschwitzten Bluse gar nicht mehr so chic wie noch heute Morgen. Es gibt Frauen, gegen die man optisch keine Chance hat und die einen immer einen Hauch altbacken aussehen lassen. Ich fühle mich genau so: altbacken. Ein bisschen vorortmäßig, was die Mode angeht. Auch figürlich bin ich nicht in Topposition. Ich kann mir aber auch nicht vorstellen, dass die drei in letzter Zeit wirklich Nahrung zu sich genommen haben.

»Und wart ihr schon mal in Istanbul?«, frage ich in die Runde und versuche, mich aufgeschlossen zu geben.

»Ja«, kommt die rasche Antwort von Tini, »mehrmals. Es ist mega.«

Es ist mega? Megatoll? Megadoof? Megagroß? Seit wann ist mega ein Adjektiv?

»Warst du noch nie da?«, fragt sie zurück und klingt fast ein bisschen entsetzt. »Istanbul ist das neue Paris, das neue Marrakesch!«, betont sie.

»Ne«, sage ich, »aber ich freue mich drauf!«

»Da kann man unglaublich toll einkaufen: Chloe, Hermès, Gucci, Chanel – alles was dein Herz begehrt!«, mischt sich nun Steffi ein.

Was dein Herz begehrt! Mein Herz begehrt ganz andere Sachen, aber je länger ich Rakete anschaue, umso weniger Hoffnung habe ich, dass er dazugehört. Man kann auch nicht gerade sagen, dass er sich besonders um mich kümmert oder bemüht. Die Männer stehen zusammen, und es geht um irgendeine Großimmobilie direkt am Bosporus. Mehr habe ich nicht mitbekommen. Rakete scheint mir der Leitwolf der Maklerhorde zu sein.

Tini schwärmt mit Steffi um die Wette. Markennamen fliegen hin und her.

»Ich brauche unbedingt eine Céline-Bag«, sagt Tini, »Diese zweifarbige Trapeze-Bag, ihr wisst schon! Am liebsten die mit Blau und Beige!«

Die beiden anderen nicken, ich habe keinen Schimmer. Céline-Trapeze-Bag? Ich muss unbedingt öfters Instyle und solche Heftchen lesen.

»In Istanbul gibt es die besten Fakes überhaupt. Da kriegst du jede Tasche nachgemacht, das ist unglaublich. Das können die, die Türken. Ich hol mir diesmal eine Bottega«, kündigt Steffi an.

Ich kenne Bodegas, aber Bottegas?

»Was ist mit dir, Andi?«, fragt mich nun Conny.

Andi? Muss man ein niedliches i am Namensende tragen, um hier dazuzugehören? Andi als Abkürzung für Andrea? Ich gebe ja zu, dass mein Name nicht sonderlich originell ist, aber ich habe mich daran gewöhnt.

»Vielleicht Prada«, sage ich, einfach um irgendeinen Markennamen ins Spiel zu bringen.

»Ach«, stöhnt Tini auf, »Prada, ich weiß nicht, Prada ist sooo Neunziger. Wenn, dann lieber Miu Miu!«

Ich glaube, Prada passt, schließlich bin ich auch ein

bisschen Neunziger, sogar eher Siebziger, wenn man es genau nimmt.

»Ich guck mal, ich habe noch keine Pläne. Vielleicht gehe ich mal in diese Hagia Sophia«, werfe ich einen Brocken Kultur in die Runde. »Aber da wart ihr sicher schon«, ergänze ich.

Die drei schütteln die Köpfe. Steffi antwortet: »Da hatten wir nicht die Zeit für. Wir haben sie von außen gesehen, aber es gab 'ne Schlange, und wir wollten noch in diesen In-Club zum Chillen, und da haben wir es verschoben. Vielleicht klappt es dieses Mal. Aber dieses klassische Touri-Programm ist ja auch eher öde.«

In meiner Tasche vibriert es. Nicht zum ersten Mal, seitdem ich hier am Gate sitze. Zum Glück habe ich den Ton ausgestellt. Sechs Anrufe in Abwesenheit. Drei von Mama und drei von Gustav Johannes. Das Ganze nimmt ja richtig Fahrt auf. Anrufe von Mama – ach so, ja klar, sozusagen von mir, also von meinem Handy, Claudia hat es ja gefunden und benutzt es jetzt. Hoffentlich hat sie meine SMSen nicht gecheckt. Mein Geplänkel mit Rakete. Meine SMSen an Sabine. Mir schwant nichts Gutes. Das wird eine schöne Rechtfertigungsorgie erfordern, wenn ich zurück bin. Ich stecke das Handy wieder in die Tasche und schalte es aus. Nicht, dass sie es noch ortet! Man weiß ja nie heutzutage.

Beim Einsteigen ins Flugzeug trennen sich unsere Wege. Die Business-Class-Bevölkerung hat einen eigenen Rüsselzugang. Und fast nur Rüsselträger biegen dorthinein ab. Haha. Ich weiß, ein billiger Witz – aber stimmt doch, so ist es ja auch.

Rakete nimmt mich vorher noch mal beiseite und flüstert mir ins Ohr: »Ich freue mich, dich näher kennenzulernen, Andi. Guten Flug, Kleine!« Jetzt sagt der auch schon Andi. Und Kleine! Ich bin ja vieles, aber klein eher nicht.

»Tja, wir werden sehen!«, antworte ich und versuche, nicht zu schnippisch zu klingen.

Diese Zweiklassengesellschaft hier an der Rüsseltrennung stinkt mir. Vielleicht hätte sie mir weniger gestunken, wenn ich auch links abgebogen wäre. So rausche ich mit den Massen in Richtung Economy Class. Ich sitze neben Conny. Sie scheint mir nervös zu sein.

»Ich hasse Fliegen – ich liebe Reisen, aber ich hasse Fliegen. Ich brauche ganz schnell ein Gläschen Schampus!«, erklärt sie da schon. In ihrer Hand hält sie ein abgegriffenes kleines Stoffflugzeug. »Ohne fliege ich nicht, ist mein Talisman«, beantwortet sie meinen Blick.

»Wird schon gutgehen!«, versuche ich, ein paar tröstliche Worte zu finden.

Fliegen macht mir keine Angst. Angeblich ist das Flugzeug eines der sichersten Verkehrsmittel, und ich habe beschlossen, das zu glauben. Conny krallt sich in die Armlehne und knetet mit der anderen Hand das reichlich mitgenommene Stoffflugzeug. Ich tätschle ihr den Arm. Sie hat perfekt manikürte Nägel in einem zarten Apricotton. Auf dem Nagel des kleinen Fingers klebt ein Strasssteinchen. Nicht ganz mein Geschmack.

»Kennst du Tom schon lange?«, fragt sie mich.

»Ne, nicht wirklich«, antworte ich ehrlich, ohne Details preiszugeben.

»Ed und ich sind jetzt seit einem Jahr zusammen«,

strahlt sie. »Er ist toll!«, ergänzt sie noch. Ich versuche, nicht erstaunt zu gucken, und nicke.

»Es ist ja nicht immer leicht mit den Typen«, redet sie weiter.

Ich nicke wieder. An der Aussage stimmt alles.

»Wir haben uns über Parship kennengelernt. Und seit dem ersten Treffen sind wir zusammen. Ich bin so froh! Ich hatte viel Pech mit Männern«, stöhnt sie.

Ihr Lippenstift passt perfekt zum Nagellack. Auch ein leichtes Apricot. Ihre Zähne schimmern in klarem Weiß. Sie ist wirklich ausgesprochen hübsch. Wenn selbst eine Vorzeigefrau wie Conny Probleme mit den Männern hat, dann läuft da draußen in der Paarungswelt definitiv etwas falsch. Ich starre sie ungläubig an.

»Echt, das war der Horror! Die wollen alle nur mal schnell ab in die Kiste und sind vollkommen beziehungsgestört. Nur keine Verbindlichkeit. Das hat mich so genervt. Ed ist da ganz anders.«

Ed sollte Gott jeden Morgen danken, eine Frau wie Conny erwischt zu haben. In einer Liga spielen die beiden, jedenfalls optisch, nicht. Ed ist nicht nur klein, sondern auch nicht besonders attraktiv. Man sieht, dass er als Jugendlicher mal Hautprobleme hatte, ich tippe auf schlimme Akne, und die Baseballkappe auf seinem Kopf spricht dafür, dass er nicht besonders viel Haar hat. Sei nicht so oberflächlich, Andrea, ermahne ich mich selbst. Vielleicht hat er ein großes Herz, viel Verstand und Humor.

»Bist du denn jetzt die Neue von Tom?«, fragt sie nun.

Tja, was soll ich darauf antworten? Ich habe ja selbst keine Ahnung, was ich für Tom bin.

»Wir sind nicht direkt zusammen, wir haben uns gerade erst kennengelernt«, versuche ich, einigermaßen ehrlich das heikle Thema zu umschiffen.

»Ich hab die Nicki gemocht, aber du kannst ja nichts dafür!«, lächelt sie.

»Wofür denn genau?«, frage ich nach. Das hört sich nicht gut an.

»Ich will jetzt nichts Gemeines sagen, aber der Tom, na ja, der hat es mit der Treue nicht so genau genommen, und irgendwann hat es der Nicki gereicht. Aber es kann ja sein, dass jetzt alles anders ist. Auch Männer können sich ja ändern«, wählt sie eine sehr verbindliche Antwort.

Männer können sich ändern? Eine gewagte These.

»Was ist denn mit den anderen beiden? Steffi und Tini? Kennt ihr euch schon lange?«, beende ich die Tom-Debatte, bevor sie richtig angefangen hat.

Er hatte eine Freundin – das soll vorkommen. Er hat sie angeblich beschissen – das ist unschön, ausgesprochen unschön und spricht nicht für ihn, aber das, was ich hier mache, ist auch nicht gerade moralisch einwandfrei. Immerhin bin ich verheiratet, wenn auch nur noch auf dem Papier.

»Das ist nichts Ernstes oder Festes mit uns«, gebe ich noch ein bisschen mehr Information raus.

»Ach so«, sagt Conny. »Du bist ja alt genug zu wissen, was du tust!«

Nicht gerade eine charmante Bemerkung, aber ich glaube nicht, dass sie es böse gemeint hat. Ermutigend klang es allerdings auch nicht. Was soll's, ich will mich amüsieren und nicht verloben, denke ich, und dafür wird er ja zu gebrauchen sein. Ich komme noch mal auf Tini und Steffi zurück.

»Und, kennt ihr euch denn schon lange?«, frage ich erneut.

»Wir waren schon zweimal zusammen weg, in Istanbul und Marrakesch. Und Tini und ich gehen zusammen zum Zumba. Aber richtig lange sind wir noch nicht befreundet«, gibt sie mir Auskunft.

Das finde ich erleichternd. Auf eine Gruppe zu treffen, in der sich alle seit Jahren kennen, ist schwierig.

»Sind die denn schon lange mit Will und, ähm, Horst zusammen?«, frage ich weiter.

»Horst und Tini schon seit zwei Jahren. Und mit Will und Steffi ist es kompliziert, die sind mal zusammen und mal nicht, weil der Will ist eigentlich verheiratet, aber da läuft nichts mehr – also das sagt er jedenfalls«, flüstert sie, denn Tini und Steffi sitzen zwei Reihen hinter uns.

Ach, da läuft nichts mehr! Was für eine öde Ausrede. So gewöhnlich.

»Die Steffi denkt, er würde seine Frau verlassen, auf jeden Fall, wenn die Kinder erst mal größer sind. Aber der Ed meint, da macht sie sich was vor. Die Frau vom Will hat richtig Asche – der geht niemals!«, sinniert sie vor sich hin.

Will will also nicht. Er bleibt beim Geld. Wie romantisch. Das Problem hat die kleine Sarah Marie von Christoph immerhin nicht. Meine Kinder sind groß, und richtig Asche habe ich auch nicht.

»Ich bin auch verheiratet!«, platzt es aus mir heraus.

»Echt?«, Conny guckt geschockt.

»Ja, aber wir leben getrennt. Mein Mann, also mein Ex hat eine neue Freundin«, füge ich erklärend hinzu.

»Ach so, das ist natürlich dann was anderes«, murmelt sie.

Ja, es ist was anderes, aber trotzdem fühle ich mich mies. Wieder einmal frage ich mich, was ich hier überhaupt mache.

»Du auch einen Sekt?«, reißt mich Conny aus meinen Gedanken. Warum nicht? Ich muss kein Auto mehr fahren, ich will mich amüsieren, und ein wenig Alkohol macht mich vielleicht auch lockerer.

»Gerne!«, sage ich, und die Stewardess reicht uns zwei Gläser.

Kurz danach bin ich anscheinend eingenickt – kein Wunder bei Sekt auf nüchternen Magen – und wache erst auf, als mich eine Stewardess sanft rüttelt.

»Du hast ganz süß geschnarcht und das Essen verpasst!«, lächelt mich Conny an.

Ich wusste gar nicht, dass man auch süß schnarchen kann. Bisher dachte ich, ich würde gar nicht schnarchen. Bin direkt froh, neben Conny und nicht neben Rakete gesessen zu haben. Schnarchend und sicherlich auch noch mit halboffenem Mund.

»Wahrscheinlich der Alkohol. Bin ich tagsüber einfach nicht gewohnt«, rede ich mich raus.

Essen verpasst – ärgerlich. Nicht dass mir eine ausgefallene Mahlzeit schaden würde, aber ich merke, dass ich Hunger habe.

Am Gepäckband treffen wir die Männer wieder.

»Und Kleine, guten Flug gehabt?«, fragt mich Rakete.

Nennt der alle Frauen Kleine? Hat er meinen Namen schon vergessen?

»Ich heiße Andrea, und ja, der Flug war okay, bisschen eng, aber okay«, antworte ich.

»Jetzt geht's ins Hotel, frisch machen und dann raus ins Leben. Heute Abend haben wir einen Termin, da kannst du mit den Mädels rumstrolchen«, gibt er mir einen kurzen Einblick in die Planung. Mit den Mädels rumstrolchen!

Wir fahren mit dem Taxi in Richtung Istanbul Innenstadt. Was für ein riesiger Moloch diese Stadt ist, wird mir schnell klar. Der Himmel ist bewölkt, alles sieht ziemlich grau aus und gigantisch. Immerhin gibt's Meer. Ich weiß nicht wirklich viel über Istanbul und beschließe, mir schnellstmöglich einen Reiseführer zu kaufen. Unser Hotel liegt in der Altstadt.

»Ist gute Hotel!«, sagt der Taxifahrer anerkennend.

Zum Glück dürfen wir auch aussteigen und werden nicht, wie im Flugzeug, anderweitig untergebracht. Das Crowne Plaza macht einen ganz ordentlichen Eindruck. Es liegt mitten im Getümmel und hat fünf Sterne. Es ist kein lauschiges kleines Romantikhotel, aber bei fünf Sternen kann es ja so übel nicht sein.

An der Rezeption werde ich aufgeregt. Schlafen wir nun in einem Zimmer, oder gibt's Einzelzimmer für Rakete und mich? Auch Tini und Conny sind schon ganz rappelig.

»Wir ziehen uns nur schnell um und dann nichts wie in den Basar!«, plappern sie.

»Eins nach dem anderen!«, unterbricht Rakete sie. »Lass uns eine Stunde oder so ausruhen«, er zwinkert den anderen Männern zu, »und dann können wir gerne in den Basar gehen.«

»Gut, dann in einer Stunde hier unten«, sagt Little Ed und schnappt sich seine Conny. »Ich habe uns ein Upgrade organisiert, für eine richtige Suite!«, sagt er genauso laut, dass auch wir anderen es hören können.

Langsam beginne ich, Connys Begeisterung für Ed zu verstehen. Immerhin scheint er großzügig zu sein. Viel mehr kann ich allerdings bisher nicht beurteilen.

Rakete guckt ärgerlich. »Angeber!«, zischt er nur und ruft Ed hinterher: »Manche haben es lieber ein bisschen kuscheliger!« Dann wendet er sich mir zu: »So, Kleine, dann lass uns mal auf unser Zimmer gehen!«

Ich merke, wie ich feuchte Hände bekomme. Eine Stunde mit Rakete auf dem Zimmer. Allein. Ohne meine neue Begleitgruppe. Das ist doch genau das, was du gewollt hast, Andrea, ermuntere ich mich selbst.

Unser Zimmer liegt im ersten Stock zur Straße hin. Es ist klein und laut, aber sauber. Kaum fällt die Tür ins Schloss, umschlingen mich auch schon die Arme von Rakete. Der verschwendet wirklich keine Zeit.

»Jetzt ist der Moment für eine richtige Begrüßung!«, schmunzelt er, und kaum ist der Satz raus, ist seine Zunge auch schon in meinem Mund.

Und ich hatte es richtig in Erinnerung: Er kann küssen. Es macht Spaß. Wahrscheinlich schmecke ich wie eine Schnapsdrossel. Vielleicht ist er gar kein so schlechter Kerl, wie Conny angedeutet hat. Vielleicht war diese Nicki nur nicht die Richtige für ihn. Vielleicht braucht er eine andere Frau? Vielleicht wäre mit mir alles anders? Vielleicht war sie zu jung, zu unerfahren im Umgang mit Männern?

Er verschenkt keine Zeit. Während er mich weiter küsst, wandert seine Hand meinen Rücken entlang und fährt über meinen Po. Dann dreht er mich abrupt um und drückt mich gegen die Wand. Sein Mund erkundet meinen Hals, sein Penis drängt sich gegen meinen Po, und seine Hände schieben sich, zwischen Wand und mich, auf meine Brüste. Das geht hier aber rasant voran. Nicht nachdenken, Andrea, nicht nachdenken. Lass dich einfach gehen, genieße es. Es fällt mir schwer. Mir schießt einfach zu viel durch den Kopf. Das Zimmer ist taghell. Wenn es jetzt weitergeht, wird das nichts mit der dezenten Sexbeleuchtung. Allein der Gedanke macht mir Angst. Ich hätte mehr Sport treiben sollen.

»Zieh dich aus!«, haucht er da schon.

»Langsam, nur langsam!«, antworte ich und versuche, möglichst lasziv zu klingen.

Er dreht mich um und steuert mich in Richtung Bett. Er gibt mir einen kleinen Schubs, und ich falle in die Kissen. Ich brauche erst mehr Alkohol und weniger Licht und eine Dusche und »Meine super Unterwäsche«, will ich rufen, »die war richtig teuer, die will ihren Einsatz haben«, aber ich liege inzwischen schon auf dem Rücken, und Rakete lässt seine Hose runter. So in Sakko und Unterhose und mit Hose auf den Turnschuhen baumelnd, sieht er fast lustig aus. Ich muss grinsen. Er kickt die Turnschuhe und dann die Hose weg. Ich beäuge möglichst unauffällig seine Unterhose. Natürlich trägt er Boxershorts. Sehr viel mehr kann ich nicht erkennen. Seine Erregung scheint sich in Grenzen zu halten oder das, was sich in der Hose verbirgt, ist eher unterdurchschnittlich. Er bemerkt meinen Blick.

»Der braucht ein bisschen Aufmerksamkeit, Animation«, sagt er und deutet auf seine Boxershorts.

»Vielleicht lieber nachher mit mehr Zeit. Wir wollen

ja nichts überstürzen«, antworte ich und versuche, verheißungsvoll zu gucken. »Wir müssen ja auch gleich los – mit den anderen zum Basar!«

»Wir müssen gar nichts!«, grinst er. »Hier kannst du mindestens so viel Entdeckungen machen wie auf dem Basar.«

Irgendwie eine etwas peinliche Bemerkung. Überhaupt ist jetzt alles etwas peinlich. Ich liege in leicht derangierten Klamotten rücklings auf dem Bett, und er steht da, in Boxershorts und Sakko, und überlegt. Eben noch habe ich mich sexy und verrucht gefühlt, jetzt bin ich schockgehemmt. Was erwartet der?

»Ich hebe mir Entdeckungen gerne noch ein bisschen auf!«, antworte ich kryptisch und stehe auf. Er zieht mich zu sich heran. Wir knutschen. Das Knutschen mag ich.

»Na gut!«, sagt er. »Dann habe ich auch noch was, worauf ich mich heute Abend freuen kann! Ich bin mit den Jungs unterwegs, und dann gehen wir auf private Entdeckungsreise!«

Uff! Noch mal eine Schonfrist rausgehandelt. Obwohl ich das Knutschen durchaus genieße, ist der nächste Schritt für mich eine echte Herausforderung. Ich hatte lange keinen Sex mehr – und vor allem lange keinen Sex mehr mit jemand anderem als Christoph. Es ist nur Sex, Andrea, alle tun es. Es ist nichts überhaupt Besonderes, versuche ich mich zu beruhigen. Ein bisschen Gymnastik, und die halt nackt.

»Auf welcher Seite willst du schlafen – wenn wir überhaupt zum Schlafen kommen?«, fragt mich da Rakete und grinst.

»Mir egal«, sage ich, »such du aus!«

Wie komisch. Ich werde an der Seite eines Mannes schlafen, den ich nicht mal kenne. Das ist fast intimer, als Sex miteinander zu haben. Im Schlaf ist man immer nackt – im übertragenen Sinn gesehen. Man hat keine Kontrolle, ist schutzlos. Ach, wir werden sehen! Es kommt, wie es kommt, Andrea! Er überlässt mir die Seite zum Fenster.

»Willst du noch duschen, bevor wir zum Basar gehen?«, fragt er freundlich.

»Auf jeden Fall!«, sage ich und überlege schon, wie ich in diesem Minizimmer das mit dem Umziehen und Zurechtmachen möglichst diskret erledigen kann.

»Gut, dann gehe ich schon mal runter und nehme einen Drink und warte da auf dich«, sagt er, und damit ist immerhin das Problem gelöst.

Vielleicht ist ihm das Ganze ja auch irgendwie unangenehm. Wenn wir erst mal Sex hatten, ist das mit dem Nacktsein bestimmt nicht mehr so dramatisch. Ich bin wirklich ganz schön verklemmt geworden in den letzten Jahren. Allein die Vorstellung, auf Toilette zu müssen, während er sich quasi nur wenige Meter hinter der Klotür befindet – und es läuft kein Fernseher oder keine Musik –, und er hört alles, jedes Tröpfeln, lässt meine Anspannung wieder steigen. Klogeräusche gehören nicht in die Anfangsphase einer Beziehung. Ich werde wenig trinken, dann muss ich auch nicht so oft aufs Klo, beschließe ich. Natürlich weiß ich, wie albern allein diese Gedanken sind, und ich kann mir kaum vorstellen, dass sich andere um so etwas auch nur annähernd einen solchen Kopf machen, aber ich kann nicht anders. Zwei Zimmer wären perfekt gewesen. Ich hätte mich in aller

Ruhe hübsch herrichten können, wäre dann in sein Bett gehüpft und später, zum Abschminken, Aufs-Klo-Gehen und Schlafen in mein Zimmer entschwunden.

Ich gehe duschen und ziehe mich um. Leider habe ich keine Turnschuhe dabei. Ich entscheide mich für meine neue Kermit-Unterwäsche, eine Jeans, ein T-Shirt, und trotz der Wärme ziehe ich eine Strickjacke drüber. Sie geht ein bisschen über die Hüften und kaschiert den mittleren Ring. Meine Jeans sitzt reichlich tief, und wenn ich mich bücke, guckt mein Po ein Stückchen raus. Zur Not kann ich mir die Jacke auch umbinden.

Die anderen sind schon vollzählig in der Hotelhalle versammelt und warten auf mich.

»Bin ich zu spät?«, erkundige ich mich vorsichtig.

Little Ed schüttelt den Kopf: »Nein, alles gut, Andi, aber die Mädels sind schon so aufgeregt, und es zieht sie wie magnetisch zum Basar. Mir graust es schon! Dieses Shoppen liegt mir so gar nicht!«

Conny streicht ihm über seine Baseballkappe. »Ach, Schatzi, dann setzt du dich in ein Café und ich geh mit den Mädels! Solange ich deine Karte habe, ist alles gut!«, kichert sie und tätschelt noch mal über seinen Kopf. »Und später probieren wir den Whirlpool aus, gell!«, fügt sie noch hinzu.

Karte gegen Whirlpool-Spielchen! Wow, ein Whirlpool im Zimmer. Das ist schon was anderes als unser kleiner Hasenstall mit Duschbad. Doch bei aller Großzügigkeit, tauschen wollte ich nicht. Wenn ich mit der Suite auch Little Ed übernehmen müsste, würde ich dankend ablehnen. Fürs Leben mag er eine bessere Wahl als Rakete sein, für das, was ich will, ist eine angenehme Optik irgendwie wichtiger. In langen Beziehungen nimmt die Bedeutung von Optik durchaus ab. Schönheit wird irgendwann auch zur Gewohnheit.

»Lasst uns endlich gehen!«, quengelt da Tini und schüttelt ihre Mähne.

Steffi erscheint pikiert: »Ihr habt einen Whirlpool im Zimmer? Will, die haben einen Whirlpool – na ja, der Ed ist halt großzügig«, nörgelt sie ein bisschen und schaut vorwurfsvoll auf ihren Will. Will ist groß, fast so groß wie Rakete, und dunkelhaarig. Er ist nicht umwerfend hübsch, aber durchaus gutaussehend. Ein bisschen ein Helmut-Zierl-Typ. Modell: Netter Schwiegersohn, in die Jahre gekommen. Stupsige Nase und volle Lippen, die er im Moment allerdings fest aufeinanderpresst.

»Hör doch mal damit auf, Tini. Wenn du einen Whirlpool willst, geh halt in den Spa-Bereich! Da gehört ein Whirlpool auch hin.«

Oh, der sieht richtig genervt aus.

Ed schmunzelt. Dem scheint der kleine Disput zu gefallen. Mit seinem Suite-Upgrade hat er hier jedenfalls ordentlich gepunktet. Er grinst, als wäre ihm genau das alles Geld wert. So oder so, Ed ist nun mal ein kleiner Mann, und kleine Männer leiden unter ihrer nicht vorhandenen körperlichen Größe und müssen die immer irgendwie kompensieren.

Tini hat genug und geht einfach los. Horst folgt ihr, und Rakete nimmt mich an der Hand. Conny knutscht ihren Ed. Fast triumphierend. Man ahnt, was sie denkt: Ich habe den Kleinsten und Hässlichsten, aber er gibt sich die größte Mühe, und nichts ist ihm für mich zu teuer! Ätschi! Die auf den ersten Blick unattraktivste Beute entpuppt sich als größter Leckerbissen.

Auch unter den Frauen scheint ein gewisser Ehrgeiz zu herrschen. Frauen wetteifern gern: Wer macht das tollste Essen? Wer ist die Schlankste? Wer hat die klügsten Kinder? Und eben auch: Wer hat den dollsten Hecht? Rein optisch habe ich hier definitiv die Nase vorn, und das, obwohl ich die Älteste bin!

Endlich stehen wir alle draußen vor dem Hotel, und es geht in Richtung Basar. Angeblich eine Viertelstunde zu Fuß. Auf meinen Pumps keine besonders bequeme Angelegenheit. Ich werde mir sofort ein paar Turnschuhe kaufen, entscheide ich. Auch die anderen erörtern ihre diversen Kaufbegierden und weihen mich in die Techniken des türkischen Einkaufs ein.

»Du musst immer handeln, nie gleich ja sagen. Handeln gehört hier dazu! Egal wie billig es dir vorkommt, da geht immer noch was!«, belehrt mich Horst.

Ich glaube, es ist das erste Mal, dass er das Wort an mich richtet. Er scheint mir ein eher ruhiger Mann zu sein. Makler-untypisch. Horst ist gepflegt, mittelgroß und eher unauffällig. Nicht hübsch, nicht hässlich. Sachbearbeitertyp. Könnte gut Beamter sein. Beige Hose, hellblaues Hemd und Resthaar.

Rakete hat inzwischen den Arm um mich gelegt, und es fühlt sich gut, aber auch seltsam an. Wir sind kein Paar, ich weiß nichts von ihm, er ist mir fremd – auch wenn ich seine Zunge kenne und ihn in Unterhose gesehen habe.

Die Stadt wirkt insgesamt, auch trotz des Sonnenscheins, düster. Die Gebäude sind grau, viele könnten eine Renovierung gebrauchen, und noch kann ich nicht verstehen, warum Istanbul das neue Paris sein soll. Rund um den Basar sind schon jede Menge Stände aufgebaut. T-Shirts, Schals, Tücher und jede Art von Schnickschnack. Darunter eine große Auswahl an Wasserpfeifen. Wahrscheinlich ein Mitbringsel, über das sich mein Kiffersohn freuen würde. Für die weitere Planung setzen wir uns in eine kleine Teestube nah am Eingang des Basars.

»Gehen wir alle zusammen, oder teilen wir uns auf?«, fragt Horst, der mir so langsam wie der Planer der Gruppe vorkommt.

»Also, ich muss diese Céline-Bag finden!«, betont Tini ein weiteres Mal. »Ohne die verlasse ich diese Stadt auf keinen Fall, und da Steffi, Conny und Andi auch 'ne Tasche suchen, ist es wahrscheinlich das Beste, wir gehen zusammen. Ihr könnt ja solange nach Schmuck gucken!«, sagt sie mit einem süßen Lächeln und schaut dabei die Männer auffordernd an.

»Das ist doch mal 'ne gute Idee, das mit dem Schmuck! Da gibt es dieses tolle Armband von Cartier mit den Schrauben – das würde mir schon sehr gefallen«, bekommt sie Unterstützung von Steffi.

Will schaut auf, und der Blick, den er seiner Steffi zuwirft, spricht Bände. Erst der Whirlpool, jetzt der Schmuck – was denn noch alles? Er sieht wenig begeistert aus.

Little Ed zögert. »Ich komme auch gerne mit euch mit«, bietet er seine Begleitung an.

»Schatz, das musst du nicht! Ich habe doch deine wunderbare Karte, das sollte reichen. Männer sind beim Einkaufen nur hinderlich. Ich führ dir nachher alles vor, bevor wir im Whirlpool versinken!«

»Noch einmal dieser verdammte Whirlpool, und ich krieg was an mich!«, poltert es da aus Will raus.

»Ganz ruhig!«, mischt sich Rakete ein. »Wir nehmen jetzt einen schönen Drink und treffen uns dann in drei Stunden wieder. Ich will auch noch nach ein paar Hemden gucken oder einer Lederjacke. Lass die doch Taschen jagen gehen!«

Will brummt irgendwas vor sich hin, und Steffi steht direkt auf.

»Warte mal!«, knurrt da Will und greift in seine Hosentasche. »Hier, such dir ein schönes Täschchen aus«, murmelt er und drückt Steffi Geldscheine in die Hand.

Wie peinlich ist das denn jetzt? Die würde ich ihm um die Ohren klatschen, vor allem nach seinem kleinkarierten Whirlpool-Ausbruch. Steffi allerdings steckt das Geld ein.

»Danke«, sagt sie sogar artig. »Cartier mit Schrauben in Gold oder Bicolor – ist auch chic!«, erwähnt sie dann noch mal.

Alles im Leben hat wahrscheinlich einen Preis. Eine Geliebte zu haben eben auch. Und wenn man sie zappeln lässt und immer wieder vertröstet, wird's eventuell noch teurer.

»In drei Stunden hier zur Beutebegutachtung!«, lacht nun Tini, und wir machen uns auf in den Basar.

Schon nach zehn Minuten bin ich total reizüberflutet. Ein Juwelier reiht sich an den nächsten.

»Das hier ist die Schmuckzone, das ist alles so ein bisschen aufgeteilt«, erklärt mir Conny. Man traut sich kaum, in ein Schaufenster zu gucken, denn sofort steht irgendein Kerl neben einem und versucht, einen in den Laden zu locken.

»Kommen Sie rein. Wie ist dein Name? Bist du aus Deutschland? Mein Schwager war Köln, Ford. Kommst du rein, kannst du rausgucke!«

Die Sprüche ähneln sich, und führen bei mir zu einer gewissen Guck-Phobie. Ich wage mich kaum mehr näher an die Schaufenster heran. Aber selbst wenn, erschlägt mich die Masse des Angebots. Schmuckstück neben Schmuckstück. Ständig liegt einem irgendeine Männerhand auf der Schulter, und mir wurde im ganzen Leben noch nicht so viel Tee angeboten.

»Çay, elma çayi?«, fragen die unterschiedlichsten Kerle.

»Tee oder Apfeltee«, übersetzt mir Steffi.

Das begehrte Schraubenarmband sehen wir in diversen Ausfertigungen. Schon nach einer halben Stunde habe ich genug. Ich bin gespannt, ob einer der Männer es tatsächlich kaufen wird. Am ehesten wohl Ed, denke ich. Meine Füße schmerzen, und all das Bling-Bling in den Auslagen macht mich komplett wuschig.

»Ich brauche dringend andere Schuhe!«, stöhne ich.

»Die kannst du eh mal entsorgen!«, bricht es aus Tini heraus.

Unter ihrer Leitung kaufe ich in Windeseile ein paar Chucks. Flache Baumwollturnschuhe, die bei uns zu Hause reihenweise rumstehen. Es sind Marks bevorzugte Turnschuhe. Hier kosten sie nicht mal 20 Euro. Als ich die Pumps ausziehe und in die Turnschuhe schlüpfe, betrachtet Steffi meine Fußnägel.

»Machst du die etwa selbst?«, fragt sie überrascht,

um mir dann, in einem minutenlangen Vortrag, die Vorzüge ihres neuartigen Shellacks zu erklären. »Der hält gut zwei, drei Wochen und sieht immer perfekt aus.«

Ich nicke und bin froh, meine Pumps los zu sein.

»Die kannst du an sich direkt hierlassen!«, sagt Tini.

Was bilden die sich eigentlich ein? Dass sie die internationale Geschmackspolizei sind? Dass sie darüber entscheiden, was schön und was nicht schön ist? In mir regt sich leiser Widerstand. Ich lehne ab.

»Ich mag die Schuhe, die sind nur nichts für stundenlanges Rumlaufen. Aber an sich mag ich sie. Und ich werde sie definitiv behalten – sind ja noch fast neu!«, erwidere ich.

»Ist ja gut! Geschmäcker sind nun mal verschieden«, lenkt sie ein.

Bei Geschmack fällt mir ein, dass ich dringend mal was essen muss.

»Gehen wir mal was Kleines essen?«, frage ich in die Runde.

»Essen?«, fragt Steffi konsterniert zurück, gerade so als hätte ich gefragt, ob wir eben mal ein paar Kinder verhauen wollen.

»Wir haben doch im Flieger was gehabt!«, fügt Tini hinzu.

»Erst der Einkauf, dann das Essen. Das können wir doch nachher mit den Männern machen«, ergänzt Conny.

»Gut, dann kaufe ich mir irgendwas auf die Hand. Ich habe das Essen im Flieger leider verschlafen!«, versuche ich, meine in diesem Kreis wohl unbekannten Hungergefühle zu erklären.

Am nächstbesten Stand kaufe ich mir einen ziemlich

trocken aussehenden Sesamkringel. Da ich keine türkische Lira habe, muss ich in Euro bezahlen. 2,50 Euro knöpft mir der Verkäufer ab. Der Kringel ist tatsächlich so staubtrocken, wie er aussieht, und in meinem Strickjäckchen ist mir inzwischen ordentlich warm.

»Jetzt die Taschen!«, beschließt Tini. Das ist ja geradezu obsessiv bei ihr.

Nach zwei Stunden und unzähligen Taschengeschäften haben wir eine Céline-Trapeze-Bag gefunden, die ihren Ansprüchen genügt. Blau, beige und schwarz mit schwarzem Henkel. Tini hat sehr genaue Vorstellungen. Sie ist verzückt.

»Das ist genau die, die auch Kate Walsh von ›Private Practice‹ hat!«, stöhnt sie vor Begeisterung.

Der Verkäufer, Ahmed, spricht fließend deutsch und will 500 Euro für die Tasche. 500 Euro für eine nachgemachte Handtasche – das erscheint mir unverschämt.

»Ist das nicht ein bisschen teuer?«, frage ich, wahrscheinlich naiv, in die Runde.

Ahmed ist entsetzt. »Orginal kostet zweitausend Euro – mindestens. Ist perfekte Kopie. Alles echtes Leder, handgenäht. Keiner sieht Unterschied. Wirst du nicht finden bessere Tasche in ganz Istanbul«, rechtfertigt er den Preis. »Wenn zu teuer, nimmst du Louis Vuitton, ist billiger!«, bietet er Tini ein anderes Modell an.

»Die habe ich längst!«, schüttelt sie energisch den Kopf.

350 Euro will sie zahlen. Das Spiel beginnt. Ahmed muss sich auf den Schreck erst mal setzen.

»Willst du mich ruiniere?«, fragt er Tini. »Zahle ich fast mehr für Tasche! Kann ich dir doch nicht schenken, schöne Frau!«

Das Schöne-Frau gefällt Tini offensichtlich. Sie lacht und wirft ihr langes seidiges Haar nach hinten.

»Wieso eigentlich nicht?«, kichert sie.

»Muss ich auch leben. Vierhundertachtzig Euro – letzte Preis! Aber nur für dich«, macht Ahmed ein Angebot.

»Dann bin ich ruiniert!«, entgegnet Tini und drückt die Tasche an ihr Herz. »Ich muss diese Tasche haben. Dreihundertachtzig Euro könnte ich gerade noch bezahlen!«, geht sie in die nächste Verhandlungsrunde.

Während sie hin- und herfeilschen, schaue ich mir die Taschen an. Es sind schöne Taschen – keine Frage. Sie sehen hochwertig aus. Ich sollte mir auch eine gönnen, denke ich. Als Erinnerung an diese kleine Reise. Und einfach, weil ich so günstig so schnell keine mehr bekomme. Also, günstig ist natürlich relativ. Es ist nicht so, dass ich keine Handtasche besitze. Um genau zu sein, ich habe einiges an Handtaschen im Schrank. Ich mag Taschen. Aber so ein richtig teures Designerteil ist eben noch nicht dabei.

»Was würdest du mir empfehlen?«, frage ich Conny. Tini und Ahmed trinken gerade ihren dritten Tee und sind inzwischen bei 430 Euro angekommen. Ahmed stöhnt immer mal wieder auf, gerade so als würde man ihn ohne Narkose am offenen Herz operieren. Tini gurrt und buhlt.

»Tasche für dich, mhm. Brauchst du eher 'ne große oder 'ne kleine?«, will Conny Details.

»Groß, auf jeden Fall groß. Ich bin keine Frau für winzige Täschchen!«, antworte ich.

»Tja, da gibt's eigentlich nur eine. Die macht echt was her und ist seit Jahrzehnten der Klassiker schlechthin – die Hermès Birkin!«

Ich glaube, die kenne sogar ich. Das ist dieses Modell, das Victoria Beckham in allen Farbvarianten besitzt. Eine große Tasche mit zwei Henkeln, die man aber nicht umhängen kann und die vorne ein Schloss hat.

»Die hier, meine ich!«, sagt Conny und schnappt sich eine aus dem Regal.

Eine riesige Tasche! Schön ist sie. Schön groß vor allem.

»Da geht ordentlich was rein. Ich hab sie in rehbraun, so Richtung Cognacfarben. Echt chic ist die. Da kannst du gar nichts falsch machen. Die ist seit Jahren in und wird immer in sein. Ist halt ein echtes Statussymbol!«, schwärmt Conny.

Ich bin quasi sofort angefixt. Bin ich die Frau, die sich angeblich aus Statussymbolen nichts macht? Was passiert hier gerade? Ich nehme die Tasche in die Hand und posiere vor dem Spiegel.

»Für diese Taschen gibt es Wartelisten!«, informiert mich Conny. »Man bestellt sie bei Hermès, und dann dauert es bis zu einem Jahr, bis die Tasche da ist! Die sind unglaublich begehrt!«

Das ist selbstverständlich unglaublich lächerlich – einerseits, andererseits weckt es auch in mir dieses Habenwollen-Gefühl. Ahmed steckt immer noch in zähen Verhandlungen mit Tini.

»Ei, ei ei, du ruinierst mich, schöne Frau!«, aber er bemerkt dennoch mein Interesse. Der Kerl hat seine Augen echt überall. »Hab ich Birkin-Bag in alle Farbe unten im Keller. Willst du gucken?«, fragt er.

Warum eigentlich nicht, gucken kostet ja nichts, entscheide ich.

»Ja, gern«, antworte ich deshalb.

»Kommt Kollege und bringt dich!«, lächelt er.

»Ich komme mit, vielleicht sind auch Bottegas unten«, freut sich Conny.

Ahmed geht kurz vor die Tür seines Ladens, und in Windeseile ist ein weiterer Mann da.

»Mein Cousin, Hakan, spricht nicht Deutsch, aber Englisch!«

Ein Wortschwall bricht über Hakan herein. Ich versteh nur Birkin-Bag. Anscheinend informiert ihn Ahmed darüber, was ich will.

»Und Bottega Veneta! Die große mit Fransen, die Intrecciato in Schokobraun!«, plappert Conny dazwischen.

»Gut, Hakan zeigt alles! Geht ihr mit Hakan!«, sagt Ahmed nur.

»Steffi, du auch?«, fragt Conny freundlich, aber Steffi hat ihr Objekt der Begierde anscheinend schon gefunden. Eine Chloé-Tasche.

»Ne, guckt mal, das ist die Marcie, die ist doch echt supersüß! Ich weiß nur noch nicht, ob ich sie mir in Nude oder Gelb holen soll? Oder vielleicht beide«, schwärmt sie.

»Come!«, ertönt nun Hakans Stimme. Hakan trägt einen Anzug, hat reichlich Schuppen auf den Schultern, jede Menge Goldkettchen und sieht einen Hauch schmierlappig aus. Er ist nicht der Typ Mann, mit dem man einfach so in einem Keller verschwindet, eher der Typ, der im Frankfurter Bahnhofsviertel fiese Geschäfte macht, aber wir sind ja zu zweit, und Steffi und Tini wissen ja auch, wo wir sind. Der kleine Hakan wird uns schon nichts tun. Hier geht es um Taschenverkauf, sonst nichts, beruhige ich mich. Tief drin in mir höre all die Warnungen meiner Mutter: Man geht nie mit fremden Männern mit! Egal, was sie dir versprechen! Einerseits ... andererseits weiß man ja: Die Gefährlichsten sind die, die ganz harmlos aussehen. Und harmlos sieht Hakan definitiv nicht aus.

Wir müssen durch diverse Gänge in die tiefsten Katakomben hinunter. Auch Conny wirkt etwas verunsichert.

»Hier finden wir niemals allein wieder raus!«, wispert sie mir zu.

»Wir sind zu zweit!«, versuche ich, aufmunternd zu wirken.

Hakan sperrt eine Kellertür auf, und wir betreten einen großen Raum. Er knipst das Neonlicht an, und wir stehen in einen Raum voller Taschen in allen Formen und Farben.

»You like Birkin?«, fragt er. Ich nicke.

In Windeseile hat er unzählige Taschen vor mir auf einem Sessel drapiert.

»How much?«, frage ich. Bevor ich dieser Tasche endgültig verfalle, will ich doch sicherheitshalber wissen, was sie kostet.

»Good price, we make good price!«, beteuert er, ohne damit auch nur irgendwas zu verraten.

»Ahmed makes price«, schiebt er noch hinterher.

Ich verstehe. Ahmed ist der Chef, Hakan nur der Laufbursche.

»Die ist doch umwerfend! So eine sieht man nicht alle Tage«, begeistert sich Conny und ergreift eine Tasche, die eine Art Schlangenoptik hat. Graubeige Schlange.

»Und die passt zu allem. Gerade wenn man nicht mehrere davon hat, ist das ja wichtig«, betont sie.

Die Tasche ist wirklich schön. Matte Echse in dezenter Farbgebung. Das klingt seltsam, sieht aber wirklich richtig chic aus.

»In echt sind die mörderteuer, so ab siebentausend Euro für eine normale, und diese Krokotaschen kosten über zehntausend Euro«, zeigt sich selbst Conny beeindruckt.

10 000 Euro für eine Handtasche! Ich bin nicht geizig, aber das würde mir im Leben nicht einfallen – 10 000 Euro für eine Handtasche auszugeben. Die kann man ja eigentlich nicht ohne Alarmanlage spazieren tragen. Oder man muss sie mit Handschellen am Arm befestigen! Conny kontrolliert inzwischen die Nähte und schaut sich die Tasche sehr gründlich an.

»Gut gearbeitet. Guck mal, da ist sogar dieser kleine Stempel auf der Lasche, ein Echtheitszeichen. Das haben die hier wirklich drauf mit den Fakes.«

Die Tür geht auf. Ein zweiter Mann steht im Keller. Er sieht ähnlich vertrauenerweckend aus wie Hakan. Der Neuankömmling redet auf Hakan ein.

Hakan sagt immerzu nur: »Tamam, tamam!« Dann wendet er sich uns zu: »You can buy birkin for seven hundred and fifty euros. Very special price for beautiful ladies!«, sagt er und lächelt uns an, während er sich genüsslich über die Lippen leckt.

Das hat etwas Furchterregendes. Gerade so, als wolle er uns gleich verspeisen. Werde nicht hysterisch, tadele ich mich selbst. Die können ja schlecht zwei Touristinnen hier unten in den Katakomben verschwinden lassen.

»Maybe we can go and talk upstairs about the price!«, schlage ich mit möglichst fester, selbstbewusster Stimme vor.

Mal abgesehen von allem anderen: 750 Euro – das ist nicht die Summe, die ich ausgeben wollte. Conny hingegen scheint das für einen Schnäppchenpreis zu halten.

»Das ist echt gut! Normal wollen sie um die tausend für die Birkins. Meine hat siebenhundert gekostet, aber die war auch nicht aus geprägtem Leder. Also, wenn du den noch einen Tick runterhandeln kannst, würde ich die auf jeden Fall mitnehmen«, rät sie mir.

Ich will vor allem hier raus. Ob mit oder ohne Tasche. Aber Hakan und der zweite Kerl, gut einen Kopf größer als Hakan, machen keine Anstalten zu gehen.

»Vielleicht solltest du mal bei Tini anrufen, damit sie uns hier abholt«, sage ich zu Conny und versuche, ganz gelassen zu klingen.

»Verstehe!«, antwortet sie und zückt ihr Handy. »Kein Empfang!«, flüstert sie mir zu.

»You make decision now – buy or no buy bag!«, ertönt da Hakans Stimme.

Seine Stimme hat einen drohenden Unterton. Einen Ton, der mir nicht gefällt. Fordernd und unfreundlich.

»Wir sollten sehen, dass wir hier wegkommen!«, sage ich nun zu Conny.

»Wo ist Problem?«, fragt da der bisher relativ schweigsame zweite Mann. »Magst du Tasche nicht?«

Mist, der kann Deutsch – da hätte ich dran denken müssen.

»Wir wollen die Tasche mal im richtigen Tageslicht sehen«, zeigt sich Conny ziemlich schlau.

Hakan und der Deutschkönner tauschen ein paar Blicke, und Hakan brummt irgendwas auf Türkisch. Teilen sie die Beute auf? Entscheidet sich jetzt unser Schicksal? Werde ich im Keller des großen Basars meine letzten Minuten verbringen? Mit Mister Schuppig und Herrn Namenlos? Mir wird ganz anders.

»Gut, gehen wir hoch!«, entscheidet der zweite Mann und öffnet die Tür.

Conny grinst. »Na geht doch!«, zischt sie mir zu.

»Das war nicht ohne«, sage ich, und als wir wieder vor dem Laden stehen, bin ich sehr, sehr froh. Mutig ist auch anders, aber ich war schon immer ein kleiner Schisser.

Steffi und Tini sind hin und weg von »meiner« Tasche. Dadurch gefällt sie mir gleich noch besser.

»Die könnte mir echt auch gut stehen!«, sagt Tini und posiert mit meiner Tasche vor dem Spiegel. »Haben Sie die noch mal?«, fragt sie bei Ahmed nach.

»Ne, alles Einzelstück, handgefertigt!«, schüttelt er bedauernd den Kopf.

Will die mir jetzt etwa die Tasche abspenstig machen?

»Du hast doch deine Céline-Trapeze-Tasche. Ich glaube, ich werde die hier nehmen, wenn wir uns mit dem Preis einigen, versteht sich«, weise ich Tini ein wenig in die Schranken.

Steffi hat während unseres Kelleraufenthalts zwei der Chloé-Taschen und eine schlichte Bottega erstanden. Sie wirkt sehr zufrieden. Dafür kann das Scheinbündel von Will kaum gereicht haben.

»Was hast du bezahlt?«, frage ich neugierig.

»Sage ich dir nachher«, kommt die knappe Antwort.

»Was wollen Sie denn jetzt hier für die Tasche?«, erkundige ich mich bei Ahmed. Ahmed hebt den Kopf und schaut zu Hakan. Der namenlose Kerl ist inzwischen verschwunden. Hakan, der ja angeblich kein Deutsch versteht, brabbelt trotzdem direkt los, und Ahmed ist im Bilde.

»Oh, oh! Siebenhundertfünfzig Euro hat Hakan gesagt – war aber Fehler. Eigentlich tausend, aber weil du bist und so nett lachst – achthundert. Ist fast Minusgeschäft für mich!«

Vom Keller zum Erdgeschoss ist meine Tasche jetzt 50 Euro teurer geworden. Mist.

»Achthundert Euro«, stöhne ich auf. Ich lerne immerhin schnell, und Stöhnen scheint definitiv zum Handeln zu gehören. »Ich habe zwei Kinder – das kann ich mir nicht leisten!«

Sofort habe ich die Aufmerksamkeit aller Frauen.

»Du hast Kinder?«, fragen sie fast synchron.

So erstaunt wie die klingen, wird Ahmed denken, ich lüge ihm die Hucke voll.

»Ja, zwei. Claudia, fast erwachsen und Mark, sechzehn«, antworte ich.

»Das ist ja megasüß!«, bricht es aus Conny heraus.

Was daran jetzt megasüß ist, würde ich gern mal wissen. Das kann nur eine Frau sagen, die keine Kinder hat, oder jedenfalls keine in diesem Alter.

»Und auch megateuer!«, bemerke ich nur.

Wir zackern gut zwanzig Minuten rum. Ich kann es mir nicht leisten, achthundert Euro für eine Tasche auszugeben. Das ist Wahnsinn. Meine Schmerzgrenze liegt bei fünfhundert Euro. Auch das ist Wahnsinn, aber ein Wahnsinn, den ich irgendwie noch finanzieren könnte. Je länger wir handeln, umso weniger geht es um die Tasche. Es geht darum zu gewinnen. Ich weiß in der Theorie natürlich genau, dass bei diesem Spiel eigentlich immer der Verkäufer gewinnt, aber mit jedem Euro, den er mir entgegenkommt, fühle ich mich besser.

Für 575 Euro ist die Tasche am Ende meine Tasche, und in dem Moment ist das gute Gefühl schon nicht mehr ganz so gut. 575 Euro! Das darf niemand erfahren. Das ist mehr als viele Hartz-Vierler im Monat zum Leben haben. Ahmed scheint sehr zufrieden. Er hat an vier Frauen fünf Taschen verkauft. Sein Tagesgeschäft dürfte erledigt sein.

Nur Conny ist nicht glücklich. Ihre Bottega-spezial-irgendwie-Tasche hat er nicht. Er versucht es mit anderen Modellen, aber Conny weiß, was sie will, und lässt sich nicht überzeugen.

»Ich will genau die. Die meisten anderen habe ich schon!«, verblüfft sie mich.

Immerhin, ein Portemonnaie kann er ihr noch verkaufen. Mir will er auch noch das passende zu meiner exquisiten Supertasche andrehen. Leider muss ich verzichten – ich hätte dann definitiv nichts mehr, was ich in dieses Portemonnaie reintun könnte.

»Ich habe echt kein Geld mehr!«, jammere ich.

»Hat dir Rakete gar nichts mitgegeben?«, fragt da Steffi.

»Ich bin doch keine Prostituierte!« Kaum habe ich das gesagt, merke ich, was ich da gesagt habe. Ich versuche schnell, es zu relativieren, »Also nein, so war das nicht gemeint. Es ist ja nur so: Wir sind ja kein Paar – das ist anders als bei euch!«

Steffi sieht ziemlich angefressen aus.

»Das war jetzt echt richtig scheiße von dir!«, kommentiert sie meinen kleinen Patzer.

Ich werfe mich erneut verbal in den Staub. »Tut mir leid, das war unglücklich formuliert«, zeige ich Reue.

»Wir müssen jetzt eh los!«, beendet Conny glücklicherweise das peinliche Intermezzo.

Eine halbe Stunde später sitzen wir mit den Männern wieder im Teehaus. Little Ed ist voller Mitleid für seine Conny.

»Keine Tasche, Schatzi, das ist ja doof! Da schauen wir morgen noch mal. Das geht doch so nicht. Aber guck mal, vielleicht tröstet es dich – ich hab dir was Kleines mitgebracht.«

Er überreicht ihr ein hübsch eingewickeltes kleines Kästchen. Conny schaut kurz auf, und ich lächle freundlich. Hätte ich das bloß niemals gesagt. Das war echt daneben und ich schäme mich. Obwohl man rein inhaltlich darüber sicher diskutieren könnte. Ich sehe Steffis Blick auf das Päckchen und hoffe, es ist nicht das, was ich denke. Aber natürlich ist es genau das – so kreativ sind die meisten Männer nun mal nicht: Das Armband mit den Schrauben. In Gold. Will zuckt zusammen.

»Ach, das war's, was du eben noch schnell ohne uns besorgt hast! Danke Ed, du bist ein echter In-den-Rücken-Faller!«

Mit anderen Worten: Er hat kein Schraubenarmband für seine Steffi. Conny stört das Hickhack herzlich wenig. Sie herzt ihren Ed und freut sich sichtlich. Steffi sieht aus, als hätte sie gerade eine sehr, sehr schlimme Nachricht erhalten. Tini ringt sich ein »Schönes Armband« ab, und die Stimmung ist ein bisschen getrübt. Da holt Horst ein Tütchen raus.

»Hier, nicht aus Gold, aber von Herzen! Für jede von euch Frauen ein Mitbringsel.«

In dem Tütchen stecken vier kleine Stoff-Bändchen mit Peace-Zeichen aus Strass. Niedlich und richtig nett von ihm. Jetzt strahlt auch Tini. Ihr Horst hat zwar nicht die große Knete rausgehauen, so wie Little Ed, punktet aber durch Aufmerksamkeit. Rakete lässt das alles völlig ungerührt. Fast bin ich enttäuscht. Albern geradezu – was erwarte ich denn? Das auch er ein Tütchen rausholt? Fange ich schon an, wie die Frauen hier zu ticken? Ist das ansteckend?

Rakete hat immerhin für sich selbst ordentlich eingekauft. Diverse Polo-Shirts mit riesigen Pferden auf der Brust und eine Lederjacke im Bikerstil. Er wirkt ausgesprochen zufrieden. Das ist doch schon mal was – ich habe schließlich auch nichts für ihn gekauft. Meine Tasche gefällt ihm.

Conny zieht ihr neues Armband direkt an, und Steffi wirkt, als wolle sie auf den Tisch kotzen. Da nützt auch Wills Begeisterung für ihren umfassenden Tascheneinkauf wenig.

»Wollen wir nicht vielleicht was essen gehen?«, frage ich in die Runde, bevor die Lage hier noch eskaliert.

Will räuspert sich und sagt: »Das ist doch mal eine echt vernünftige Idee. Dieses ganze Gekaufe geht mir wirklich auf den Wecker!«

»Du hast doch gar nichts gekauft!«, kann sich Steffi

einen heftigen Seitenhieb nicht verkneifen. Oh, die ist richtig angesäuert.

»Jeder, wie er kann!«, grinst Little Ed da noch. Ich habe das Gefühl, es fehlt nicht viel, und Will haut ihm ein paar rein. Horst entschärft die Lage.

»Lasst doch mal dieses Getue – wer wem was kauft. Wir sind doch nicht im Kindergarten! Darauf kommt es doch wirklich nicht an. Wir gehen jetzt essen. Einige hier sind anscheinend ziemlich unterzuckert.«

Tini nickt ihm zu, und Steffi schmollt offensichtlich. Horst macht einen immer besseren Eindruck auf mich. Angenehm, zurückhaltend, aber durchaus bestimmt. Der erste Eindruck kann eben doch trügen.

Mit dem Essen und vor allem mit dem Trinken entspannt sich allmählich alles etwas. Will hat Steffi mehrmals irgendetwas ins Ohr geflüstert, anscheinend Dinge, die ihr gefallen, denn nach und nach bewegen sich ihre Mundwinkel wieder nach oben. Ich bin komplett erschöpft. Das Essen ist phantastisch. Kartoffelbrei, scharfes Fleisch mit Sauce und Spinat. Kochen können sie, die Türken. Ich trinke dazu zwei Gläser Wein, was für mich schon eher viel ist, und könnte mich direkt aufs Ohr legen. Alkohol um diese Tageszeit hat etwas Ermüdendes. Ein Mittagschläfchen wäre jetzt perfekt, ich habe aber Angst, das vorzuschlagen und von Rakete missverstanden zu werden. Beim Nachtisch – nicht so mein Fall: elendig süßes klebriges Blätterteigzeug – geht es an die Planung des Resttages. Die Männer haben abends einen Termin. Akquisegespräche mit türkischen Kollegen.

»Maus, da könnt ihr leider nicht mit! Das ist bei Türken anders, da bleiben die Frauen zu Hause«, bedauert Little Ed seine Conny.

»Wir überleben auch mal einen Abend ohne euch!«, quittiert Tini die Bemerkung.

Mir kommt das eigentlich gerade recht. Ich habe somit den ganzen Abend Zeit, mich auf die Nacht vorzubereiten. Perfekt!

»Schade!«, muckt Steffi auf. »Von dem bisschen Zeit, die wir an diesen zwei Tagen haben, fällt jetzt auch noch der Abend weg!«

»Das wusstest du doch, Liebling«, beschwichtigt sie Will.

»Ich weiß vieles, aber es muss mir deswegen ja nicht gefallen!«, kontert sie. »Gerade die Abende und die Wochenenden und die Feiertage und Silvester und die Nächte – immer wieder geht irgendwas nicht, und immer wieder kommt dieses Das-wusstest-du-doch! Das nervt.«

Der Geliebtenstatus scheint auf Dauer nicht besonders glücklich zu machen. Will ist der Kommentar seiner Steffi peinlich.

»Das gehört hier nicht her!«, ermahnt er sie.

»Hier sind Leute, die wissen, was läuft. Sonst kann ich ja nirgends drüber reden – oder Will? Wäre es dir lieber, ich würde es mit meinem Friseur besprechen oder in der Stadt rumtratschen? Oder deine Frau anrufen?«

Vielleicht hätte Will doch in das Schraubenarmband investieren sollen, damit hätte er sich mit Sicherheit diese Ansprache erspart.

»Ich bin, verdammt nochmal, nun mal verheiratet!«,

poltert es da aus Will heraus. »Das hast du gewusst, und du hast gesagt, es ist dir egal. Ich habe mit offenen Karten gespielt. Immer!«

Wieder ist Horst derjenige, der sich als Mediator anbietet.

»Ihr Lieben, das gehört wirklich nicht hierher. Das solltet ihr unter euch besprechen. Für uns hier ist das etwas unangenehm.«

Will nickt und sagt nur: »Ganz meine Meinung!«

Steffis Mundwinkel sind wieder da, wo sie beim Armbandauspacken von Conny schon mal waren. Unten. Ganz unten.

Das Essen ist beendet, und ich will mein Portemonnaie zücken.

»Ne, lass mal stecken. Das geht auf uns Männer!«, erklärt Horst.

»Spesen«, lacht Little Ed.

Ich bedanke mich und bin froh. Froh um jeden Euro, den ich nicht zahlen muss. Die Handtasche hat mein Budget für Venedig, das zu Istanbul mutiert ist, komplett aufgebraucht. Große Sprünge kann ich hier nicht mehr machen.

»Wir könnten ja das Spa mal testen, heute Abend«, schlägt Conny vor.

»Du hast dein Spa ja auf dem Zimmer!«, nölt Steffi.

»Ich finde, das hört sich nach einer verdammt guten Idee an. Ich könnte eine Massage gebrauchen!«, zeigt Tini Begeisterung und ignoriert Steffis Bemerkung.

»Warum nicht«, willige auch ich ein.

Ich bin eh zu kaputt, um heute Abend um die Häuser

zu ziehen, und das Schöne am Spa – ich muss mich dafür nicht mal schick machen. Bademantel genügt.

»Na dann«, freut sich Ed. »Da wissen wir euch doch gut untergebracht!«

Das ist ja fast, als wären wir bei Ikea – die Kleinen werden im Bällebad beaufsichtigt, während die Erwachsenen Wichtiges erledigen. Mittlerweile bin ich mir sicher: Little Ed lässt seine Conny nicht gerne aus den Augen. Die ständigen Geschenke sprechen Bände.

»Wir sind sicher gegen dreiundzwanzig Uhr zurück. Ich lass dich nicht lang allein!«, beteuert er noch mal. Meine Güte – es ist nur ein Abend! Er gibt sie ja nicht zur Adoption frei.

Zurück im Hotel, muss Rakete sich für den Männerabend fertig machen. Ein kurzes Knutschen im Zimmer, und weg ist er. Ich mache es mir erst mal im Zimmer gemütlich, lege mich aufs Bett, drapiere meine Tasche neben mir und checke mein, beziehungsweise Claudias, Handy. Sollte ich mich eventuell doch besser mal melden? Wenigstens auf den Anrufbeantworter sprechen? Ich entscheide mich dafür, bei Rudi anzurufen. Nach einem Klingeln ist er am Telefon.

»Ich bin es, Rudi. Alles klar bei euch?«, frage ich und versuche, ganz gelassen zu klingen.

»Ei, ei, ei, Andrea, hier is was los! Die Irene un isch warn ja unnerwegs in der Garteshow, aber de Christoph is hier. Der will disch aach emal spreche. Wo steckst de denn, Herzscher?«

»Ich habe gar keine Zeit. Leider habe ich Claudias Handy mit, aber ich komme ja bald wieder. Ich wollte nur hören, ob bei euch alles gut ist, und Christoph will ich ganz sicher nicht sprechen!«, teile ich meinem Schwiegervater mit. Hätte ich bloß meinen Anrufimpuls unterdrückt.

»Ich geb ihn dir ma! Er steht hier nebä mir!«

Was nun – einfach auflegen?

»Andrea, was geht hier vor sich? Wieso hast du Claudias Handy, und was sind das für merkwürdige Nachrichten auf deinem Handy? Ich muss mich doch sehr wundern, was hier abgeht! Gib mir doch mal Sabine!«

Raffinierter Schachzug – aber nicht mit mir, denke ich nur.

»Sabine ist in Behandlung, die hat ein großes Facial, die kann nicht, Du musst schon mit mir vorlieb nehmen, und der Empfang hier ist ganz schlecht, ich kann dich kaum verstehen.«

»Lass diese Spielchen!«, motzt er los. »Claudia ist außer sich, und ich wüsste gerne, wann du gedenkst, wiederzukommen?«

»Ich kann dich nicht hören! Hallo? Hallo?«, sage ich nur und drücke auf den Beenden-Knopf. Zu Hause anzurufen war keine besonders gute Idee. Und das jetzt auch keine besonders elegante Art, einen Anruf zu beenden. Aber Hauptsache erledigt.

Knappe zehn Minuten später klingelt das Telefon im Zimmer. Haben die rausgekriegt, wo ich bin? Wie kann das sein? Ich hebe ab und bin erleichtert, dass es Conny ist.

»Wir gehen gleich zum Spa. Kommst du auch? Bisschen Sauna und Hammam machen«, fragt sie freundlich.

Ich bin hundemüde. Vielleicht sollte ich lieber ein

schönes Nickerchen machen und mich ein wenig regenerieren. Ich bin in einem Alter, in dem ich auch ohne Sauna phantastisch schwitzen kann.

»Nett, dass du anrufst, aber sei nicht sauer, ich bin voll erschöpft. Ich glaub, ich leg mich aufs Ohr. Wir sehen uns ja morgen«, lehne ich dankend ab.

»Okay, dann beim Frühstück. Neun Uhr ist Treffen!«, informiert sie mich noch. Ich stelle mir den Wecker auf 22:00 Uhr, um mich für Raketes Eintreffen in Ruhe vorbereiten zu können.

Es ist stockduster draußen, als mein Wecker klingelt. Ich fühle mich kein bisschen erholt und auch nicht ausgeschlafen, eher so als hätte man mich aus dem Tiefschlaf gerissen. Ich brauche einen kurzen Moment, um zu realisieren, wo ich bin. Noch ungefähr eine Stunde, bis Rakete hier sein wird. Ich dusche und ziehe das lila Unterwäscheensemble an. Ich werde mich wie gemalt aufs Bett legen, es darf aber keinesfalls zu gestellt wirken. Mir fällt das Pistenspiel aus dem Internet ein. Klamotten wie eine Spur bis zum Bett legen. Sehr groß ist die Piste, beziehungsweise das Zimmer, leider nicht, aber ich nutze den zur Verfügung stehenden Raum und verstreue ein paar Klamotten. Schuhe hinter die Tür, dann die Jeans, das T-Shirt und den grünen BH, einfach weil er so hübsch ist.

Ich habe schon wieder Hunger. Kurz überlege ich, ob ich mir was beim Room-Service bestelle, aber als ich die Preise sehe, vergeht mir der Appetit. Außerdem ist Sex mit vollem Magen auch keine gute Idee und einen aufgeblähten Bauch möchte ich erst recht nicht präsentieren. Stattdessen nehme ich mir einen Rotwein aus der Minibar und probiere mehrere Stellungen auf dem Bett aus. Seitlich ist ungünstig, da hängt der Bauch, und zwischen den Brüsten knittert es. Auf dem Bauch geht, allerdings ist dann der Po absolut im Blickpunkt. Ich entscheide mich für die Rückenlage. Den Kopf leicht angehoben und gestützt durch ein Kissen, sonst hat man schnell ein Doppelkinn. Hüfte tiefer als Oberkörper – das kaschiert den Bauch. Leichtes Hohlkreuz tut den Brüsten optisch gut. Ich bräuchte mal die Hilfe dieser ulkigen Dita von Teese, um wirklich gekonnt zu posieren.

Ich schalte alles Licht bis auf eine kleine Schreibtischlampe aus und bin perfekt im Zeitplan. Es ist genau zehn Minuten vor 23 Uhr. So, ich wäre dann so weit.

Um Viertel nach elf bin ich genervt, mein Rücken schmerzt, ich habe tierischen Hunger, und in meinem Kopf tummeln sich Bilder eines riesigen Club-Sandwichs mit Pommes frites. Wenn ich es jetzt bestelle, kommt es garantiert zeitgleich mit Rakete hier an. Das wäre nicht wirklich passend. Also versuche ich, den Hunger zu unterdrücken, was die Laune aber nicht direkt hebt.

Um Mitternacht bin ich sauer. Hungrig, müde und sauer. Sehr eilig scheint er es ja mit mir nicht zu haben. Was denkt der? Dass ich hier in Warteposition ausharre, bis er sich herbequemt? Ja, genau das wird er denken, und das Schlimmste ist – er hat recht. Denn eben genau das tue ich ja auch. Ich schalte den Fernseher an und zappe mich durch die Programme. Kurz überlege ich, mich wieder anzuziehen und ein bisschen durchs nächtliche Istanbul zu schlendern. Schon aus Protest. Soll er doch warten. Stattdessen esse ich die Chips aus der Minibar. Das ist das Letzte, woran ich mich erinnere.

Ich wache auf, weil es gegen die Zimmertür rummst. Ich werfe einen verpennten Blick auf die Uhr und sehe, es ist 2:34 Uhr. Der Fernseher läuft, neben mir liegt eine leere Packung Chips, aber kein Rakete. Wieder haut jemand gegen die Tür. Ich springe aus dem Bett und gehe zur Tür.

»Hallo, wer ist da? Tom, bist du das?«, frage ich.

»Ja, wer denn sonst!«, brüllt eine Stimme, die eindeutig zu Rakete gehört.

Ich öffne die Tür und sehe es auf einen Blick. Der ist sternhagelvoll. Wundert mich, dass er überhaupt noch das passende Zimmer gefunden hat.

»Huhu, Kleines!«, begrüßt er mich.

Selber huhu. Geht's noch? Es ist halb drei Uhr am Morgen, ich habe stundenlang auf den Gnädigsten gewartet und kann mir jetzt nicht wirklich Begeisterung abringen.

Er presst sich an mich und küsst mich. Er schmeckt wie eine Bar – und riecht auch so! Ob man sich beim Knutschen eine Alkoholvergiftung holen kann? Eins ist klar, besoffen küsst er schlechter als nüchtern. Alles ist eine sehr feuchte Angelegenheit. Irgendwie sabberig.

»Komm ins Bett!«, stöhnt er auf.

Ich würde liebend gern sagen: Da war ich schon, ihr Zeitfenster hat sich leider wieder geschlossen! – aber er taumelt schon Richtung Bett.

»Zieh mich aus!«, grunzt er.

Das hatte ich mir irgendwie anders vorgestellt. Ich will doch keinen Sex mit jemandem, der kaum mehr seinen eigenen Namen buchstabieren kann! Besoffensein mag sich vielleicht gut anfühlen, aber gut aussehen tut es selten. Auch bei Rakete nicht. Der Alkohol hat Spuren hinterlassen. Jetzt hier, mitten in der Nacht, sieht er ein bisschen verlebt aus. Seine Augen sind rot, die Nase auch, man sieht geplatzte Äderchen, seine Haare sind irgendwie strähnig, und seine Aussprache ist auch nicht mehr so deutlich.

»Ausziehen!«, grölt er.

»Ich bin ausgezogen, falls dir das noch nicht aufgefallen ist!«, sage ich und lege mich zurück ins Bett. Er kickt seine Schuhe von den Füßen und lässt die Hose fallen. In Hemd, Unterhose und Socken kriecht er ins Bett und grunzt wohlig.

»Ihr scheint ja einen lustigen Abend gehabt zu haben!«, stelle ich lakonisch fest und versuche, keine komplette Spaßbremse zu sein.

Er lacht. Immerhin, er kann mich noch verstehen. Er krabbelt ein bisschen planlos an meinem Bauch herum. Ausgerechnet am Bauch! Ich versuche ihn einzuziehen, denke aber, so betrunken wie der ist, kann der auch nichts mehr wirklich beurteilen.

»Na, Specki!«, sagt er auf einmal.

Specki! Der hat tatsächlich Specki zu mir gesagt. Sein Tastsinn funktioniert wohl noch. Da ist mir ja sogar Andi lieber. Specki. Soll das ein Kompliment sein? Wie charmant. Er rollt sich auf mich und ist schwerer als erwartet. Sexy ist definitiv etwas anderes. Er reibt sich an meinem Körper und bei mir tut sich rein gar nichts. Ich drehe den Kopf zur Seite, als er mich küssen will. Er knabbert an meinem Hals und saugt sich fest.

»Hey«, schüttle ich den Kopf, »keinen Knutschfleck bitte!«

Das würde mir noch fehlen. Mutti kommt vom Wellness-Wochenende mit Freundin Sabine und hat einen riesigen Knutschfleck am Hals. Ich kann mich nicht erinnern, wann ich das letzte Mal einen Knutschfleck hatte. Es ist lange her – so viel steht fest.

Als er seine Unterhose abstreift, kann ich zum ersten Mal einen Blick auf sein vermeintlich bestes Stück werfen. Es ist nicht in Bestform, hoffe ich jedenfalls für ihn. Eher Modell Wiener-Würstchen, das ein bisschen ältlich ist – lang zwar, aber schrumpelig und dünn. Ich glaube, auch er merkt, dass da nicht mehr viel geht. Er rollt sich auf die Seite, und innerhalb von wenigen Minuten schläft er. Natürlich schnarcht er, was zu erwarten war. Ich bin ziemlich ernüchtert. Aber vielleicht sieht morgen früh schon wieder alles anders aus. Schlimmer kann es ja eigentlich nicht mehr werden.

4

Um 8:00 Uhr piept mein Handy. Draußen scheint die Sonne – immerhin. Neben mir liegt ein Mensch, der ziemlich komatös aussieht. Allein das leichte Schnarchen zeigt, er lebt.

Auf Zehenspitzen schleiche ich ins Bad. Ich habe Schlaf in den Augenwinkeln, und meine Wimperntusche ist verschmiert. Ans Abschminken habe ich heute Nacht natürlich nicht mehr gedacht. Aber es ist doch auch so: Egal wie gründlich man sich abschminkt, irgendein Rest findet sich am nächsten Morgen erstaunlicherweise immer. Ich gehe aufs Klo und lasse dabei – alter Trick – ein bisschen das Wasser ins Waschbecken laufen. So kann man von draußen das Geplätscher wenigstens nicht eindeutig zuordnen. Dann kämme ich mich, putze mir die Zähne, trage einen Hauch Rouge und Wimperntusche auf und krieche zurück ins Bett.

Ich bin die personifizierte Morgenfrische. Es soll ja Frauen geben, die so was tatsächlich immer machen. Jeden Morgen. Deren Männer sie angeblich noch nie komplett in natura gesehen haben. Um 8:20 Uhr stupse ich Rakete ein bisschen an. Er grummelt.

»Guten Morgen!«, flöte ich sanft.

»Morgen«, antwortet er und seine Stimme klingt belegt. »Uah, hab ich 'nen Kopf!«, stöhnt er.

Kein Wunder, will ich sagen, riech erst mal deinen Atem, damit könntest du glatt als Anästhesist arbeiten, lasse es aber. Stattdessen kraule ich ihm ein bisschen den

Oberschenkel. Er schwingt die Beine aus dem Bett, sitzt auf der Bettkante und greift sich an den Kopf.

»Hast du eine Kopfschmerztablette?«, fragt er.

»Leider nein. Aber ein bisschen Wasser ins Gesicht und was trinken hilft auch«, schlage ich vor.

Er verschwindet im Bad. Hoffentlich putzt er sich auch die Zähne. Ja, Klo und Zähneputzen – die Geräusche sind sehr eindeutig. Er kriecht zurück ins Bett und verliert keine Zeit.

»Tut mir leid mit gestern, ich war anscheinend sehr müde«, entschuldigt er sich.

Immerhin eine Entschuldigung, obwohl müde wohl kaum die richtige Bezeichnung ist. Jetzt geht alles sehr schnell. Er packt ein bisschen zu, einmal Busen, dann untenrum, und schon ist er bereit.

Halt, Moment, will ich rufen, aber da höre ich schon ein Ratsch, und er hat ein Kondom in der Hand.

»Langsam, langsam«, versuche ich, ein wenig Tempo rauszunehmen, aber Rakete ist in dieser Hinsicht komplett beratungsresistent. Was tue ich hier bloß? Will ich das?

Wir haben tatsächlich Sex – und bevor ich es überhaupt auch nur im Ansatz genießen kann oder wirklich viel bemerke, ist es vorbei.

»Ach das war jetzt gut, oder!«, stöhnt er auf.

Jetzt geht mir auf, warum dieser Mann Rakete genannt wird. Zack, bumm – erledigt. Schnell gezündet und schon vorbei. Das war der schnellste Sex meines Lebens. Unter drei Minuten. Ich habe sogar noch meinen BH an.

»Jetzt habe ich richtig Hunger!«, sagt er, während er aufsteht. »Sex am Morgen ist einfach ’ne feine Sache!«, betont er und gibt mir einen kleinen Klaps auf den Oberschenkel. »Lass uns frühstücken. Neun Uhr ist Treffen mit den anderen!«

Das war es wirklich. Habe ich mich danach gesehnt? Ist dieses Bisschen nicht etwas, worauf man dauerhaft sehr gut verzichten könnte? Sex kann auch anders sein, versuche ich mich zu trösten. In meiner Erinnerung ist Sex mehr gewesen. Aufregender, erregender und befriedigender auf alle Fälle. Vielleicht kann er es einfach nicht, oder es ist ihm egal, wie die Frau seine Performance findet. Für ihn scheint es ja zufriedenstellend gelaufen zu sein. Hat sich da noch nie eine beschwert? Sind wir Frauen so genügsam? Zu genügsam? Kommt so was dabei raus, wenn man mit einem Trophäenmann ins Bett steigt? Strengen sich die anderen Männer mehr an? Oder liegt es am Alter? Immerhin ist Rakete 50. Na gut, jeder hat eine zweite Chance verdient. Vor allem ich!

Beim Frühstück sind alle guter Stimmung, selbst Motz-Steffi.

»Und, gut geschlafen?«, zwinkert mir Tini zu.

»Na ja, geht so!«, antworte ich.

Ungefragt antwortet auch Rakete. »Vor allem gut aufgewacht!«, lacht er, und ich könnte ihm eine scheuern.

Wenigstens das Büfett ist reichhaltig. Ich liebe Büfett. Vor allem liebe ich Essen, das ich weder selbst zubereiten noch nachher abräumen und spülen muss. Ich bestelle mir Rühreier mit Speck, Champignons, Zwiebeln und Kräutern. Rakete sieht meine Eierspeise und guckt erstaunt.

»Vorsicht, Andi! Solltest du nicht lieber ein wenig

Obst nehmen? Eier haben ordentlich Kalorien!«, ermahnt er mich.

Um seine Aussage zu illustrieren, klopft er sich auf Bauch und Schenkel. Dafür sollte ihm der internationale Charmepreis überreicht werden. Erst Specki sagen und dann meine Kalorien zählen. Und mit diesem Mann hatte ich gerade etwas, was sehr wohlwollende Menschen wahrscheinlich als Sex bezeichnen würden. Wie unverschämt. Ich hole mir demonstrativ noch zwei Bötchen. Helle Brötchen. Auch der Rest der Gruppe starrt auf meine Teller.

Nur Horst sagt freundlich: »Lass es dir schmecken! Schön, mal eine Frau zu sehen, die gerne isst.«

Spätestens mit diesem Satz ist Horst zu meinem Gruppenliebling avanciert.

»Ihr wollt, dass wir essen, und gleichzeitig sollen wir schlank wie Tannen sein. Tja, das ist eine schwierige Kombination!«, murrt Tini und pickt in ihrem Obstsalat.

Da hat sie natürlich recht. Männer wollen Idealfiguren, aber sie wollen das damit verbundene Leid bitte nicht sehen. Den Kampf, die krampfhafte Enthaltsamkeit. Herzhaft zugreifen, genussvoll essen – und das Ganze bei 90-60-90, bitte. Am liebsten würde ich mir aus Trotz noch einen Ei-Nachschlag bestellen, stattdessen hole ich mir noch ein kleines Müsli mit Obst. Die anderen sind längst fertig, aber Conny hat noch Lust auf einen Prosecco.

Little Ed bestellt großspurig Pinky. Es stellt sich heraus, dass Pinky eine Flasche Rosé-Champagner ist. Will verdreht die Augen. Ich muss auch sagen, dass Eds Großzügigkeit etwas arg Demonstratives hat. Er ist ein kleiner Angeber. Aber seiner Conny gefällt es, und auch ich muss zugeben, rosa Champagner ist durchaus lecker. Schmeckt mir auch besser als Prosecco. Da könnte ich mich dran gewöhnen.

»Und, was machen wir heute?«, fragt Steffi in die Runde.

»Ich muss auf jeden Fall noch mal zum Basar«, erklärt Conny direkt, »ich will die Bottega!«

»Du kriegst die Bottega, Schatz!«, sagt Little Ed sofort im Brustton der Überzeugung.

»Wir wäre es mit der Hagia Sophia?«, schlage ich vor.

»Na ja, so Moscheen sind nicht so mein Ding«, kommt es zögerlich von Rakete.

»In wie vielen warst du denn schon?«, frage ich zurück.

Er verzieht ein wenig das Gesicht. »In gar keiner. Ich bin ja auch kein Moslem!«

Ein unglaublich kluges Argument. Meine Güte! Und mit diesem Mann war ich im Bett.

»Wir können uns ja aufteilen, wir müssen ja nicht alles gemeinsam machen«, lautet die Idee von Steffi.

Horst und Tini sind für die Moschee, Rakete zögert, und Steffi erinnert ihren Will daran, dass er versprochen hat, mit ihr shoppen zu gehen.

»Wir können uns ja dann in Taksim zum Mittagessen treffen!«, sucht Horst eine Lösung. »Ihr geht zum Basar, wir in die Moschee, und dann essen wir schön zusammen.«

Ich freue mich. Was soll ich auch im Basar? Ich kann mir eh nichts mehr leisten, und es wäre auch schade, in einer Weltstadt wie Istanbul zu sein und nichts zu sehen außer dem Basar. Bei allem Hang zum Shopping, ein bisschen Kultur hat doch auch was. Rakete entschließt sich, mit uns zu kommen. Begeistert wirkt er nicht, aber anscheinend hat er noch weniger Lust auf einen weiteren Basarbesuch.

»Wie wäre es, wenn wir in die Blaue Moschee gehen, die ist näher. Da können wir hinlaufen!«, bemerkt Tini. Wir sind einverstanden.

»Moschee ist Moschee«, brummt Rakete. Und wahrscheinlich ist für ihn Sex auch Sex. Immer mehr kommt mir Rakete wie eine einzige Mogelpackung vor. Es steht viel drauf, ist aber nichts drin. Das trifft bei ihm sowohl für oben- als auch untenrum zu. Schade. Ich hatte mir mehr versprochen. Das erste Mal Sex nach langer Zeit – und dann so eine Enttäuschung. Ich finde, das Bisschen von heute Morgen zählt eigentlich gar nicht. Dass ihm das nicht peinlich ist. Erstaunlich. Mir ist es peinlich. Für mich, für ihn – überhaupt.

Mit meiner neuen Tasche am Arm, die meine Laune sofort hebt, obwohl eigentlich zu groß für einen Bummel, geht es in Richtung Blaue Moschee. Ich kann mich immer noch nicht so wirklich für Istanbul begeistern. Ja, die Stadt ist groß und quirlig, aber dieses ewige Grau ist nicht meins. Ich bin und bleibe wahrscheinlich ein Vorortlandei. Diese Mengen an Menschen. Traditionell verschleiert neben modern. Auf irgendeine Art macht mich das Verschleierte aggressiv. Bin ich intolerant? Schon möglich. Das muss auch auf meine Charakter-Mängelliste.

Wir müssen Schlange stehen, um in die Moschee zu kommen, und der Weg war weiter als gedacht. Ich bin sehr froh über meine Turnschuhe. Rakete hat noch leichte

Kopfschmerzen, ist aber ansonsten, wahrscheinlich durch seinen Sekundenhormonschub vor dem Frühstück, guter Dinge. Er erkundigt sich sogar mal nach meinem Leben. Was ich so mache, will er wissen. Ja, was mache ich eigentlich so? Ich erzähle ihm von meinem Leben. Von meinen Kindern, von meiner Arbeit und versuche, alles möglichst nett und amüsant klingen zu lassen. Man soll Männern, vor allem in der Akquisephase, ja nichts vorjammern. Aber bin ich überhaupt in der Akquisephase? Will ich diesen Mann erobern? Nein und ja. Er gefällt mir nicht wirklich, aber trotzdem will ich, dass er mich will. Das ist ein bisschen verrückt, aber ich kann das Flirten nicht lassen, obwohl der Testlauf heute Morgen alles andere als vielversprechend war. Vielleicht lag es ja am Restalkohol, probiere ich, mir den verkorksten Sex schönzureden. Das erste Mal mit jemand Neuem ist oft ein Desaster – man kennt sich nicht, weiß nicht, was der andere will. Vielleicht sollte ich ihm noch eine Chance geben. Aber interessiert diesen Mann eigentlich, was ich will? Lässt sein Mega-Ego das überhaupt zu? Kann er es überhaupt besser?

Die Moschee ist beeindruckend. Selbst Rakete muss das zugeben. Nach einer Viertelstunde hat er allerdings genug.

»Lasst uns was trinken gehen!«, schlägt er vor.

Wir schlendern durch das Viertel rund um die Moschee. Ich frage Rakete, warum er nie geheiratet hat.

»Warum eine Blume in die Vase stellen, wenn die Wiese voll davon ist!«, antwortet er kokett. »Nein, mal im Ernst«, ergänzt er dann, »es hat nie gereicht – von meiner Seite aus. Verliebt ja, aber wirklich geliebt habe ich keine.

Ich hatte immer das Gefühl, da kommt noch was Besseres. Ich hätte eigentlich ganz gerne Kinder – aber das kann ja noch werden.«

Das kann noch werden? Will er einer dieser Opa-Papas werden? Ich erspare mir jeglichen Kommentar und nicke verständnisvoll, so verständnisvoll wie es eben geht. Die Gegend rund um die Blaue Moschee ist hübsch. Verwinkelt. Niedliche Häuser und ganz nette Geschäfte. Natürlich wieder ein kleiner Basar. Der Vormittag vergeht im Nu.

»Wir sollten heute Nachmittag eine Tour mit dem Boot machen!«, schlägt Tini vor.

»Gute Idee!«, befindet sogar Rakete. »Lass uns das mal mit den anderen besprechen.«

In Taksim, einem angesagten Stadtteil, treffen wir den Rest der Gruppe. Sie sind extrem gutgelaunt, und die Menge ihrer Einkaufstüten zeigt auch, warum. Selbst Will und Little Ed sind ganz beseelt.

»Heute Abend gehen wir noch mal mit den Kollegen weg. Ihr könnt mitkommen!«, sagt Horst ganz beiläufig, und Will ergänzt mit Blick auf Steffi: »Ich wollte keinen Abend mehr ohne dich verbringen.«

Mir fällt auf, dass sie ein Schraubenarmband trägt. Steter Tropfen höhlt eben doch manchen Stein. Steffi bemerkt meinen Blick.

»Schön, gell? Hat sogar einen kleinen Brilli!«, schwärmt sie.

Also war es mit Sicherheit teurer als das von Conny, und somit scheint das seelische Gleichgewicht von Steffi wiederhergestellt.

Alle haben Lust auf eine Bootstour. Vorher wollen sie allerdings noch eben mal durch die Geschäfte in Taksim ziehen.

»Hier soll man phantastisch einkaufen können!«, begeistert sich Conny.

Das hier ist letztlich ein riesiger Wochenendeinkauf, getarnt als Städtereise. Ich finde die Geschäfte in Taksim eher enttäuschend. Es gibt all das, was es bei uns auch gibt. Von Benetton über Mango bis zu Zara. Ich mag Shoppen, aber in diesen Dimensionen ist mir das wirklich zu viel, und ich empfinde es als öde. Vor allem, wenn man, wie ich, kein Geld mehr hat. Natürlich könnte ich mein Kreditkärtchen zücken, aber auf dem Konto sieht es auch nicht besonders gut aus, und irgendwas wollen meine Kinder und ich diesen Monat ja auch noch essen. Einkaufen zu gehen und zu wissen, dass man nichts kaufen kann oder sollte, ist nicht besonders erquickend.

Ich bin froh, als es Richtung Bootstour geht. Mit großer Geste bezahlt Rakete unsere Tickets. Alle. Mit 3,50 Euro pro Ticket allerdings auch keine wirklich große Investition. Die Bosporus-Bootsfahrt ist wunderschön. Ich liebe das Meer, und man hat einen unvergleichlichen Blick auf die riesige Stadt. Zu wissen, dass man zwischen Europa und Asien hin und her cruist, ist toll. Vor allem, weil alles herrlich friedlich ist und leise. Der Geräuschpegel der Stadt liegt in der Ferne, und bei einem Tee und wunderbarem Sonnenschein genießen wir den Ausblick. Ich könnte Stunden hier verbringen, würde mir liebend gern den Sonnenuntergang vom Boot aus betrachten, aber leider sind wir abends verabredet.

»Es kommen zwei Kollegen vom führenden Maklerbüro in Istanbul, und es ist wirklich eine große Ausnahme, dass Frauen mitdürfen! Ihre eigenen Frauen bleiben selbstverständlich zu Hause«, erklärt uns Will.

Selbstverständlich! Wie gnädig von unseren Herren.

»Wir gehen ins 360Istanbul, das gilt als echter In-Treff, absolut hip!«, begeistert sich Conny.

Na, da bin ich ja da genau richtig. In-Treff! Sofort überlege ich, was ich anziehe. Hipper In-Treff? Was trägt man da? Ich frage die anderen Frauen nach dem Dresscode.

»Sexy und stylish!«, antwortet Steffi und guckt mich einen Hauch mitleidig an. Glaubt die, dass ich das nicht drauf habe? Das wollen wir doch mal sehen!

Bis wir im Hotel sind, ist es schon spät. Die Zeit drängt. Ich bin ganz froh – so kann Rakete nicht auf irgendwelche Ideen kommen. Ich ziehe mein Wickelkleid an. Schwarz, an sich eine Nummer zu eng, aber zum Glück hat das Kleid einen hohen Stretchanteil. Wickelkleider machen ein sexy Dekolleté, und durch die Raffungen sieht man den Speck an den sonstigen Stellen nicht so sehr. Dazu die neuen Mörder-High-Heels und meine neue Tasche. Mir ist klar, dass sie für eine Abendtasche etwa drei Nummern zu groß ist, aber sie sieht trotzdem gut aus, auch wenn ich sie nicht in eine Clutch verwandeln kann. Ich toupiere und spraye meine Haare dermaßen ein, dass wahrscheinlich ein kleines Ozonloch nach mir benannt wird. Aber ich finde, das Ergebnis kann sich sehen lassen. Es sieht gut aus. Elegant und sexy. Besser kann ich es nicht. Rakete mustert mich. Ich drehe mich einmal um die eigene Achse, gar nicht einfach auf Zwölf-Zentimeter-Lackpumps, und frage: »Und?«

Seine Antwort ist nicht ganz so wie erwartet. »Wie alt bist du eigentlich?«, will er wissen.

»Alt genug!«, weise ich ihn dezent zurecht.

Meine Güte. Ein kleines Du-siehst-toll-Aus wäre doch nicht so schwer gewesen. Immerhin, als wir die anderen treffen, macht mir Horst, mein Liebling, ein Kompliment.

»Rasant siehst du aus!«, befindet er.

Conny trägt hautenge Lederleggings (Ja, ich muss zugeben, sie kann es sich leisten – Rühreiverzicht sieht gut aus!), dazu ein Top und einen Blazer mit Nieten auf den Schultern und an den Ärmelenden. Ich würde sagen, damit kann man als hip durchgehen. Steffi hat einen kurzen Rock aus Spitze mit Lederjacke an, und Tini trägt ein kurzes Kleid mit graphischem Muster. Sehr bunt, viel Neon und garantiert auch Instyle-tauglich.

»Pucci!«, sagt sie, als sie meinen Blick bemerkt.

Aha. Ich kenne Gucci. Zu Pucci trägt sie atemberaubende Sandaletten in Pink. Ich bin definitiv die Biederste. Eben noch fand ich mich schön – im Bereich meiner Möglichkeiten selbstverständlich, und jetzt bin ich ein bisschen die Mutti der Truppe. Mein Kleid ist, wie man in der Modesprache sagt, knieumspielend, eine Länge, die zwar gut für meine Beine, aber nicht besonders hip ist. Tini bietet mir noch an, schnell eine passende Tasche für mich aus dem Zimmer zu holen, aber 575 Euro müssen sich amortisierten, und irgendeine Clutch reißt das hier jetzt auch nicht mehr raus. Außerdem regt sich in mir ein gewisser Trotz. Muss doch nicht jeder aussehen wie die drei! Ich bin so, wie ich eben bin.

»Mit der Tasche siehst du aus, als wolltest du was einkaufen!«, kichert Conny.

»Tja, mal sehen, vielleicht tue ich das ja auch, ansonsten kann ich gut eure Einkäufe verstauen!«, versuche ich einen kleinen Konter.

Wie schön wäre es, jetzt hier mit Sabine zu sein. Ich wäre sogar lieber mit Sabine im Westerwald! Was nützt einem die aufregendste Stadt, wenn die Menschen um einen herum aufregend tun, es aber nicht sind? Erstmals sehne ich mich nach zu Hause. Das ist es doch, was du wolltest, sage ich mir selbst. Ist es das? Ja, es ist anders als mein sonstiges Leben. Und ja, es ist auch irgendwie aufregend, eben weil es anders ist. Aber ich merke, das ist nicht das, was ich brauche.

Das Restaurant 360Istanbul ist eindrucksvoll und voll. Touristen und Einheimische drängen sich am Eingang.

»Acar und Salih haben sicherlich reserviert!«, hofft Horst.

Das hoffe ich auch. Samstagabend scheint auch in Istanbul der klassische Ausgehabend.

»We has a reservation for ten people! Ercan or Cengiz«, stammelt Little Ed.

Sein Englisch ist ausbaufähig. Conny guckt direkt streng.

»We have!«, korrigiert sie ihn. Nicht sehr nett so vor allen anderen. Aber Ed kann's ab.

»Richtig!«, sagt er nur, und dann wiederholt er, wie in der Schule, den ganzen Satz. Bevor der Kellner antworten kann, stürzt ein Mann mittleren Alters auf uns zu.

»Hoşgeldiniz!«, begrüßt er uns.

»Das heißt herzlich willkommen«, übersetzt Rakete stolz.

Da wäre ich ja nie drauf gekommen.

»Acar Cengiz«, stellt sich der Mann vor. »Salih is waiting at the table!«

Das 360Istanbul ist Restaurant, Bar und Club in einem. Der Name erklärt sich schnell. Man hat einen 360-Grad-Blick über die Stadt, und unsere Gastgeber haben einen tollen Tisch reserviert. Herr Ercan und Herr Cengiz sind höflich, aber ausgesprochen distanziert. Wir Frauen werden an der einen Seite des Tisches platziert, die Männer gruppieren sich an der anderen Seite.

»So können wir noch ein bisschen übers Geschäft reden!«, erklärt Will.

Und wir wahrscheinlich übers Einkaufen. Mich überkommt ein Gähnimpuls. Übers Essen kann man nicht meckern. Angeblich nennt sich die Küche Crossover-Asia-Europe. Egal wie es heißt, und obwohl ich es nicht selbst bestellt habe – das hat Herr Cengiz für uns alle erledigt – es schmeckt.

Mich interessiert, was die beiden Herren zu den Unruhen neulich in Istanbul zu sagen haben. Rakete wirft mir einen entsetzten Blick zu.

»Ich war schon in der Schule gut in PoWi. Ich interessiere mich halt für Politik!«, rechtfertige ich mich eigentlich ohne Grund. Man wird doch mal was fragen dürfen.

»Women better no politics!«, sagt Herr Ercan freundlich, aber doch bestimmt.

Im ersten Moment denke ich, ich hätte mich verhört.

»Ach, Andi, das ist doch langweilig!«, mischt sich da

Steffi ein. »Wir wollen uns doch nicht den Abend versauen.«

Meiner ist jetzt schon leicht versaut. Ich lass mir doch nicht von einem Herrn Ercan und einer Steffi den Mund verbieten. Frausein in der Türkei wäre nicht meins. Immerhin eine Erkenntnis, die ich von dieser Reise mitnehme. Ich entschuldige mich und gehe Richtung Toilette, um mich abzuregen. Es bringt ja doch nichts, würde meine Mutter sagen.

Kaum habe ich die Klotür hinter mir geschlossen, klingelt mein Handy. Nicht das erste Mal heute. Ich gehe aber das erste Mal ran. Es ist Christoph.

»Was willst du denn schon wieder!«, begrüße ich ihn nicht besonders freundlich.

»Lass das jetzt mal mit deinen Animositäten. Endlich erreiche ich dich! Ich habe dir schon etliche Nachrichten hinterlassen und Sabine auch. Es ist ernst. Deiner Mutter geht es schlecht. Sie hat hier angerufen, und ich bin direkt hin und habe den Notarzt gerufen. Sie liegt jetzt hier in der Höchster Klinik, und anscheinend hatte sie einen leichten Schlaganfall. Ich bin da und kümmere mich, deine Schwester kommt gleich, aber ich denke, es wäre gut, du würdest auch schnellstmöglich erscheinen. Dein Vater ist auch da, aber er ist völlig von der Rolle. Ich hatte schon Angst, der landet gleich im Bett neben ihr vor lauter Aufregung.«

Scheiße. Scheiße. Scheiße. Mit so etwas hätte ich natürlich nie gerechnet. Meine arme Mama. Was tue ich hier? Und vor allem, wie komme ich hier schnell weg, ist die entscheidende Frage.

»Wann kannst du hier sein?«, erkundigt sich da auch schon Christoph.

Mein Flieger geht morgen Vormittag, und ich bezweifle stark, dass es heute Abend oder in der Nacht noch Möglichkeiten gibt. Leider bin ich nicht im Besitz eines Privatjets, und selbst Mister Großkotz Ed ist von solchen Dingen weit entfernt.

»Vor morgen werde ich es nicht schaffen!«, stöhne ich und bin echt verzweifelt.

Mama! Bei allem Gezacker und Generve – eine Mama ist eine Mama, und das hier ist meine, und ich habe nur die eine.

»Andrea, was ist denn mit dir los? Ist der Westerwald abgeriegelt, oder was läuft da?«, fragt Christoph entsetzt.

Es ist an der Zeit, mit dem Lügen aufzuhören.

»Ich erkläre dir alles, wenn ich da bin. Aber ums schon mal ehrlich zu sagen, ich bin nicht im Westerwald, sondern etwas weiter weg, genauer gesagt in Istanbul!«, rücke ich so langsam mit der Wahrheit raus.

»Irgend so was habe ich mir schon gedacht, Andrea«, sagt Christoph nur.

Es ist nett, dass er die Situation nicht ausnutzt. Er hätte allen Grund, mir einen kleinen Vortrag zu halten.

»Ich bleibe heute hier, Andrea. Und du kommst direkt vom Flughafen her. Soll ich dich abholen?«

»Nein danke. Das ist wirklich nett von dir – alles ist wirklich nett von dir, aber ich habe das Auto am Flughafen. Ich lande gegen zwölf Uhr mittags und komme sofort. Und dann sehen wir weiter.«

»Gut, Andrea. Vielleicht ist es dann auch an der Zeit, mal wieder zu reden. Wir müssen uns doch nichts vorlügen, das ist doch traurig nach so langer Zeit«, murmelt er und klingt tatsächlich bedrückt.

»Küss meine Mama, und rede mit den Ärzten, und halte mich auf dem Laufenden, ruhig auch mitten in der Nacht. Ich werde deine Anrufe nicht mehr ignorieren – es tut mir echt sehr, sehr leid!«, betone ich noch einmal.

»Ist schon okay – dafür hat man Familie!«, sagt er nur, und auf einmal weiß ich wieder, was ich immer an ihm geschätzt habe.

In der Not ist er wie der sprichwörtliche Fels in der Brandung. Er ist ein Mann, der tatkräftig sein kann. Und er hat Familie gesagt. Wir sind also immer noch seine Familie. Bei all den schlechten Nachrichten, ist das doch mal eine gute.

Eins ist klar – der Abend ist für mich definitiv gelaufen. Ich kehre nur noch mal an den Tisch zurück, um zu sagen, dass ich ins Hotel fahre.

»Bist du beleidigt?«, fragt mich Rakete verwundert.

»Nein, meiner Mutter geht es schlecht. Sie hatte einen Schlaganfall und ist im Krankenhaus, da kann ich nicht hier rumsitzen und Sekt schlürfen!« entgegne ich und merke, wie mir die Tränen kommen. Alle sind betroffen.

»Ich kann hier jetzt nicht weg – hast du Geld für ein Taxi?«, zeigt sich Rakete ansatzweise teilnahmsvoll.

»Keine Lira!«, sage ich und er greift in seine Hosentasche. Immerhin.

Tini bietet mir sogar an, mitzukommen. Das weiß ich zwar sehr zu schätzen, lehne aber ab.

Innerhalb weniger Minuten sitze ich im Taxi zum Hotel. Jetzt fließen die Tränen. Ist das die Strafe für meinen

Ausflug? Werden kleine Sünden sofort bestraft? Reiß dich zusammen, Andrea, schimpfe ich mich selbst. Das ist doch totaler Quatsch! Das ist einfach ein Unglück, das jederzeit passieren kann. Ich muss Birgit, meine Schwester, anrufen. Und meinen Bruder. Wieso ist der eigentlich nicht in der Klinik? Seltsam. Der ist doch eigentlich das totale Mama-Kind. Eins nach dem anderen, versuche ich die Nerven zu behalten, während mir die Tränen einfach so übers Gesicht laufen. Sie lebt und ist in guten Händen.

Im Hotelzimmer angekommen, rufe ich Christoph an. Er geht nicht dran. Ich schicke ihm eine SMS und erbitte die Telefonnummern von Birgit und Stefan, meinen Geschwistern. Mir fällt nichts ein, was ich tun könnte. Das ist das Schlimmste. Ich sitze hier und kann nichts tun. Eine halbe Stunde später habe ich die Telefonnummern von Stefan und Birgit.

Ich probiere es zunächst bei Stefan.

Meine Schwester kann irre streng und kleinkariert sein und hält einem gerne Vorträge – da kann ich momentan gut drauf verzichten. Meine Schwester ist Miss Perfekt. Bei ihr gelingt alles.

Mein Bruder meldet sich, untypisch für ihn, direkt nach dem zweiten Klingeln.

»Andrea, hi, ich bin gleich da. Vielleicht noch zwei Stunden Fahrt!«, begrüßt er mich. »Wie geht's meiner Mami?«, schiebt er noch eine Frage hinterher.

Seiner Mami! Das ist typisch für meinen Bruder.

»Ich kann dir nichts Genaues sagen. Ich bin unterwegs und komme erst morgen nach Hause. Ich wollte eigentlich von dir wissen, wie es um Mama steht«, antworte ich.

»Ach so, dann rufe ich dich an, wenn ich da bin und was weiß! Ich bin im Auto und habe keine Freisprechanlage!«, sagt er nur.

Er will nicht mal wissen, wo ich bin. Was nicht an seiner mangelnden Neugier, sondern eher an einem gewissen Desinteresse liegt. Mein Bruder ist Prince Charming und gebärdet sich gerne wie ein Einzelkind.

Ich nehme all meinen Mut zusammen und rufe Birgit an. Meine große Schwester hat oft etwas Furchteinflößendes. Wir kommen klar, sind aber nicht wirklich dicke miteinander. Die beiderseitige Eifersucht steht einfach zwischen uns. Trotzdem raffe ich mich auf, schließlich geht es nicht um mich, sondern um Mama.

»Hallo, Brigitta!«, melde ich mich zaghaft.

Ausnahmsweise sage ich sogar Brigitta, denn eigentlich heißt meine Schwester Birgit, aber Brigitta findet sie wohlklingender. Genauso sagt sie es: wohlklingender. Normalerweise nenne ich sie schon aus Prinzip Birgit, heute verzichte ich aber vorsorglich darauf. Man muss nicht gleich garstig sein.

»Na, das wird ja mal Zeit, dass du dich meldest! Sag mal, wo steckst du überhaupt, und was ist das für eine Nummer, von der du anrufst?«, poltert sie direkt los.

»Das ist kompliziert. Ich bin in Istanbul und komme erst morgen zurück. Sei so nett, und halte mich auf dem Laufenden. Ich erzähl dir dann alles.«

»Wir sind extra aus Sylt zurückgefahren. Der Kurt hat alles aus unserem Wagen rausgeholt, und die Athene hat sich zweimal übergeben – aber du bist in Istanbul«, meckert sie los.

Der alte Hund hat ins neue Auto gekotzt. Wäre die

Situation nicht so traurig, würde ich lachen. Das hat meinem Klugscheißer-Schwager sicherlich viel Freude bereitet. Ein vollgekotzter Porsche Cayenne.

»Aber wir regeln das hier natürlich. Wir sind gerade erst eingetroffen, und der Kurt hat schon den Professor kommen lassen!«, redet sie weiter. »Ich rufe dich an, wenn es was Neues gibt!«, teilt sie mir noch mit.

Oh, Kurt hat den Professor kommen lassen. Kurt ist das Schlimmste an meiner Schwester. Er weiß einfach alles, glaubt er zumindest, und meine Schwester tut es anscheinend auch. Aber egal. Sie sind da, und sie kümmern sich. Familie ist immer kompliziert. Ich ziehe mich aus und lege mich ins Bett, das Handy griffbereit und den Wecker gestellt.

Gegen 1:30 Uhr wache ich auf. Trotz all der Sorgen bin ich irgendwann anscheinend eingeschlafen.

»Andi, ich bin's, Tom!«, höre ich eine Stimme. Rakete ist zurück. »Schlaf weiter. Ich hoffe, mit deiner Mutter ist alles so weit klar«, zeigt er sogar Spuren von Empathie.

Als er im Bett liegt, nimmt er mich in den Arm, freundschaftlich und liebevoll. Er hält mich einfach nur fest.

»Meine Mutter ist vor zwei Jahren gestorben. Ich habe lange gedacht, das überlebe ich nicht«, flüstert er mir zu. »Schlaf, so gut du kannst!«, sagt er dann noch.

Jeder hat doch irgendwie auch was Gutes, selbst ein Rakete, denke ich beim Einschlafen, und der Gedanke hat etwas Tröstliches.

5

Ich wache auf, bevor der Wecker klingelt, und schon geht es in meinem Kopf drunter und drüber. Ich habe eine neue SMS. Sie ist von Christoph.

Deine Mutter hatte eine ruhige Nacht. Fahre jetzt gleich wieder hin, habe aber schon mit deinem Vater gesprochen. Es scheint ihr etwas besserzugehen. Gruß, Christoph

Er hat Wort gehalten. Das ist schön. Ich schreibe zurück und bedanke mich. *Melde mich vom Flughafen* füge ich noch hinzu.

Eine halbe Stunde später, ich bin im Bad und mache mich fertig, kommt sogar eine SMS von meiner Schwester: *Mama geht es den Umständen entsprechend ganz gut. Sie ist wach und hat nur noch leichte Sprachstörungen, und der linke Arm will nicht so richtig. Aber die Ärzte sagen, das wird. Sie fragt nach dir! Komm so bald du kannst. Kuss. Brigitta.*

Nun bin ich doch verwundert: Kuss. Brigitta. Das hat sie lange nicht gemacht. Not schweißt zusammen. Dass sie geschrieben hat, Mama fragt nach dir, muss sie Überwindung gekostet haben. Aber sie hat es getan, und es freut mich. Gleichzeitig wird mir umso bewusster, dass ich nicht da bin, wo ich sein sollte. Bei meiner Familie. Mein schlechtes Gewissen ist so riesig, dass man es wahrscheinlich noch aus dem Weltall sehen kann. Google Earth kann es bestimmt orten.

Die Zeit bis zur Abfahrt zum Flughafen zieht sich. Ich bin angespannt und kann nicht mal mein Frühstücksrührei genießen. Ich lasse die Hälfte stehen, was normalerweise eine Erwähnung bei Wikipedia wert wäre.

In Windeseile habe ich gepackt und stehe schon eine Viertelstunde vor Abfahrt unten am Treffpunkt vor der Hotelrezeption.

»Hattest du etwa Chips?«, fragt Rakete konsterniert, als er auscheckt.

»Ja!«, gestehe ich, und er guckt, als hätte ich Heroin aus der Minibar genommen. »Was bekommst du von mir?«, frage ich und bin genervt.

Der macht hier Theater wegen einer winzig kleinen Tüte Chips.

»Lass mal, das erledige ich!«, sagt er in einem Ton, als hätte er mir gerade auch ein hochkarätiges Schraubenarmband überreicht.

»Danke!«, sage ich, aber nur weil es sich gehört.

»Das war jetzt schade mit dem Schlaganfall deiner Mutter, sonst hätten wir es uns heute Morgen noch mal so nett wie gestern Morgen machen können!«, bedauert Rakete im Taxi.

Diese Aussage relativiert alles, was er gestern Nacht richtig gemacht hat. Peinlich. Muss ich mir so etwas anhören?

»Na, so nett war der Morgen ja dann auch nicht!«, kann ich mir nicht verkneifen.

»Da hatte ich aber einen anderen Eindruck!«, grinst er und Will lacht.

Hat der denen etwa alles haarklein erzählt? Egal, ich

habe nicht die Absicht, auch nur einen von ihnen wiederzusehen, nicht mal Horst und Tini.

»An deiner Performance solltest du arbeiten. Geschwindigkeit ist beim diesem Thema nicht entscheidend – nur so als kleiner Tipp!«, bricht es aus mir heraus.

Er läuft knallrot an, und der Rest der Gruppe im Großraumtaxi kichert.

War das jetzt zu gemein? Ich schäme mich. Das war unnötig und verletzend, obwohl es natürlich stimmt. Aber vielleicht war es an der Zeit, dass ihm mal eine die Meinung sagt.

»Danke für die Blumen, aber mit der Chemie zwischen uns steht es halt auch nicht zum Besten! Ich steh normalerweise nicht auf Rubensfrauen!« Ring eröffnet. Der Schlag hat gesessen. Rubensfrauen! Ich mag nicht superschlank sein, aber um Rubens zu gefallen, müsste ich doch noch einiges mehr an Rühreiern und Chips verdrücken. Jetzt bin ich richtig beleidigt, stelle den Schusswechsel aber trotzdem ein. Das ist mir zu blöd. Das habe ich nicht nötig. Rakete! Was es mit dem Spitznamen in Wahrheit auf sich hat, werde ich dezent bei meinen Kolleginnen streuen. Ansonsten kann der mich mal! Schweigend erreichen wir den Flughafen.

Auch am Gate herrscht Schweigen. Conny und Ed sind zur Abwechslung noch ein bisschen shoppen, und der Rest der Gruppe wartet. Ich habe in der Zwischenzeit noch zweimal probiert, meine Schwester oder Christoph zu erreichen, aber wahrscheinlich sind sie im Krankenhaus und haben ihre Handys ausgeschaltet. Wenn etwas Schlimmes passiert wäre, hätten sie sich gemeldet, tröste ich mich. Eine Ansage am Gate unterbricht meine Gedanken.

»Leider ist der Flug nach Frankfurt überbucht. Gesucht werden Passagiere, die freiwillig auf die Abendmaschine LH 3654 um neunzehn Uhr fünfzehn wechseln. Wir zahlen eine Entschädigung von vierhundert Euro pro Passagier. Bitte melden Sie sich am Schalter.«

Das darf ja wohl nicht wahr sein. Die Maschine ist überbucht. Ich kann auf keinen Fall erst heute Abend fliegen, das wäre eine Katastrophe.

»Vierhundert Euro mal zwei sind achthundert Euro!«, sagt Will zu Steffi.

Phantastisch, wie der im Kopf rechnen kann!

»Das weiß ich!«, antwortet die, auch nicht sonderlich beeindruckt von Wills Rechenkünsten.

»Für achthundert Euro bleibe ich doch gern noch ein Weilchen hier sitzen! So leicht verdiene ich mein Geld sonst nicht! Das ist ein prima Stundenlohn!«, versucht er seine Steffi zu überzeugen.

»Hier hocken bleiben? Wieso denn das?«, ist Steffi genervt. »Du hast doch für die Tickets gar nichts bezahlt! Die waren doch für lau!«

»Aber der Rest der Reise war nicht direkt für lau!«, knurrt Will und schaut demonstrativ auf Steffis Schraubenarmband.

»Mir ist das im Endeffekt egal. Du musst zu Hause erklären, wo du steckst!«, bemerkt sie nur spitz.

Horst und Tini sind zögerlich. »Sonderlich aufregend ist dieser Flughafen nicht, aber achthundert Euro sind natürlich nicht zu verachten«, meint Horst nur pragmatisch.

»Wer weiß, was sie für Business Class zahlen?«, fragt sich Tini.

»Du bist schon immer eine kluge Frau gewesen!« Mit diesen Worten erhebt sich Horst und geht zum Schalter, um nachzufragen. »Das Doppelte!«, freut er sich als er zurückkommt. »Stellt euch vor, vierhundert für Economy, achthundert für Business Class. Das macht tausendzweihundert Euro, und sie zahlen dazu noch ein Essen pro Person. Meine Entscheidung ist damit gefallen – einverstanden Tini?«

Sie nickt und sagt nur: »Tausendzweihundert Euro sind eindeutig ein sehr gutes Argument.«

Will schaut zu Steffi. »Mach, was du willst! Bin gespannt, wie du das mit deiner Frau regelst!«, sagt sie mit einem Schulterzucken.

»Das lass dann bitte mal meine Sorge sein!«, wehrt sich Will. »Wir bleiben mit euch hier«, trifft er eine Entscheidung. »Aber du kannst natürlich auch jetzt mitfliegen, wenn du magst«, bietet er Steffi eine Alternative an.

Sie schüttelt den Kopf. Ich gucke zu Rakete.

»Wäre schön, das Geld zu haben, aber für dich wäre das jetzt ungünstig, oder?«, fragt er mich.

Ungünstig ist eine gewaltige Untertreibung.

»Ich kann einfach nicht«, sage ich.

Ich weiß, es sind seine Tickets, und somit ist es auch sein Geld. Aber er hat mich schließlich eingeladen und kann ja wohl jetzt nicht verlangen, dass ich hier sitzen bleibe, während meine Mutter im Krankenhaus auf mich wartet. Hätte ich mir doch bloß die Bemerkung im Taxi verkniffen. Jetzt bin ich auf seine Nettigkeit angewiesen.

Obwohl, im Fall der Fälle würde ich um mein Ticket kämpfen, es steht immerhin mein Name drauf.

»Wir fliegen!«, beschließt er, bevor ich irgendwelche Betteleien starten muss.

Ich atme auf. Conny und Little Ed, die mit neuen Tüten am Gate eintreffen, sind begeistert von der Möglichkeit, noch ein bisschen länger hier am Flughafen zu bleiben.

»Man kann hier fast besser einkaufen als in der Stadt!«, schwärmt Conny. »Lass uns noch bleiben, Ed, das wäre doch lustig! Wir haben es doch nicht eilig, und dann können wir noch was für die türkische Wirtschaft tun.« Sie kichert.

Wenn jeder so viel für die türkische Wirtschaft tun würde wie Conny, beziehungsweise ihr Ed, wäre das Land fein raus.

Damit ist alles klar – nur Rakete und ich fliegen nach Hause. Wir verabschieden uns wirklich herzlich, und Conny gibt mir noch einen kleinen Tipp mit auf den Flug.

»Du musst lockerer werden! Die Nicki war total entspannt, dieses Keifende findet der Tom anstrengend!«

Was für ein sagenhafter Ratschlag. Ich erspare mir jegliche Bemerkung. Die anderen halten sich dezent zurück und wünschen mir nur alles Gute, vor allem auch meiner Mutter. Immerhin.

Ich schicke Christoph eine SMS. *Wir boarden. Bis bald und danke.*

Er antwortet prompt: *Alles okay hier, guten Flug!*

Ich verpenne fast den gesamten Flug, und den Rest der Zeit mache ich mir Gedanken. Eines ist mir klar geworden: Tom ist keine Lösung. Tom ist kein Mann für mich. Mal abgesehen von seinen mangelhaften Qualitäten als Liebhaber, er liegt mir eigentlich auch als Mensch nicht, und das ist mit Sicherheit das Entscheidende. Wenn ich ihn nie mehr wiedersehe, wovon ich ausgehe, wird es mir nichts ausmachen. Ich fand ihn sexy, bis ich mit ihm Sex, oder was auch immer es war, hatte. Aber mein Herz hat er nicht erreicht, er ist noch nicht mal in seine Nähe gekommen. Ich könnte mir niemals ein Leben, eine Beziehung, mit ihm vorstellen, und als Affäre taugt er ganz offensichtlich nicht. Wenn man schon nichts außer Sex miteinander hat, dann sollte der schon gut sein. Oder sehr gut. Jetzt ist aber sowieso nur meine Mutter wichtig, sonst nichts. Ich verzichte lebenslang auf Kerle, wenn meine Mama das alles schafft und es ihr wieder gutgeht, biete ich einer höheren Macht einen Deal an. Als wir zur Landung ansetzen und ich Frankfurts Skyline sehen kann, bin ich froh.

Rakete und ich sehen uns erst am Gepäckband wieder. Er scheint ähnliche Gedanken wie ich im Flugzeug gehabt zu haben.

»Wir zwei sind sehr verschieden, glaube ich. Du bist eine nette Frau, aber um ehrlich zu sein, bevor du dir Hoffnungen machst, für mich bist du nicht die Richtige«, erklärt er mir.

»Das sehe ich umgekehrt genauso!«, antworte ich und denke, so wie der gestrickt ist, wird er annehmen, ich sage das nur, um nicht als Looserin dazustehen.

Bevor ich mir Hoffnungen mache? Hoffnungen worauf? Das Ego muss man erstmal haben, sich so etwas auch nur im Ansatz einzubilden. Aber eigentlich ist es mir sogar egal, was er denkt. Es gibt einen alten Spruch: Es muss nicht der Richtige sein, man kann auch mit dem Falschen viel Spaß haben. Aber selbst dafür entspricht Rakete einfach nicht meinem Anspruchsprofil. Mein Koffer kommt zuerst.

Er umarmt mich und sagt: »Geh nur, ich weiß, es eilt bei dir!«

»Danke«, sage ich, »trotz allem, danke!«

Ich eile mit meinem schicken Trolley und meiner neuen Tasche in Richtung Ausgang. Ich nehme den grünen Ausgang und bin fast durch, als ein Zollbeamter »Halt! Bleiben Sie bitte mal stehen!« sagt.

»Ich muss wirklich weg«, bitte ich, »meine Mama ist im Krankenhaus, es geht ihr nicht gut!«

»Das ist ja herzergreifend – aber ich möchte gerne Ihr Gepäck sehen!«, bleibt er komplett ungerührt.

»Es ist echt ernst, keine Ausrede, sie liegt im Höchster Klinikum!«

»Ticket, Koffer und Handtasche bitte! Haben Sie etwas zu verzollen?«, fragt er nur, ohne weiter auf das Krankenhaus-Thema einzugehen.

»Nein, habe ich nicht. Ich war ja nur zwei Tage weg, und rauchen tu ich auch nicht!«, gebe ich leicht bissig Antwort.

»Noch mal, die Dame – Handtasche, Koffer und Papiere bitte! Ich wiederhole mich nicht gern!«

Ich merke, hier geht gar nichts. Er macht ein Steingesicht, passend zu dem Stein in seiner Brust, und schaut mich sehr streng an. Ich knalle meine Sachen auf den Tisch. Er wühlt in meinem Trolley. Meine Unterwäsche liegt obenauf. Peinlich. Grün und lila. Die Unterwäsche verrät, weshalb ich in Istanbul war.

»Sie waren also in der Türkei?«, fragt er.

»Ja, wie man auf meinem Ticket ja auch sehen kann!«, erwidere ich trotzig.

Er wühlt weiter in meinem Trolley und scheint fast enttäuscht. Dann schnappt er sich meine Handtasche.

»Wo ist die denn her?«, fragt er nur und streicht mit der Hand über das Leder.

Ich werde nervös. Darf man Fake-Taschen kaufen? Sollte ich das zugeben? Besser nicht, sonst habe ich hier weitere Diskussionen.

»Die habe ich schon ewig!«, sage ich nur.

»Und woher haben Sie die?«, bleibt er am Ball. Mir fällt so schnell keine gute Antwort ein.

»Die habe ich mal geschenkt bekommen!«, behaupte ich deshalb.

»Ist die echt?«, will er wissen.

»Wie – echt?«, gebe ich mich begriffsstutzig und freue mich für einen ganz kurzen Moment, dass er nicht gleich sieht, dass die Tasche ein Fake ist.

»Ist das eine Hermès-Tasche?«, will er nun wissen.

Was für ein Mann! Er kennt Hermès-Taschen.

»Ne, sonst stände ich wohl kaum hier, sondern wäre mit dem Privatflieger eingeschwebt!«, bin ich ein bisschen patzig.

»Die sieht mir ziemlich neu aus!«, stellt er durchaus richtig fest und streicht erneut über das Leder. Jetzt durchwühlt er mein Portemonnaie. Zum Glück habe ich keine Quittung.

»Ich will jetzt wissen, wo diese Tasche her ist!«, beißt er sich fest.

Dagegen ist ja ein Rottweiler ein sanfter Geselle. Er ruft einen Kollegen.

»Steve, bring mal die Amy her, ich glaube, ich hab was!«

Wer ist denn die Amy? Die Handtaschenfachkollegin? Da sehe ich Rakete.

»Tom!«, rufe ich lauthals.

Tom zuckt zwar zusammen, reagiert aber nicht weiter und verschwindet, ohne sich umzudrehen, durch den grünen Ausgang. Der lässt mich hier einfach stehen! Sehr ritterlich! Was für ein Idiot. Spätestens jetzt wäre alles aus. Vielleicht hat er mich nicht gehört, suche ich noch nett eine Ausrede für ihn. Unwahrscheinlich. Man hat ihm angesehen, dass er mich sehr wohl gehört hat.

»Wer hat Ihnen denn die Tasche geschenkt?«, will der Zollbeamte nun wissen.

Sabine die Lügenkönigin hätte sicherlich eine schöne Geschichte parat, ich hingegen stammle rum.

»Also, das war an meinem vierzigsten Geburtstag und es war … also, es war mein Ex!«, behaupte ich und merke, wie mir die Röte ins Gesicht schießt.

»Das ist ja nun schon ein bisschen her mit dem Geburtstag!«, bemerkt der Beamte, und ich finde, den Kommentar hätte er sich definitiv sparen können.

Zollkontrolle ist das eine, persönliche Demütigung das andere.

»Danke für das Kompliment!«, kann ich mir deshalb auch nicht verkneifen.

»Ich habe Ihren Pass und sehe, wie alt Sie sind«, kontert er.

Stimmt, das hatte ich nicht bedacht.

»Wie lange dauert es denn, bis Ihre Kollegin hier ist? Ich will nicht drängeln, oder nur ein bisschen – aber wie schon erwähnt, liegt meine Mutter im Krankenhaus und wartet auf mich!«

»Es dauert so lange, wie es eben dauert!«, stellt er nur fest.

Ich sehe auf meine Uhr. Seit gut zwanzig Minuten werde ich hier festgehalten. Wie eine Schwerverbrecherin! In mir rebelliert es. Gäbe es nicht Wichtigeres für die Herren zu tun? Müssten die sich nicht eher um Drogenschmuggler kümmern? Darum, dass der Nachschub für meinen Sohn knapp wird? Stattdessen machen die ein riesiges Gewese um eine Handtasche. Lächerlich. Ich würde genau das sehr gerne sagen, bin aber vernünftig genug, es zu lassen.

»Da kommen sie! Amy, ja hallo!«, begrüßt der Zollbeamte die »Kollegin«.

Eine sehr haarige Kollegin. Amy ist ein Schäferhund, der den Beamten ignoriert, sich stattdessen voller Begeisterung auf meine Tasche stürzt. Nicht ansabbern oder reinbeißen, will ich schreien. Gleich schneiden die mir noch das Futter aus der Tasche, weil die denken, ich sei eine Drogenschmugglerin.

»Ist der Hund ein Drogensuchhund?«, frage ich entsetzt.

Hoffentlich ist da nichts in meiner Tasche. Man hört ja immer wieder Geschichten von Schmugglern, die gar nicht wussten, dass sie Drogen geschmuggelt haben, und als Kuriere missbraucht wurden. Hat mich der kleine, schmierige, fiese Hakan ausgetrickst.

»Ich kann auf keinen Fall was dafür!«, entscheide ich mich, jetzt doch besser mal die Wahrheit zu sagen.

»Ich habe die Tasche auf einem Basar gekauft, in Istanbul, und wenn da Drogen drin sind, dann ohne mein Wissen. Da waren Hakan und dieser Ahmed. Die haben mich reingelegt. Hakan hat gleich keinen guten Eindruck auf mich gemacht. Ich habe mit Drogen nichts am Hut!«, beteure ich.

»Die Tasche ist also nicht von Ihrem Ex, sondern neu und vom Basar?«, sagt der Beamte nur.

»Ja, schon, aber wie gesagt, Drogen und so sind gar nicht meins. Ich hasse Drogen!«, füge ich mit Inbrunst hinzu.

Ich sehe doch nicht aus wie ein Drogenkurier.

»Was haben Sie für die Tasche bezahlt?«, will der Beamte dann wissen.

Ich entschließe mich, die Wahrheit zu sagen: »Fünfhundertfünfundsiebzig Euro! Da denkt man doch nicht, dass die einem zum Dank auch noch Drogen unterjubeln!«, antworte ich.

Ich gehe doch nicht für Hakan in den Knast.

»Wieso Drogen? Ich meine, es ist schön, aber auch eigentlich nicht weiter erwähnenswert, dass Sie nichts mit Drogen zu tun haben – Amy ist kein Drogensuchhund, Amy ist auf Echsen abgerichtet. Exotische Tiere. Und so, wie sie hier reagiert, ist klar: Das ist eine echte Pythontasche! Und das ist verboten. Die Einfuhr von Waren im Wert von über vierhundertdreißig Euro ist übrigens auch verboten. Da wird einiges fällig!«

So ein Mist. Jetzt habe ich mich mit meiner Ehrlichkeit selbst ans Messer geliefert. So blöd muss man auch erst mal sein.

»Das wird Sie einiges kosten, nicht nur die Tasche!«, konstatiert der Zollbeamte. Amy darf wieder gehen und bekommt ein Leckerchen.

»Aber ich wusste das nicht – weder das mit dem Geld, noch dass das echte Schlange ist! Ehrlich nicht! Sonst hätte ich das nicht gemacht«, werfe ich mich jetzt verbal in den Staub. »Das ist doch kein Schwerverbrechen, dafür können Sie mir doch nicht die Tasche wegnehmen!«, bettle ich.

»Ich zahle die Strafe, aber eigentlich ist es voll gemein!«, versuche ich eine neue Taktik.

»Herr Grenzer, was ist denn hier das Problem?«, fragt da eine Stimme hinter mir.

Ich drehe mich um und bin überrascht. Mister Crocs. Der Grillmeister steht vor mir. Allerdings erkenne ich ihn erst auf den zweiten Blick. Er trägt Anzug und sieht ziemlich seriös aus, an den Füßen keine Crocs.

»Frau Schnidt, Andrea! Na, das ist ja eine Überraschung!«, begrüßt er mich.

Ja, das ist definitiv eine Überraschung, allerdings eher eine peinliche Überraschung für mich. Was soll dieser Mann von mir denken? Der Sohn – ein kotzender Kiffer, die Mutter – eine kriminelle Schmugglerin, dagegen sind seine Crocs ja eine Lappalie. Ich laufe schon wieder knallrot an.

»Ach, hallo! Hallo, Paul! Ich habe ein kleines Problem mit meiner neuen Tasche«, versuche ich eine Erklärung.

»Herr Grenzer, ist das wirklich soo schlimm?«, fragt da Paul.

Einen Zollbeamten Herr Grenzer zu nennen, ist reichlich keck, aber der so Genannte scheint sich zu freuen, Paul zu sehen.

»Ach Sie hier, das ist ja toll! Da kann ich mich noch mal bedanken! Sie haben uns so geholfen!«, klingt mein Beamter auf einmal um Klassen freundlicher.

Wieso bedankt der sich bei Paul? Hat der ihm durch seinen Hornhauthobel ein neues Fußgefühl verschafft? Ist Fußpflege tatsächlich eine so große Sache, dass man sich neben dem Bezahlen auch noch zig Mal bedanken muss? Sehr seltsam.

»Schon gut, ich bin selbst froh, dass alles so glattgelaufen ist!«, sagt Paul und winkt ab.

»Sind Sie ein Bekannter von der hier?«, erkundigt sich Herr Grenzer da.

Von der hier! Was ist das eigentlich für ein Ton!

»Ja, wir sind Freunde. Gell, Andrea!«, strahlt mich der Crocs-Mann ohne Crocs an.

Freunde? Das ist an sich ein wenig übertrieben. Bekannte ist schon gewagt. Wir haben uns mal kennengelernt, bei einem Schrebergartenfest wäre richtig. Aber wer weiß, was es nützt – da bin ich im Zweifelsfall auch gerne eine Crocs-Mann-Freundin.

»Ja!«, sage ich und versuche, überzeugend zu klingen.

»Na ja, eigentlich ist das ein Delikt – eigentlich. Da käme einiges zusammen. Die Differenz zur echten Tasche, die Strafe wegen des Materials, eine Anzeige wegen Steuerhinterziehung. Aber wir haben hier ja einen gewissen Ermessensspielraum, und die Dame scheint mir ja auch reumütig. Und für Sie würde ich selbstverständlich einiges tun – also soweit es in meinem Ermessensspielraum steht natürlich nur!«

»Das wäre ja unglaublich nett!«, freut sich Paul.

»Also ja, das wäre schön! Ich habe es auch wirklich nicht mit Absicht gemacht!«, schleime ich noch ein wenig.

»Das mache ich nicht für Sie, sondern nur für ihn! Damit das klar ist! Und ich habe Sie hiermit verwarnt. Nehmen Sie Ihre Tasche, zahlen Sie die Differenz zu den vierhundertdreißig Euro, und gut ist.«

Er lässt mir die Tasche! Immerhin. Die Differenz sind allerdings noch mal 145 Euro. Was den Wert der Tasche dann auf immense 720 Euro hochschraubt. Trotzdem – besser als die Alternativen. Allein die Vorstellung, die Differenz zur echten Hermès-Kroko-Bag zu zahlen! Was hatte Conny gesagt: über 10 000 Euro? Da hätte ich hier den Gegenwert zu einem Kleinwagen gelassen. Was für eine Horrorvision.

»Danke!«, sage ich und bin kurz davor, Herrn Grenzer in meiner Begeisterung zu umarmen. Eben noch war ich mit einem Bein im Knast, und jetzt darf ich für 145 Euro gehen.

»Danke, Paul!«, sage ich dann noch. Er nimmt mich am Arm und steuert mit mir auf die Zollkasse zu. Ich habe keine 145 Euro mehr, geht mir da auf. Paul springt ein und leiht mir das Geld. Dann dürfen wir gehen. Durch den grünen Ausgang!

»Das war irre nett von dir! Das Geld bekommst du natürlich bald wieder«, bedanke ich mich erneut. »Wo kamst du denn auf einmal her? Was machst du denn hier am Flughafen?«, will ich noch wissen.

»Ich komme aus Florida«, sagt er.

Florida – ich bin beeindruckt. Verdient man so viel als Fußpfleger?

»Ich war auf einem Kongress – Füße, nichts als Füße, in allen erdenklichen Formen!«, er lacht.

Ich habe diesen Beruf unterschätzt. Ich hätte niemals für möglich gehalten, dass man als Fußpfleger auf Kongresse nach Florida fliegt. Man lernt wirklich nie aus.

»Jetzt habe ich mir ein gemeinsames Glas Wein aber ehrlich verdient!«, grinst er mich an.

»Wein und Essen – Vorspeise, Nachspeise, alles inklusive, was immer du willst!«, betone ich.

Er hat es sich wirklich verdient. Ohne ihn hätte ich keine Tasche und im Zweifel auch noch eine ordentliche Strafe gezahlt.

»Alles inklusive, was immer ich will – das hört sich aber sehr gut an!«, lacht er.

Er lacht viel. Das mag ich. Und jetzt, wo ich Zeit habe, ihn genauer zu betrachten, muss ich sagen, so ohne Crocs und im Anzug sieht er richtig gut aus. Männlich. Groß und kräftig.

»Wann, Andrea? Ich lasse mich hier nicht so abspeisen – ohne feste Verabredung und zwar möglichst bald, wirst du mich nicht los!«, betont er dann noch.

Ich überlege: »Entweder heute Abend spontan, aber das muss ich sehen – meine Mama ist im Krankenhaus, und ich weiß noch nichts Genaues. Oder morgen.«

»Ich bin da. Heute ist es für mich besser als morgen, aber für dich kann ich es auch morgen möglich machen!«, freut er sich sichtlich.

»Du suchst ein Restaurant aus, und ich melde mich

später!«, verspreche ich. »Ich muss jetzt ganz schnell zu meiner Mama!«

»Gute Besserung für sie und bis später!«, verabschiedet er sich.

»Brauchst du eine Mitfahrgelegenheit?«, fragt er noch.

»Nein, ich habe mein Auto hier. Alles gut! Danke für das Angebot!«

Ja, er ist Fußpfleger, aber was soll's. Er macht einen wirklich guten Eindruck. Er ist aufmerksam, und er scheint mich gut zu finden. Zwei Dinge, die sehr für ihn sprechen. Ich freue mich, ihn bald wiederzusehen. Da haben wir es: Eine Tür geht zu und eine andere auf …

Ich entschließe mich, direkt ins Krankenhaus zu fahren. Von unterwegs rufe ich Christoph an. Anrufbeantworter.

»Bin in einer halben Stunde da!«, spreche ich drauf.

Ich hoffe so sehr, dass es meiner Mutter, den Umständen entsprechend, gutgeht. Wieso ausgerechnet meine Mutter als Nichtraucherin und aktive Person einen Schlaganfall bekommt, ist mir rätselhaft. Aber Krankheiten und Schicksalsschläge fragen nicht nach Gerechtigkeit. Sie sind nicht fair.

Innerhalb von zwanzig Minuten bin ich am Höchster Klinikum und parke. Auf welcher Station meine Mutter liegt, weiß ich nicht. Wird wohl die Neurologie sein. Ich haste zum Empfang.

»Ich will zu meiner Mama!«, sprudelt es aus mir heraus.

»Isch aach am liebste!«, antwortet der Pförtner und lächelt mich an. »Wie heißt denn die Mama? Das muss ich wissen, sind ja ein paar hier bei uns!«

Nachdem wir die Personalien geklärt haben, schickt er mich zur Stroke Unit, einer speziellen Station zur Erstbehandlung von Schlaganfällen.

»Des ham net alle Kliniken!«, betont er voller Stolz. »Un gute Besserung för die Mama!«

Ein wenig Nettigkeit macht das Leben wirklich leichter. Mit bangem Herzen fahre ich mit dem Fahrstuhl in die zweite Etage. Zimmer 203. Ich klopfe.

»Herein!«, höre ich die Stimme meiner Schwester. »Andrea! Gut, dass du da bist!«, begrüßt sie mich so freundlich wie lange nicht.

Meine Mama sieht elend aus. Schwach und zart. Viel zarter, als ich sie in Erinnerung habe. Blass und geschwächt.

»Mama! O mein Gott, was für ein Schrecken!«, sage ich und beuge mich zu ihr.

»Hallo, mein Schatz!«, sagt sie und nuschelt dabei ein wenig. Auch ihre Stimme ist viel zarter, viel weniger bestimmt als sonst. Fast sehne ich mich danach, dass sie mir eben mal, auf ihre übliche ruppige Art, sagt, wo es langgeht.

»Wo ist denn Papa?«, frage ich und drücke ihr einen Kuss auf die Stirn.

»Der redet mit dem Arzt. Kurt und Christoph sind bei ihm.«

»Es geht mir schon besser«, beruhigt mich meine Mutter, obwohl es doch umgekehrt sein sollte.

Ich könnte allein bei ihrem Anblick direkt losheulen.

»Es sieht bisher alles ganz gut aus. Das haben wir Christoph zu verdanken – der hat darauf bestanden, dass sie hierher kommt, in eine Klinik mit Stroke Unit. Der hat erkannt, dass es sich um einen Schlaganfall handelt.

Ich bin echt froh, dass Christoph da war!«, seufzt meine Schwester.

»Isch auch!«, nickt meine Mutter. Die Ch-Laute hören sich irgendwie verwischt an, klingen wie Sch. Wenn das alles ist, denke ich, Rudi redet immer so.

»Papa wollte gar keinen Krankenwagen oder Notarzt rufen, der dachte, es wäre ein kleiner Schwächeanfall nach dem Golfspielen, von der Hitze.«

Ich denke, Männer wollen einfach nicht, dass ihre starken Frauen krank sind. Die ignorieren das. Für sie ist es die Rolle der Frauen, sich zu sorgen und zu kümmern.

»Wie fühlst du dich, Mama?«, frage ich und setze mich auf die Bettkante.

»Es geht. Ich bin noch ganz verwirrt, alles ging so schnell!«, antwortet sie langsam. Sie spricht auch ein bisschen verzögert. »Das Reden ist doof, und isch kann meinen Arm nicht rischtig bewegen – das ist komisch«, bemerkt sie noch.

Sie ist so gar nicht jammerig, muss ich bewundernd feststellen.

»Sie muss wahrscheinlich in die Reha und zur Krankengymnastik, aber weil sie so schnell hier war, wird das alles wieder, meinen jedenfalls die Ärzte«, erklärt mir Birgit. »Und jetzt erzähle du mal! Wo warst du, in Istanbul? Echt jetzt?«, will Birgit dann wissen.

»Ischtanbul?«, wiederholt meine Mutter, und ich muss fast gleichzeitig weinen und lachen.

»Ja, ich war zwei Tage in Istanbul, mit Bekannten.«

Das ist ja nicht gelogen. Bekannte sind es ja jetzt.

»Wieso denn das?«, hakt meine neugierige Schwester nach.

»Einfach mal so – da muss man ja keinen speziellen Grund haben. Ich wollte mal raus, und da hat sich die Gelegenheit ergeben, und da bin ich mitgefahren.«

Auch das ist nicht gelogen.

»Wo ist eigentlich Stefan?«, lenke ich das Gespräch sicherheitshalber mal auf andere Bahnen.

»Der kommt morgen wieder. Der war bis vor einer halben Stunde da. Er muss noch irgendwen irgendwo abholen. Eine wirre Geschichte, typisch Stefan halt!«, klärt mich Birgit auf.

Unser kleiner Bruder ist manchmal ein wenig verpeilt.

Bevor die Istanbul-Ausfragerei weitergehen kann, kommen zum Glück die Männer zurück. Ich umarme meinen Vater und Christoph, und da ich irgendwie milde gestimmt bin, sogar meinen Schwager Kurt.

»Es sieht alles ganz gut aus, ich kann dir die Details zu Hause erklären!«, informiert mich Christoph.

Christoph liebt meine Mama. Seit seine gestorben ist, fast noch mehr. Und irgendwie liebe ich Christoph auch – und für das, was er jetzt für meine Mama getan hat, fast noch mehr. Meine Schwester und mein Schwager verabschieden sich.

»Athene ist noch ein wenig blümerant von der Fahrt. Nicht, dass die noch im Haus ein Malheurchen hat!«, begründet mein Schwager ihren Aufbruch.

Allein dieser Satz – blümerant und Malheurchen – machen mir wieder klar, was mich an meinem Schwager so nervt.

»Fahrt nur! Ich bleibe ja jetzt, bin ja gerade erst gekommen«, sage ich. »Du ruhig auch, Papa! Ich habe nichts vor, und Rudi ist zu Hause bei den Kindern!«

Die drei gehen, mein Vater will allerdings in zwei Stunden wieder hier sein. Christoph und ich bleiben zurück.

»Wir sollten noch mal reden! Ganz in Ruhe. Ich habe viel nachgedacht, als du weg warst!«, sagt Christoph leise und guckt mich an. Mit einem Blick, den ich von früher kenne. Liebevoll. Liebend.

»Ja!«, antworte ich. »Wir waren doof. Wir sollten wirklich reden. Anders reden.«

Er nickt und wirkt, als würde ihn meine Antwort freuen.

»Morgen Abend, bei einem Glas Wein?«, schlägt er vor. »Oder gleich jetzt, wenn wir zu den Kindern fahren? Zu Hause.«

Er hat zu Hause gesagt. Unser Haus ist also immer noch sein Zuhause. War das ein Versehen, alte Gewohnheit, oder eine Art versteckte Botschaft? Schaffe ich das heute noch? Und wie mache ich das dann mit Fuß-Paul? Irgendwie werde ich das schon regeln.

Meine Mutter gähnt, »Isch bin müde. Dauernd müde.«

Ich streichle sie ein bisschen, und nach einer Weile schläft sie tatsächlich ein. Christoph erzählt mir, was der Arzt gesagt hat.

»Die sind gut hier, da kann man nicht meckern. Aber deine Mutter muss auf jeden Fall ein paar Tage bleiben, erst hier und dann auf der Neurologiestation. Und dann in die Reha. Aber sie haben gesagt, wir sind rechtzeitig hier gewesen. Alles wird wieder werden.«

»Hast du noch mal mit Mark gesprochen?«, will ich wissen.

»Ja, habe ich. Aber er ist bockig. Richtig pubertär. Wir

müssen mehr auf ihn achten. Wir haben ihn ein bisschen aus den Augen verloren.«

Da ist was dran. Klar habe ich mich um seine Primärbedürfnisse gekümmert. Essen, trinken, Wäsche, aber was in ihm so vorgeht und was ihn umtreibt, weiß ich zurzeit nicht.

»Er braucht seinen Vater! Ich komme momentan nicht gut an ihn ran!«

Christoph verspricht, sich mehr um Mark zu kümmern. »Aber Claudia hat neue Pläne. Sie will studieren.«

Wow, das ging ja schnell! Eben noch auf dem Weg zur Adelsgattin im Twinset und jetzt Studentin.

»Im Ausland am liebsten!«, stöhnt Christoph. »Das wird uns ordentlich was kosten.«

»Mal abwarten, die ändert ihre Meinung ja sehr schnell!«, antworte ich und freue mich trotzdem über den Sinneswandel meiner Tochter.

Nach einer guten Stunde brechen wir auf. Meine Mutter schläft und sieht entspannter aus. Ihr Gesicht ist wirkt ganz weich. Ich streiche ihr sanft über den Kopf und wir gehen.

Auf dem Weg zum Parkplatz fragt mich Christoph erstmals nach meiner Istanbulreise.

»War es schön für dich?«, erkundigt er sich.

»Ja und nein. Also die Stadt ist nicht so meine, und die Gesellschaft war so lala. Ich hatte schon schönere Wochenenden!«, antworte ich und verrate damit nicht wirklich etwas.

»Tja, Paris war auch anders, als ich es mir vorgestellt hatte«, gesteht er da. »Waren wir damals auch in gefühlten vierhundertachtundsiebzig Geschäften?«, stöhnt er auf.

Seine Sarah Marie scheint eine Seelenverwandte von Conny zu sein.

»Nein, das waren wir nicht. Wir hatten ja gar nicht das Geld. Wir waren in den Parks und Cafés«, erinnere ich mich.

»Es war romantisch damals«, bemerkt Christoph.

Ja, das war es. Wir hatten es schön in Paris. Wunderschön. Statt zu antworten, drücke ich ihm einen Kuss auf die Wange. Was passiert da gerade mit uns?

»Ich vermisse dich!«, kommt es da von Christoph.

»Aber was ist mit Sarah Marie?«, bin ich nun doch verwundert. Eben noch wollten sie zusammenziehen, und jetzt vermisst er mich?

»Ich weiß es nicht, Andrea. Ich weiß im Moment gar nichts. Ich habe Sarah Marie gern, aber das geht alles so schnell, und manchmal geht es mir zu schnell.«

Da haben wir was gemeinsam, denke ich. Ich weiß auch gar nicht, was ich im Moment will. Jetzt, eben und hier, fühlt es sich so an, als würden wir einfach zueinander gehören. Aber wenn ich nur fünf Minuten nachdenke, würden mir sicherlich massenweise Gründe einfallen, warum wir eben nicht mehr zusammen sind.

»Ich weiß auch nicht genau, was ich will! Aber ich weiß, dass das, was wir in den letzten Jahren hatten, nicht das ist, was ich will«, antworte ich.

Wir sind an meinem Auto angekommen.

»Wir sehen uns gleich zu Hause«, verabschiede ich meinen Ex.

Das war eine merkwürdige Begegnung. Ist das ein Schritt in Richtung Versöhnung? Oder haben die Umstände, meine kranke Mama, uns sentimental gestimmt?

Rudi ist ganz aufgeregt, als wir zu Hause ankommen.

»Ei, geht's deinä Muddi besser?«, fragt er.

Ich erzähle ihm alles, und er ist ein wenig beruhigt.

»Was hier alles los war!«, beginnt er, mir ein Update der häuslichen Situation zu geben.

»Die klaa Maus is fast dörschgedreht weschen dem Handy. Un de Gustav Johannes war hier, un sie hat vielleischt rumgeschrie, un dann is er wutentbrannt aus em Haus gestörmt. Un mit de Irene ...«

Er kann nicht weiterreden, denn da steht die »klaa Maus« auch schon vor uns. Sie sieht allerdings weniger wie eine kleine Maus, sondern wie eine Furie aus und verhält sich auch so.

»Sag mal, geht's noch? Du haust mit meinem Handy ab und lässt mich hier abgeschnitten von allem sitzen?«, begrüßt sie mich.

»Hallo, Mama. Schön, dass du wieder da bist!«, mache ich ihr einen Alternativvorschlag.

»Hallo«, knurrt sie.

»Das war doch keine Absicht, und für mich war es mindestens genauso blöd wie für dich!«, gebe ich ihr zu bedenken.

»Wo ist es!«, faucht sie nur.

Ich krame das Handy raus und verlange im Tausch meins zurück.

»Ich will gar nichts zu den komischen SMSen sagen, die du da bekommen hast!«, bemerkt sie, während sie ihr Handy schnappt.

»Danke, dass du meine Privatsphäre respektiert hast!«, antworte ich spitz, ohne näher auf die Nachrichten einzugehen.

Soll sie doch denken, was sie will.

»Seit wann gibt es in dieser Familie Privatsphäre?«, kontert sie.

»Ich jedenfalls habe nicht in deinem Handy rumgeschnüffelt!«, werde ich nun langsam auch sauer.

»Und wer ist bitte schön Paul, und wieso warst du gar nicht beim Wellness?«, geht die Fragerei in anklagendem Ton weiter.

Ich verbitte mir sowohl den Ton als auch die Fragen.

Dann fällt Claudias Blick auf meine Tasche und sie kreischt.

»Seit wann hast du eine Birkin Bag? Das ist ja wohl der Hammer! Kann ich die mal für die Schule nehmen?«

Ihr Tonfall ist gleich um einige Nuancen freundlicher. Mit einer 720-Euro-Tasche in die Schule! Ha, das ist ja der Witz der Woche.

»Ich denke eher nicht«, mildere ich die Antwort ab. Ich hätte auch sagen können: Spinnst du eigentlich komplett!

»Eine ganz ähnliche hat die Mutter vom Gustav – in Beige. Aber deine ist noch geiler!«, begeistert sie sich. Meine Tochter scheint sich in Taschenfragen besser auszukennen als ich.

»Ich will jetzt erst mal auspacken, und dann sehen wir weiter!«, entscheide ich.

Christoph, mittlerweile auch angekommen, will wissen, ob wir ihn heute noch brauchen. Ich schüttle den Kopf.

»Nein, alles gut. Rudi ist da, und ich bin ja auch da. Geh ruhig!«

»Sehen wir uns morgen Abend? Auf einen Wein?«, kommt es noch zögerlich von ihm.

»Ja, ich rufe dich an. Ich muss noch ein bisschen planen, aber ich denke, das klappt. Bis morgen!«, verabschiede ich meinen Noch-Ehemann. Was für ein Wochenende! Ich brauche dringend eine halbe Stunde nur für mich.

Rudi sitzt mit Mark und seiner Irene beim Kaffee im Wohnzimmer. Ich drücke meinem Sohn einen dicken Schmatzer auf die Wange.

»Schön, dich zu sehen!«, sage ich, und zu meinem Erstaunen küsst er mich ebenfalls.

»Hallo, Mama! Gut, dass es der Oma bessergeht!«, sagt er nur.

Keine Vorwürfe und keine Fragen. Vielleicht auch nur kein Interesse?

»Hattest du ein schönes Wochenende?«, fragt Irene höflich.

»Tja«, sage ich nur, »wenn ich das mal so genau wüsste. Aufregend war es. Schön – da bin ich noch unentschieden.«

Sie schaut erstaunt. Kein Wunder bei der Antwort.

»Ich geh erst mal hoch zum Auspacken! Ich nehme mir einen Kaffee mit rauf. Ich muss mal ein bisschen runterkommen – das war viel Aufregung mit meiner Mutter und so!«, informiere ich die Familie und ziehe mich zurück.

Ich werfe mich aufs Bett und liege fünf Minuten einfach nur rum. Dann nehme ich mir mein Handy vor. Paul hat geschrieben. Allein die Tatsache freut mich.

Hoffe, Deiner Mutter geht es besser! Wie sieht es mit meinem Alles-inklusive-Abendessen aus? Habe schon ein

Restaurant ausgesucht. Gruß von Deinem Lieblingszöllner.

Er hat Humor. Und er hat Deiner und Deinem groß geschrieben. Noch zwei Pluspunkte für ihn. Schaffe ich das heute Abend noch? Ich fühle mich abgekämpft und müde. Aber bin ich ihm nicht zumindest das schuldig? Mal abgesehen von den 145 Euro. Morgen Abend habe ich ja quasi Christoph versprochen. Aber ein Mann wie er wird doch verstehen, dass ich mit all dem Kummer rund um meine Mutter nicht in Ausgehlaune bin. Es ist kurz nach fünf Uhr, und bis zum Abend müsste ich ja wieder einigermaßen auf den Beinen sein. Einerseits. Andererseits würde ich ihn lieber in besserer Stimmung treffen. Ich schreibe ihm zurück: *Freue mich! Sehr gerne, aber ich bin so bekümmert wegen meiner Mutter. Sie hatte einen Schlaganfall, deshalb wäre jeder Abend ab Übermorgen wunderbar. Natürlich im Restaurant Deiner Wahl! Und natürlich bezahle ich. Gruß von Deiner Kriminellen!*

Ich nutze die verbleibende Zeit, um erst mal auszupacken und dann ausgiebig zu duschen. Schon fühle ich mich besser. Bevor ich ins Bett gehe, werde ich auf alle Fälle noch bei meiner Mama vorbeifahren, beschließe ich.

Als ich zurück ins Wohnzimmer komme, ist Irene gegangen. Rudi sitzt im Sessel und blättert in einer Kochzeitschrift.

»Na, wie geht's mit Irene und dir?«, erkundige ich mich.

»Setz dich doch erst mal!«, fordert mich Rudi auf. »Mir habbe einiges kläre könne, zum Glück! Des mit dem ganze, na ja, du weißt schon, Gedöns, des war gar net des, was se werklisch will. Sie hat mehr so gedacht, des is des, was die Männer heut verlange. Un da wollt se net altmodisch wirke, und desdewesche hat se des gemacht. Sie hat halt gemeint, des gehört dazu, und sie hat sich so aus de Übung gefühlt. All des hat se mir heut gebeichtet.«

Da sieht man es mal. Das ganze Leben kann ein großes Missverständnis sein.

»Du musst sie also nicht mehr anketten!«, grinse ich meinen Schwiegervater an. »Auch keine Puschelöhrchen mehr?«

»Ne, dademit sin mer dörsch. Un mit dem annern Thema auch. Sie hat eingesehe, des es zu früh is zum Zusammeziehe, un dess des ja so aach jede Menge Vorteile för sie hat. Un die Öhrsche kannst de för Fasching ham.«

Ich freue mich für Rudi. Und für Irene. Und natürlich auch für mich. So bleibt Rudi mir auf alle Fälle noch eine Weile erhalten.

»Schön, das ist doch mal eine echt gute Nachricht!«, sage ich und küsse meinen Schwiegervater auf die Wange. »Bist du heute Abend hier?«, frage ich dann.

»Ja, wieso?«, will er wissen.

»Ich bin irgendwie besorgt wegen meiner Mama. Das lässt mir keine Ruhe, ich würde gerne noch mal bei ihr auf der Station vorbeischauen. Aber nur, wenn es dir nichts ausmacht«, schiebe ich schnell hinterher. »Ich will nur schauen, ob es ihr, den Umständen entsprechend, gutgeht.«

»Des is gar kaan Problem, Andrea. Ich mach den Kinnern un mir was Leckeres zu esse, un dann guck ich Tatort. Ich wollt eh net fort heut! Sach ihr ganz liebe Grüße von mir«, zeigt er sich mal wieder von seiner hilfsbereiten Seite.

Eine Stunde später antwortet Fuß-Paul. *»Für die Frau Mama stehe ich gerne zurück – kein Problem. Ich drücke die Daumen! Nehme dann den Donnerstag und freue mich sehr, endlich mal mit einer Kriminellen auszugehen! Aufregend! Gruß von Paul, dem Zollflüsterer!«*

Danke, ist alles, was ich antworte.

Dann habe ich endlich Zeit und Ruhe und kann ausgiebig mit Sabine telefonieren. Sie will einen haarkleinen Bericht über jedes Istanbul-Detail. Dass meine »Rakete« eine solche Fehlzündung hatte, bedauert sie.

»Schade, ich hätte dir mal richtig heißen Sex gegönnt! Aber du siehst ja, die kochen alle nur mit Wasser. Der Nächste wird besser – ich habe das im Gefühl. Den Worst Case hast du ja jetzt erlebt. Da kann es nur noch aufwärts gehen.«

Ich erzähle ihr von Christoph. Von meinen konfusen Gedanken.

»Er ist kein schlechter Kerl – du weißt, ich mag ihn. Aber ob sich mit euch wirklich was ändert, da habe ich schon Zweifel«, kommentiert sie die Lage.

Die habe ich eben auch, sonst wäre ja alles ganz einfach. Christoph und ich haben eine Vergangenheit, das verbindet nun mal. Eine Vergangenheit, die unglaublich viele schöne Momente beinhaltet. Aber braucht es nicht mehr? Neue schöne Momente? Das heute im Parkhaus hatte was davon. Meine Fuß-Paule-Geschichte amüsiert Sabine.

»Der hört sich doch kernig an, und er hat dir zur Seite gestanden. Probier ihn aus!«, rät sie mir. Meinen latenten Fußpflegerdünkel findet sie albern.

»Ich habe gar nichts gegen den Beruf an sich«, versuche ich, mich zu rechtfertigen, »es geht mir eher darum, dass es für einen Mann ein seltsamer Beruf ist.«

»Makler finde ich wesentlich fieser!«, bemerkt sie nur trocken.

Sabine ist manchmal eine weise Frau.

»Außerdem hättest du immer perfekte Füße für null Euro!«, ergänzt sie noch und lacht.

Zwei Stunden später sitze ich wieder im Auto, auf dem Weg ins Krankenhaus. Drei kurze Tage in meinem Leben, und alles scheint mir völlig anders zu sein als noch vor diesen drei Tagen. Ich bin richtiggehend aufgewühlt. Mein Date war eine mittlere Katastrophe, aber daraus hat sich ein neues Date ergeben. Mein Ex und Noch-Mann ist nachdenklich geworden und zeigt so etwas wie zaghaftes Interesse. Und dann das mit meiner Mutter. Die Welt kann sich schnell ändern.

Mama ist wach, und mein Vater liegt dicht neben ihr im schmalen Bett. Das rührt mich. Er hält ihre Hand, und als ich das Zimmer betrete, lässt er sie los, fast so, als hätte ich ihn bei etwas Unanständigem ertappt. Süß. Das hätte ich später gerne auch. Jemand, der mir in einer solchen Situation die Hand hält. Klar kann man vieles auch allein. Auch Sabine würde mir sicherlich die Hand halten, aber dasselbe ist es eben doch nicht.

»Ist irgendwas passiert?«, fragt mich mein Vater verunsichert.

»Nein, nein, bis auf das mit Mama ist alles im Lot. Ich wollte nur unbedingt noch mal nach ihr schauen«, erkläre ich mein Kommen.

»Ach so, dann ist es ja gut. Setz dich, Schätzchen, nimm dir was zu trinken, wenn du magst«, antwortet mein Vater.

Er will aufstehen und sich auf den zweiten Besucherstuhl setzen, aber ich fordere ihn auf, zu bleiben, wo er ist.

»Körperkontakt tut ihr gut, sagen die Ärzte!«, rechtfertigt er sein Rumliegen.

»Körperkontakt tut immer gut! Na ja, fast immer!«, relativiere ich meine Aussage, denn ich muss kurz an den Körper von Rakete denken.

Ich bleibe eine Dreiviertelstunde und erzähle ein wenig von Istanbul. Die Rakete-Details lasse ich natürlich weg. Mein Vater erklärt mir, dass er abends immer bleibt, bis Mama schläft, und morgens dann ab sieben Uhr wieder hier ist.

Seit langer Zeit rede ich mal wieder mehr als nur zwei Sätze mit meinem Vater. Normalerweise ist meine Mutter die Wortführerin, mein Vater nickt ab und an oder zuckt mit den Schultern. Jetzt aber sind die Rollen anders. Mein Vater wirkt auch ganz anders. Entschlossener als sonst. Da sieht man mal, Männer können auch anders. Manchmal müssen sie einfach nur dazu gezwungen werden, auch wenn es in diesem Fall sehr unschöne Umstände sind.

»Wir gehen zusammen in die Reha – da suche ich was richtig Schönes mit der Erika zusammen raus, gell«, sagt er und streicht meiner Mutter zart über den Arm.

Hier werde ich heute Abend nicht mehr gebraucht,

denke ich, und es freut mich. Meine Eltern hatten viele Höhen und Tiefen, das hier sieht, trotz des traurigen Anlasses, nach Höhe aus. Muss man eben auch die Tiefen aushalten, um die Höhen erleben zu können.

Vor dem Klinikum setze ich mich auf ein Mäuerchen um kurz innezuhalten. Es ist ein schöner, lauer Sommerabend, immer noch warm.

»Verfolgen Sie mich?«, tönt da eine Stimme hinter mir. Als ich mich umdrehe, steht Fuß-Paule vor mir.

Was macht der denn hier? Stalkt der mich?

»Hallo«, sage ich und bin nicht sicher, ob ich mich freuen soll.

»Was machst du denn hier?«, will ich wissen, schon um den Stalking-Gedanken aus meinem Kopf zu bekommen.

»Ich habe für heute Abend einen Korb bekommen, von einer sehr netten Frau, und habe beschlossen, dann eben noch ein wenig zu arbeiten!«, antwortet er.

Arbeiten? Im Krankenhaus? Ich versuche, kein zu doofes Gesicht zu machen. Dann fällt mir ein – so wie es mobile Friseure fürs Krankenhaus gibt, gibt es garantiert auch mobile Fußpflege. Bei dem, was man da manchmal unter Bettdecken hervorblitzen sieht, eigentlich eine sehr gute Erfindung. Ich will gar nicht im Detail daran denken, was der Arme da ab und an zu sehen bekommt.

»Wie geht es deiner Mutter? Auf welcher Station liegt sie? Wie heißt der Arzt, der für sie zuständig ist?«, stellt er mir mehrere Fragen auf einmal.

»Es geht ihr, glaube ich, ganz gut, soweit ich das beurteilen kann. Sie ist auf dieser Stroke-Unit-Abteilung, für die Schlaganfall-Sofortversorgung«, füge ich erklärend hinzu. »Den Arzt habe ich noch nicht getroffen«, ergänze ich.

»Da habe ich auch schon mal gearbeitet. In meiner Ausbildungszeit!«, bemerkt er. »Hör mal, Andrea, wollen wir jetzt nicht einfach spontan noch irgendwo einen Wein trinken gehen? Dieser Zufall sollte doch nicht ungenutzt verstreichen, oder?«

Er hat recht. Jetzt nein zu sagen, wäre blöd. Ich bin gar nicht ordentlich zurechtgemacht, dämmert es mir da. Keine Spezialunterwäsche, einfach nur Jeans und T-Shirt. Und auch keine Super-High-Heels, sondern Flip Flops. Ach was soll's, entscheide ich, er trägt auch nicht mehr den Anzug vom Flughafen, sondern Jeans und Turnschuhe.

»Zur Entspannung tut ein Gläschen Wein ganz gut. Gib dir einen Ruck!«, insistiert er.

»Gerne«, sage ich, »ein Glas Wein ist jetzt genau das Richtige.«

Wir entscheiden uns für die Pizzeria gegenüber.

Als wir den Laden betreten, schießt mir durch den Kopf, dass ich schon wieder kein Geld dabeihabe. Nur ein paar Münzen im Auto, fürs Parkhaus. Der muss mich ja für die Superschnorrerin halten.

»Deine kriminelle Bekannte hat nicht damit gerechnet, noch auszugehen, also, mit anderen Worten, ich habe mal wieder kein Geld bei mir!«, gestehe ich direkt.

»Ich glaube, du bist eine verdammt teure Frau, Andrea, aber auf einen Wein mehr oder weniger kommt es jetzt auch nicht mehr an!«, lacht Paul. »Quatsch, gar kein Problem«, betont er grinsend.

Es ist lustig mit ihm. Er ist klug, ironisch, aber nicht sarkastisch. Er gefällt mir immer besser.

»Woher kanntest du denn diesen Zöllner?«, will ich beim ersten Glas Wein wissen.

»Sein Sohn war mein Patient. Klumpfuß beidseitig, kompliziert, aber ist gutgegangen.« Er bemerkt mein fragendes Gesicht. »Ich bin Pädiater, also Kinderarzt, aber auch Orthopäde und spezialisiert auf Füße. Wenn du mal einen schlimmen Hallux hast, wende dich vertrauensvoll an mich«, erklärt er mir.

Er ist Pädiater, nicht Podologe.

»Ich dachte, du bist Fußpfleger!«, platzt es aus mir heraus.

»Na ja, im weitesten Sinne bin ich das ja auch!«, lacht er schon wieder. »Aber wie kommst du denn darauf, dass ich Fußpfleger bin?«, fragt er dann doch erstaunt.

»Das hat euer Schrebergartenvorsitzender gesagt. Der Paul ist Podologe, der macht irgendwas mit Füßen.«

»Ist doch auch wurscht«, befindet Paul, »lass uns über andere Dinge reden.«

Irgendwie ist es auch wurscht. Paul ist wunderbar! Das ist ein Mann, in den ich mich verlieben könnte, geht es mir durch den Kopf. Er erzählt mir von seinem Kongress in Florida. Von seinen Wünschen. Seinen Träumen. Von seiner Ex, die mit seiner heißgeliebten 13-jährigen Tochter auf Mallorca lebt. Er hört zu, und aus einem schnellen Glas Wein wird ein langer Abend mit Pizza und mehr Wein. In meinem Kopf geht es rund. Christoph, Rakete, Paul! Eben noch die große Männerflaute und jetzt das.

Um halb zwölf bin ich wirklich müde.

»Ich muss heim, es wird Zeit! Ich bin schlagkaputt!«, entschuldige ich meinen Aufbruch.

Vor der Pizzeria verabschieden wir uns. Er nimmt

mich in den Arm. Ich drehe seinen Kopf und küsse ihn. Mit allem drum und dran. Ohne darüber nachzudenken, ob man das macht. Vor allem, ob Frau das macht. Wer küssen will, sollte küssen, ist meine neue Devise. Wir küssen und küssen. Ich bin froh, auf der Straße zu stehen, sonst wüsste ich nicht, ob ich mich beherrschen könnte. Der Mann küsst höllisch gut. Auch das noch! Aber Rakete konnte auch küssen, sagt eine kleine warnende Stimme in mir. Den Rest sehen wir später, überlege ich, und dann überlege ich überhaupt nichts mehr und küsse noch eine Runde.

»Sehe ich dich am Donnerstag?«, fragt mich Paul in einer Atempause.

»Ja, am Donnerstag gehen wir aus. Es war wundervoll mit dir. Tschüs«, flüstere ich ihm ins Ohr.

Er küsst mich sanft auf die Stirn »Tschüs, Andrea, bis Donnerstag.«

Ich bin total aufgedreht und hundemüde zugleich. Was für ein Abend. Was für neue Perspektiven! Was für ein Mann.

Im Auto piept mein Handy. Eine SMS, von Christoph. *Das war schön heute, ich freue mich auf morgen Abend!* Den hatte ich einen kleinen Moment lang vergessen.

Christoph. Paul. Christoph.

Ich bin konfus. Aber angenehm konfus. Wer soll jetzt dein Herzblatt sein, geht es mir auf der Heimfahrt durch den Kopf. Ein alter Spruch aus einer noch älteren Fernsehsendung.

Wir werden sehen, denke ich – wir werden sehen. Jetzt muss ich erst mal schlafen. Morgen ist ein neuer Tag.

Danksagung

Hossa: Es ist geschafft!

Danke an alle, die mich in der Endphase des Schreibens ertragen haben!

Danke, Conny – für all die Ermutigung, für Deine Hilfe und vor allem für Deine Freundschaft!

Und danke an Silke, die mal wieder mein Last-Minute-Wesen ausgehalten hat!

Susanne Fröhlich
Lackschaden
Roman
Band 17494

Da geht noch was!

Wie fühlt man sich, wenn die eigenen Kinder kaum noch mit einem reden, der Ehemann offensichtlich viel lieber auf dem Golfplatz als zu Hause ist, der Schwiegervater hingegen den ganzen Tag lang Ansprache erwartet und das Klimakterium einem schweißig im Nacken sitzt? Soll es das etwa gewesen sein? Abgrundtief ehrlich und schonungslos witzig erzählt Susanne Fröhlich vom Leben im Angesicht der Wechseljahre und dabei wird eines ganz klar: Der Spaß ist noch lange nicht vorbei!

fi 17494 / 1